Contents

Constantinople

Théophile Gautier

Alpha Editions

This edition published in 2023

ISBN : 9789357946087

Design and Setting By
Alpha Editions
www.alphaedis.com
Email - info@alphaedis.com

I
EN MER

« Qui a bu boira, » assure le proverbe ; on pourrait modifier légèrement la formule, et dire avec non moins de justesse : « Qui a voyagé voyagera. » — La soif de voir, comme l'autre soif, s'irrite au lieu de s'éteindre en se satisfaisant. Me voici à Constantinople, et déjà je songe au Caire et à l'Égypte. L'Espagne, l'Italie, l'Afrique, l'Angleterre, la Belgique, la Hollande, une partie de l'Allemagne, la Suisse, les îles grecques, quelques échelles de la côte d'Asie, visitées à plusieurs époques et à diverses reprises, n'ont fait qu'augmenter ce désir de vagabondage cosmopolite. Le voyage est peut-être un élément dangereux à introduire dans la vie, car il trouble profondément et cause des inquiétudes semblables à celles des oiseaux de passage prisonniers au moment des migrations, si quelque circonstance ou quelque devoir vous empêche de partir. On sait que l'on va s'exposer à des fatigues, à des privations, à des ennuis, à des périls même, il en coûte de renoncer à de chères habitudes d'esprit et de cœur, de quitter sa famille, ses amis, ses relations, pour l'inconnu, et cependant l'on sent qu'il est impossible de rester, et ceux qui vous aiment n'essayent pas de vous retenir et vous serrent silencieusement la main sur le marchepied de la voiture. En effet, ne faut-il pas parcourir un peu la planète sur laquelle nous gravitons à travers l'immensité, jusqu'à ce que le mystérieux auteur nous transporte dans un monde nouveau pour nous faire lire une autre page de son œuvre infinie ? N'est-ce pas une coupable paresse d'épeler toujours le même mot sans jamais tourner le feuillet ? Quel poëte serait satisfait de voir le lecteur s'en tenir à une seule de ses strophes ? Ainsi chaque année, à moins d'être cloué sur place par les nécessités les plus impérieuses, je lis un pays de ce vaste univers qui me paraît moins grand à mesure que je le parcours et qu'il se dégage des vagues cosmographies de l'imagination. Sans aller précisément au Saint-Sépulcre, à Saint-Jacques-de-Compostelle, à la Mecque, je fais un pieux pèlerinage aux endroits de la terre où la beauté des sites rend Dieu plus visible ; cette fois je verrai la Turquie, la Grèce et un peu cette Asie hellénique où la beauté des formes s'unit aux splendeurs orientales. Mais terminons là cette courte préface (les moins longues sont les meilleures), et mettons-nous en route sans plus tarder.

Si j'étais un Chinois ou un Indien arrivant de Nanking ou de Calcutta, je vous décrirais avec soin et prolixité le chemin de Paris à Marseille, le railway de Châlons, et la Saône, et le Rhône, et Avignon, mais vous les connaissez aussi bien que moi, et d'ailleurs, pour voyager dans un pays, il faut être étranger : la comparaison des différences produit les remarques. Qui de nous noterait qu'en France les hommes donnent le bras aux femmes, particularité qui étonne un habitant du Céleste empire ? Supposez donc, sans transition, que je suis sur le port, et que le *Léonidas* chauffe en partance pour Constantinople. Le Midi se déclare déjà par un gai soleil qui tiédit les dalles et fait pépier des centaines d'oiseaux exotiques dans les cages exposées à la devanture de deux marchands oiseleurs : les aras réjouis débitent leur répertoire, les bengalis battent des ailes, se croyant chez eux ; les ouistitis gambadent légèrement, se grattent l'aisselle, vous regardent de leurs yeux presque humains, et vous tendent amicalement leurs petites mains fraîches à travers les barreaux, insoucieux encore de la phthisie qui les fera tousser sous la ouate aux froids salons parisiens ; il n'est pas jusqu'aux mornes tortues qui ne se démènent dans leur carapace et ne se raniment à ce rayon vivificateur ; en quarante heures j'ai passé de la pluie torrentielle au bleu le plus pur. J'ai laissé l'hiver derrière moi, et je trouve l'été ardent et splendide ; je vais prendre une glace, idée qui m'eût fait frissonner avant-hier sur le boulevard de Gand ; j'entre au café Turc : je me dois cela à moi-même, puisque je pars pour Constantinople ; c'est un très-beau café, ma foi. Cependant je ne vous en parlerais pas, malgré son luxe de miroirs, de dorures, de colonnettes et d'arcades, sans une charmante salle à l'entre-sol, décorée de peintures d'artistes exclusivement marseillais : c'est un musée local très-curieux et très-intéressant. Les boiseries sont divisées en panneaux représentant divers sujets abandonnés à la fantaisie du peintre. — Loubon, dont on a admiré à Paris les paysages poudroyants de soleil et les grands troupeaux cheminant sur des terrains de pierre ponce, a fait là son chef-d'œuvre, et un chef-d'œuvre, — une *Descente de Bufles* par un ravin aux approches d'une ville d'Afrique. La lumière brûle la terre blanche sur laquelle se projette l'ombre bleue des bêtes difformes qui suivent la pente dans des poses de raccourci, se déhanchant, heurtant leurs genoux cagneux, levant leurs mufles baveux et lustrés pour humer l'air torride ; les retardataires sont pressés par l'aiguillon d'un sauvage pasteur hâve et bistré. Au fond, les murs de craie de la ville, se détachant sur un fond de ciel indigo, ferment nettement l'horizon. C'est libre, ferme et franc. Decamps ne ferait pas mieux. M. Brest, qui avait exposé, il y a deux ans, au Salon, un bel intérieur de forêt, a peint deux paysages d'une couleur charmante et d'une délicieuse fantaisie : un étang au milieu d'un bois d'arbres exotiques reflétés par les eaux endormies, sur le bord desquelles stationnent, au haut de leurs longues pattes, des phénicoptères aux ailes roses, guettant le passage d'un poisson ou d'une grenouille. Une allée de parc avec un premier plan d'architecture, un perron à colonnes et à balustres, par où descendent des dames et des seigneurs qu'attendent des chevaux de main tenus par des servants ; — pour rappeler la dénomination du café, M. Lagier a représenté un Turc faisant le kief après avoir fumé l'opium ou le hachich, et voyant danser dans la vapeur bleue une foule de houris infiniment plus séduisantes que celles du *Paradis de Mahomet* de M. Schopin. Il y a aussi une espèce de *Conversation orientale*, de M. Reynaud, à costumes éclatants et capricieux, qui se passe devant une muraille blanche à moitié drapée d'un manteau de verdure et de fleurs d'un ton superbe, et des marines d'un artiste dont le nom m'échappe malheureusement, mais qui sont très-remarquables et pourraient se soutenir à côté d'Isabey, de Durand Brager, de Gudin et de Melby. Le nom qui me fuyait en écrivant la ligne précédente me revient maintenant, par une de ces bizarreries de mémoire qu'on ne saurait s'expliquer ; c'est Landais que s'appelle cet habile peintre. N'oublions pas deux paysages de M. Maggy, solides de dessin et robustes de ton, entremêlés d'animaux que ne désavouerait pas Palizzi. Il serait à désirer que cette galerie marseillaise, perdue dans un café, fût lithographiée et publiée. Cet exemple de décoration intelligente devrait bien être suivi à Paris, où l'on abuse un peu trop du luxe bête des glaces, des dorures et des étoffes.

Vous avez lu sans doute les spirituelles plaisanteries de Méry sur l'altération de Marseille et la tristesse des fontaines, qui, à force d'architecture, tâchaient de faire oublier qu'elles manquaient d'eau. Les travaux de détournement de la Durance sont achevés, et chaque bastide s'enorgueillit aujourd'hui d'un bassin et d'un jet d'eau. Il en est qui poussent la fatuité jusqu'à la cascade. Marseille va être entourée bientôt d'une foule de Versailles, de Marly et de Saint-Cloud en miniature ; avant peu, j'en ai bien peur, ces magnifiques terrains calcinés de lumière, ces beaux rochers couleur de liége et de pain grillé seront revêtus de végétation, et le vert-épinard, joie des propriétaires, terreur des paysagistes, fera disparaître cette étincelante aridité.

L'ancre est levée ; les roues frappent l'eau ; nous voilà sortis du port ; on longe des côtes escarpées, décharnées, effritées, pareilles à celles de l'autre côté de la Méditerranée. Je ne sais pas si on l'a remarqué, Marseille et ses environs sont beaucoup plus méridionaux que leur latitude ne semble le comporter. Vous avez là des aspects africains d'une âpreté aussi chaude qu'en Algérie, et la physionomie du Midi s'y dessine d'une façon très-violente. Des contrées situées deux ou trois cents lieues plus au sud ont souvent l'air plus septentrional : ces roches ravinées, dont la base plonge dans une mer du bleu le plus foncé, s'ouvrent quelquefois et laissent apercevoir une ville lointaine, entourée de ses bastides qui tachètent la campagne de leurs mille points blancs.

L'on rencontre çà et là quelques navires aux voiles gonflées, se dirigeant vers le port où ils espèrent arriver avant la nuit ; puis la solitude se fait, les côtes disparaissent dans l'éloignement, la houle du large se fait sentir ; on ne voit plus que le ciel et l'eau. Quelques légers moutons floconnent sur le bleu pâturage de la mer. Un poëte antique y aurait vu les troupeaux de Protée. Le soleil, que n'accompagne aucun nuage, plonge à l'occident comme un boulet rouge et semble fumer en entrant dans l'eau. La nuit arrive, nuit sans lune ; une rosée saline s'abat sur le pont et pénètre les vêtements de son âcre humidité ; les cigares tombent lentement en cendre, aspirés par des lèvres où la nausée se déciderait au premier coup de tangage un peu fort. Les passagers descendent un à un et s'accommodent comme ils peuvent dans les tiroirs qui servent de lit. Pour être bercé par la vague plus régulièrement que jamais enfant ne le fut par sa nourrice, on n'en dort pas mieux, et l'on fait des rêves extravagants entrecoupés par la cloche qui *pique* l'heure et marque le quart aux matelots.

Dès l'aube on est sur pied ; rien encore que ce cercle de deux ou trois lieues dont le vaisseau est le centre, et qui se déplace avec lui, et qu'on est convenu d'appeler l'immensité de la mer et l'image de l'infini, je ne sais trop pourquoi, car l'horizon qu'on découvre du haut de la moindre tour ou de la montagne la plus ordinaire est cent fois plus vaste.

Il fait jour tout à fait, et sur la gauche le capitaine signale une terre, qui est la Corse. Je ne vois, même avec une lorgnette, qu'une légère brume à peine discernable des pâles teintes du ciel matinal. Le capitaine avait raison. Le bateau marche : la vapeur grisâtre se condense, se raffermit ; des ondulations de montagnes se dessinent, quelques points s'éclairent, des touches jaunes marquent les escarpements dénudés, des plaques noirâtres, les forêts et les endroits recouverts de végétation. Là-bas au nord, vers cette pointe, doit être l'Isola-Rossa ; plus loin, cette blancheur crayeuse qui se confond avec la terre, c'est Ajaccio. Mais on passe trop au large, ce qui me contrarie beaucoup, pour discerner aucun détail. On côtoie ainsi toute la journée à distance cette Corse énergique et sauvage, aux mœurs poétiquement féroces, aux vendettes éternelles, que le progrès rendra bientôt semblable à la banlieue de Paris, à Pantin ou à Batignolles. — Ce serait peut-être ici le lieu de placer un morceau brillant sur Napoléon ; mais j'aime mieux éviter ce lieu commun facile, et je me bornerai à remarquer en passant quelle influence les îles ont eue sur la destinée de ce héros presque fabuleux déjà, et dont nous voyons se former la légende sous nos yeux : une île lui donne naissance ; tombé, il repart d'une île et meurt dans une île, tué par une île ; il sort de la mer et s'y replonge. Quel mythe l'avenir bâtira-t-il là-dessus, lorsque l'histoire fugitive aura disparu pour laisser la place au poëme éternel ? Mais l'on aperçoit les sept moines, écueils formés de roches, ayant en effet l'apparence de capucins encapuchonnés et rangés à la file ; l'on approche du passage étroit qui sépare la Corse de la Sardaigne du côté de Bonifaccio.

Grèce qu'on connaît trop, Sardaigne qu'on ignore.

Un canal extrêmement étroit divise les deux îles, qui visiblement n'ont dû en faire qu'une avant les cataclysmes diluviens et les soulèvements volcaniques ; on voit très-distinctement la rive de chaque pays : ce sont des collines montagneuses assez escarpées, mais sans grand caractère ; quelques rares maisons aux murs jaunes, aux toits de tuiles, parsèment le rivage, qui sans cela semblerait celui d'une île déserte, car on n'y découvre aucune trace de culture ; deux ou trois barques à la voile latine voltigent comme des mouettes d'un bord à l'autre.

Du côté de la Sardaigne, on nous fait remarquer, ce qui est la principale curiosité de l'endroit, une agrégation bizarre de roches sur le sommet d'une colline, qui dessinent très-exactement, par leurs angles et leurs sinuosités, la forme d'un gigantesque ours blanc des mers polaires ; on distingue, sans y mettre la moindre complaisance, comme cela arrive souvent pour ces sortes de prodiges, l'échine, les pattes, la tête allongée de l'animal : le port, l'allure, la couleur, tout y est. A mesure qu'on approche, les profils se perdent, les formes se confondent ou se présentent sous une incidence défavorable. L'ours redevient rocher. Le passage est franchi. L'on suivra dans toute sa longueur la côte de Sardaigne qui fait face à l'Italie, comme dans la journée on a longé la côte de Corse qui regarde vers la France. Malheureusement la nuit vient, et nous serons privés de ce spectacle ; la Sardaigne passera près de nous comme un rêve dans l'ombre. Je ne connais rien au monde de plus contrariant que de traverser de nuit un site qu'on désire voir depuis longtemps. Ces mésaventures arrivent fréquemment, maintenant que le voyageur n'est que l'accessoire du voyage, et que l'homme est soumis comme un objet inerte au moyen de transport.

Au réveil, la mer déserte est d'un bleu dur faisant paraître le ciel pâle. Quelques marsouins jouent dans le sillage du navire, nageant avec une rapidité qui devance la vapeur et semble la défier ; ils se poursuivent, sautent les uns par-dessus les autres et passent dans l'écume de la proue, puis ils restent en arrière et disparaissent après quelques cabrioles. — A la gauche du vaisseau, à quelque distance, se montre un énorme poisson de couleur plombée, armée d'une nageoire dorsale noirâtre et pointue comme un aiguillon. Il plonge et ne reparaît plus : ce sont là, avec l'apparition lointaine de trois ou quatre voiles poursuivant leur route en divers sens, les seuls événements de la journée. Le temps est assez frais ; l'on hisse les voiles de foc et la misaine, qui accélèrent notre marche de quelques nœuds. Le soir, on signale le cap Maritimo, à l'une des pointes de cette île que les anciens nommaient Trinacria, d'après sa forme, et qui s'appelle maintenant la Sicile. Nous passerons encore dans l'obscurité le long de ce rivage antique et pittoresque, mais demain nous serons à Malte de jour.

Vers les deux heures, sous une bande de nuage zébrés, je discerne une strie un peu plus opaque, c'est l'île de Goze. Bientôt la silhouette se découpe plus nettement. D'immenses falaises à pic, au pied desquelles la mer bouillonne tumultueusement, s'élèvent du sein des eaux, comme le sommet d'une montagne noyée à sa base ; on dit que ces grands rochers blancs peuvent se suivre du regard à plusieurs centaines de pieds sous la transparence de l'azur dont ils sont baignés, ce qui produit un effet assez effrayant pour ceux qui les rasent dans une frêle barque, en donnant en quelque sorte l'étiage de l'abîme. Le long de ces escarpements dressés comme des murailles de forteresse, des pêcheurs suspendus à une corde, à la façon des Italiens qui badigeonnent les maisons, jettent des lignes et prennent du poisson. La rupture d'un cordage, un nœud mal fait, les précipiterait brisés au fond du gouffre. — Nous avançons ; des ondulations un peu moins abruptes permettent quelque culture : de petites murailles de pierre, qui de loin ressemblent à des raies tracées à l'encre sur un plan topographique, enclosent et séparent les champs ; les nuages ont disparu, une belle couleur chaude et mordorée revêt les terrains d'un manteau d'or. Un tas de pains de blanc d'Espagne, sur lequel s'arrondissent quelques dômes, poudroie sous un soleil aveuglant au haut d'une colline ou plutôt d'une montagne. C'est Goze, la capitale de l'île. Les curiosités de Goze sont des cavernes creusées au bord de la mer, à l'entrée desquelles tourbillonnent des nuées d'oiseaux aquatiques qui y font leur nid ; un écueil où pousse une espèce de champignon particulière très-estimée, dont les chevaliers de Malte s'étaient réservé le monopole, et la saline de l'Horloger, bizarre phénomène hydraulique, dont voici la briève explication. Un horloger maltais, ayant eu l'idée de pratiquer des salines du côté de Zebug, où il possédait des terres près du rivage, fit creuser la roche pour faire évaporer l'eau salée ; mais la mer, ayant miné en dessous, s'élança par ce puits comme une trombe ou comme un de ces volcans d'eau de l'Islande, à une hauteur de plus de soixante pieds, et faillit noyer tout le pays. On boucha à grand'peine l'ouverture, et de temps en temps le volcan marin fait des essais d'éruption. — Je n'ai pas vu la saline de l'Horloger. Je raconte simplement ce qu'on m'a dit.

Goze et Malte sont situées exactement comme la Corse et la Sardaigne ; une passe étroite les sépare, et dans les temps primitifs elles ne devaient former aussi qu'une seule île. L'aspect des côtes de Malte est semblable à celui des côtes de l'île de Goze : c'est la continuation évidente des mêmes roches, des mêmes terrains, et les stratifications géologiques se poursuivent d'une île à l'autre.

Le climat a beaucoup changé depuis la veille ; le ciel prend des tons d'outremer. Le souffle brûlant de l'Afrique voisine se fait sentir. Malte produit des oranges ; le figuier d'Inde et l'aloès y prospèrent ; l'on commence à apercevoir les fortifications de la cité Valette, que signalent deux moulins à vent en forme de tours avec huit ailes faisant la roue, disposition bizarre et commune à tout l'Orient, et qui mériterait que Hoguet, le Raphaël des moulins à vent, fît le voyage tout exprès, tant les ailes, multipliées comme les rayons d'une roue sans jantes, ont une physionomie originale. L'eau de bleue devient verte par l'approche de la terre ; l'on double la pointe Dragut. Le bateau à vapeur fait un demi-tour et pénètre dans le goulet du port, en passant dans le château Saint-Elme et le fort Ricazoli.

Les fortifications, avec leurs angles précis et leurs arêtes vives, éclairées d'une lumière splendide, se dessinent presque géométralement entre le bleu foncé du ciel et le vert cru de la mer. Les moindres détails du rivage ressortent nettement : à gauche s'élève une pyramide à la mémoire du colonel Cavendish et se découpent les pointes de la cité Victorieuse et du bourg de la Sangle ; à droite, s'étage en amphithéâtre la cité Valette ; le port, qui porte le nom local de Marse, s'enfonce dans les terres par une échancrure bifurquée à son extrémité comme le fond de la mer Rouge ; des navires anglais, sardes, napolitains, grecs, de toutes nations, sont à l'ancre à différentes distances du bord, suivant leur tirant d'eau. Sur le quai, du côté de la cité Valette, l'on distingue des soldats anglais avec l'habit rouge et le pantalon blanc de rigueur, et quelques haquets aux grandes roues écarlates, rappelant les anciens corricoli de Naples ; tout cela se détachant sur des murailles d'une éclatante blancheur. Sans que les positions soient les mêmes, il y a dans ce luxe de fortifications, dans ce type britannique mêlé au type méridional, quelque chose qui fait penser à Gibraltar ; cette idée se présente naturellement à tous ceux qui ont vu ces deux possessions anglaises, clefs qui ouvrent ou ferment la Méditerranée.

On nous a aperçus du rivage. Une flottille de canots se dirige à toutes rames vers le bateau à vapeur ; nous sommes entourés, cernés, envahis, un abordage pacifique à lieu ; le pont se couvre en une minute d'une foule de canailles variées piaillant, criant, hurlant, jargonnant toutes sortes de langues et de dialectes ; on se croirait à Babel le jour de la dispersion des travailleurs. Avant de savoir à quelle nation vous appartenez, ces drôles polyglottes essayent sur vous l'anglais, l'italien, le français, le grec, le turc même, jusqu'à ce qu'ils aient rencontré un idiome dans lequel vous puissiez leur dire intelligiblement : « Vous m'assommez ! allez-vous-en à tous les diables ! » Les domestiques de place, les garçons d'hôtel, vous poursuivent, vous harcèlent, vous assassinent d'offres de service. On vous fourre des cartes dans vos mains, dans votre gilet, dans le gousset de votre pantalon, dans la poche de votre paletot, dans la coiffe de votre chapeau ; les bateliers vous tiraillent à droite et à gauche, par le bras, par le collet de l'habit, par la basque de la redingote, au risque de vous écarteler, détail dont ils se soucient peu ; ils se querellent et se battent à travers vous, vociférant, gesticulant, trépignant, se démenant comme des possédés ; mais, en somme, tant tués que blessés, il n'y a personne de mort, et cette scène de tumulte peut s'appeler, comme la pièce de Shakespeare, « beaucoup de bruit pour rien. » Le vacarme s'apaise, les voyageurs sont distribués en plusieurs lots, et chaque batelier s'empare de sa proie. Aux bateliers et aux domestiques de place se joignent les marchands de cigares, qui en vous offrent des paquets énormes à des prix fabuleusement minimes : il est vrai qu'ils sont exécrables.

Je remarquai parmi cette foule bigarrée des types assez caractéristiques. Des têtes brunes à cheveux noirs lustrés et roulés en courtes spirales, à bouches épaisses, à regards étincelants, d'un type presque africain sur un fond de régularité grecque, se présentaient fréquemment, et me parurent appartenir en propre à la race maltaise. Ces têtes implantées sur des cous nerveux et des bustes solides n'ont pas été reproduites par la peinture, et fourniraient des modèles nouveaux. Quant au costume, il est des plus simples : un pantalon de toile serré aux hanches par une ceinture de laine, une chemise bouffante, un bonnet rouge penché sur l'oreille, ni bas ni souliers.

Pendant que les passagers, pressés de descendre à terre, encombraient l'échelle, je regardais les barques ameutées au flanc du navire comme de petits poissons autour d'une baleine, et j'en notais les particularités de construction et d'ornement. Destinées au service du port, où l'eau est ordinairement tranquille, ces barques n'ont pas de gouvernail, la proue et la poupe sont marquées par une membrure relevée ayant de la ressemblance avec le bec d'une gondole de Venise auquel on n'aurait pas encore adapté cette clef de fer dentelé qui simule un manche de violon ; à la proue s'ouvrent deux yeux grossièrement peints, comme aux chaloupes de Cadix et de Puerto ; à côté de ces yeux, une main, étendant le doigt indicateur, semble désigner la route. Est-ce un symbole de vigilance, un préservatif contre la *jettatura* et le mauvais œil ? C'est ce que je ne saurais précisément vous dire ; mais ces yeux ainsi placés donnent à ces barques un vague aspect de poisson nageant à fleur d'eau assez étrange. Sur le dossier de la proue sont peintes les armes d'Angleterre, avec le lion et la licorne, leurs supports héraldiques en couleurs crues et violentes, ou bien un féroce hussard fait cabrer un cheval impossible dû à la fantaisie de quelque peintre-vitrier. Des embarcations plus modestes se contentent d'un simple pot de fleurs largement épanouies.

La foule diminue ; j'entre dans un canot, je descends à terre, je passe sous une porte assez obscure. Une rue en escalier se présente à moi : je grimpe au hasard, selon mon habitude de marcher sans guide dans les villes inconnues ; d'après certains instincts topographiques qui me trompent rarement, et, après quelques zigzags, je débouche sur la place du Gouvernement, juste à l'heure où allait sonner la retraite anglaise. Cette retraite mérite une description particulière : les tambours, la grosse caisse, le fifre, se rangèrent silencieusement à un bout de la place ; je n'ai aucune envie de jeter du ridicule sur l'armée anglaise, mais je ne suis pas encore sûr que cette musique ne fût pas empruntée à quelque orgue de Crémone : à un signe du master, les tambours levèrent leurs baguettes, la grosse caisse son tampon, le fifre son turlutu, mais avec un mouvement si sec, si mécanique, si régulièrement pareil, qu'il semblait produit par des ressorts et non par des muscles. Huit jambes de pantalons blancs se relevèrent et retombèrent sur un pas géométrique, et un sauvage ouragan de discordances se déchaîna.

La grosse caisse grognait comme un ours en colère, les tambours sonnaient le fêlé, et le fifre, grimpé à des hauteurs impossibles, battait des trilles extravagants ; mais les musiciens, malgré toute cette furie, n'en gardaient pas moins des figures immobiles, inertes, glacées, sur lesquelles la brise du midi n'avait pu fondre le givre du nord. Arrivés à l'autre extrémité de la place, ils se retournèrent brusquement et refirent le même chemin en émettant le même charivari. — Vous avez sans doute vu de ces jouets d'Allemagne pourvus d'une manivelle qui agace un fil de laiton avec un tuyau de plume et fait sortir d'une guérite un soldat prussien au son d'une aigre petite musique ; le soldat s'avance par une coulisse jusqu'au bout de la boîte, fait volte-face et revient à son point de départ. Grandissez et multipliez ce jouet d'Allemagne, et vous aurez l'idée la plus exacte de la retraite anglaise. Je n'aurais jamais cru que l'homme pût arriver à singer si parfaitement le bois peint. C'est un beau triomphe pour la discipline.

En redescendant vers la mer, je vois flamboyer un reflet de cierges à travers la porte d'une église. J'entre. Des tentures de damas rouge galonné d'or enveloppent les piliers. Sur l'autel tout plaqué d'argent scintillent des soleils de filigrane et de strass. Quelques lampes répandent un mystérieux demi-jour dans les chapelles latérales. Devant une Madone grillée sont pendus des *ex voto* en cire et en argent ; des tableaux farouches, à la manière de l'Espagnolet ou du Caravage, se discernent vaguement à la lueur des bougies ; il me semble être dans une église d'Espagne, en plein catholicisme convaincu et fervent.

De petits garçons, accroupis par file sur des bancs de bois, psalmodient gutturalement un cantique dont un vieux prêtre leur donne le ton. — Je me retire plus édifié de l'intention que de la musique. La nuit est tombée tout à fait. Des fanaux brillent aux angles des rues devant les images des madones et des saints. Les boutiques de marchands de comestibles et de rafraîchissements sont éclairées par des veilleuses qui chatoient parmi la verdure des étalages comme des vers luisants sous l'herbe. Des femmes encapuchonnées de la *faldette* montent et descendent les escaliers des rues, rasant mystérieusement les murailles, chauves-souris du crépuscule d'amour. — Je crois, Dieu me pardonne, que je viens d'entendre frissonner les plaques de cuivre d'un tambour de basque ; une main exercée tape sur le ventre d'une guitare en effleurant les cordes du pouce. — Suis-je à Malte (possession anglaise), ou à Grenade, dans l'Antequerula ? Il y avait longtemps que je n'avais entendu racler le jambon en pleine rue, et je commençais à croire, malgré les souvenirs de mes trois voyages d'Espagne, que la chose n'avait lieu que dans les vignettes de romances. Cela m'a rajeuni le cœur de quelques années, et je remonte dans ma barque pour regagner le *Léonidas*, fredonnant le moins faux qu'il m'est possible le motif que je viens d'entendre. Demain, je reviendrai voir, à la pure lumière du jour, ce que j'ai démêlé dans l'ombre du soir, et je tâcherai de vous donner une idée de la cité Valette, ce siége de l'ordre de Malte, qui a joué un rôle si brillant dans l'histoire, et qui s'est éteint, comme toutes les institutions qui n'ont plus de but, quelque glorieux qu'ait été leur passé.

II
MALTE

J'ai retrouvé, à Malte, cette belle lumière d'Espagne dont l'Italie même, avec son ciel si vanté, n'offre qu'un pâle reflet. Il y fait véritablement clair, et ce n'est pas là un de ces crépuscules plus ou moins blafards qu'on décore du nom de jour dans les climats septentrionaux. Le canot me dépose sur le quai, et j'entre dans la cité Valette par la porte Lascaris, Lascaris-gate, comme le dit l'inscription écrite au-dessus de l'arcade. Ce nom grec et ce mot anglais, soudés par un trait d'union, font un effet bizarre. Toute la destinée de Malte est dans ces deux mots ; sous la voûte, au passage comme à la porte du Jugement à Grenade, il y a une chapelle à la Vierge, grillée, au fond de laquelle tremblote une veilleuse, et dont le seuil est obstrué de mendiants, qui, pour la beauté du haillon, ne seraient pas déplacés parmi des gueux de l'Albaycin ; les pays chauds dorent les guenilles et les roussissent à souhait pour la palette des peintres. Par cette porte, va et vient une foule bigarrée et cosmopolite ; des Tunisiens, des Arabes, des Grecs, des Turcs, des Smyrniotes, des Levantins de toutes les échelles dans leur costume national, sans compter les Maltais, les Anglais et les Européens de différents pays.

Je me rappelle un grand nègre enveloppé, pour tout vêtement, d'une couverture de laine où il se drapait majestueusement, coudoyant une jeune femme anglaise d'une mise aussi correcte et aussi strictement britannique que si elle eût foulé le gazon vert d'Hyde-Park ou le trottoir de Piccadilly ; il avait l'air si tranquille, si sûr de lui-même dans sa loque pouilleuse, qu'à coup sûr il n'aurait pas voulu la changer contre le frac tout neuf d'un dandy du boulevard de Gand. Les Orientaux, même des classes inférieures, ont une dignité naturelle surprenante ; il passait là des Turcs dont toute la défroque ne valait pas un aspre et qu'on eût pris pour des princes déguisés. Cette aristocratie leur vient de leur religion, qui leur fait regarder les autres hommes comme des chiens : des haquets peints en rouge fendaient la foule, se croisant avec des voitures bizarres dont les roues sont rejetées très-loin de la caisse toute portée en avant, et qui rappellent un peu, pour la disposition du train, les équipages de Louis XIV dans les paysages de Van der Meulen. Je crois ce genre de voiture particulier à Malte, car je n'en ai pas vu ailleurs. Leur circulation est, du reste, restreinte à quelques rues principales, les autres étant taillées en escaliers ou en rampes abruptes.

En dedans de la porte de Lascaris se trouve un marché très-vivant, très-animé, sous des tentes et des baraques avec chapelets d'oignons, sacs de pois chiches, monceaux de tomates et de concombres, paquets de piments, corbeilles de fruits rouges, et toutes sortes de comestibles pleins de couleur locale, pittoresquement étalés. Une belle fontaine à bassin de marbre surmonté d'un grand Neptune de bronze, s'appuyant sur un trident dans une pose cavalière, et rococo, produit un effet charmant au milieu de ces boutiques. — Parmi les cafés, les cabarets, les gargotes, l'on rencontre çà et là une taverne anglaise, placardée de sa pancarte de porter simple et double, d'old scotish-ale, d'East India pale beer, de gin, de whisky, de brandwine et autres mixtures vitrioliques à l'usage des sujets de la Grande-Bretagne, qui contraste bizarrement avec les limonades, les sirops de cerises et les boissons glacées des vendeurs de sorbets en plein vent. Les policemen, armés d'un court bâton aux armes d'Angleterre, comme ceux de Londres, parcourent d'un pas réglé cette foule méridionale, et y font régner l'ordre. Rien n'est plus sage, sans doute ; mais ces hommes graves, froids, convenables dans toute la force du mot, impassibles représentants de la loi, font un singulier effet entre ce ciel lumineux et cette terre ardente. Leur profil semble fait expressément pour se découper sur les brouillards d'High-Holborn et de Temple-Bar.

La cité Valette, fondée en 1566 par le grand maître dont elle porte le nom, est la capitale de Malte ; la cité de la Sangle, la cité Victorieuse, qui occupent deux pointes de terre de l'autre côté du port de la Marse, avec les faubourgs la Floriana et la Burmola, complètent la ville, entourée de bastions, de remparts, de contrescarpes, de forts et de fortins à rendre tout siége impossible. A chaque pas qu'on fait, on se trouve face à face avec un canon lorsqu'on suit une des rues qui circonscrivent la ville, comme la Strada-Levante ou la Strada-Ponente. Gibraltar lui-même n'est pas plus hérissé de bouches à feu. L'inconvénient de ces ouvrages multipliés est qu'ils embrassent un très-grand rayon et qu'il faudrait, pour les défendre en cas d'attaque, une garnison nombreuse, toujours difficile à entretenir et à renouveler loin de la mère patrie.

Du haut de ces remparts on découvre, à perte de vue, la mer bleue et transparente, gaufrée de moires par la brise et piquée de voiles blanches. Des sentinelles rouges montent la garde de distance en distance ; l'ardeur du soleil est si forte sur ces glacis, qu'une toile, tendue par un châssis et tournant sur un piquet, fait de l'ombre aux soldats, qui, sans cette précaution, rôtiraient sur place.

En montant vers la seconde porte, on trouve une église de style jésuite et rococo, dans le goût des églises de Madrid, qui n'offre rien de curieux à l'intérieur. Cette porte, où l'on arrive par un pont-levis, est surmontée du blason triomphal d'Angleterre, et son fossé, transformé en jardin, est obstrué d'une luxuriante végétation méridionale d'un vert métallique et vernissé : limons, orangers, figuiers, myrtes, cyprès, plantés pêle-mêle dans un désordre touffu et charmant. Au-dessus de l'enceinte, dépassant les terrasses des maisons, s'ouvrent sur le bleu du ciel une suite d'arcades blanches encadrant la promenade de la piazza Regina, située au haut de la ville, et d'où l'on jouit d'une vue magnifique.

La cité Valette, quoique bâtie sur un plan régulier et pour ainsi dire tout d'un bloc, n'en est pas moins pittoresque. La déclivité extrême du terrain compense ce que le tracé exact des rues pourrait avoir de monotone, et la ville escalade par des paliers et des degrés la colline, qu'elle recouvre en amphithéâtre. Les maisons, très-hautes, comme celles de Cadix, pour jouir de la vue de la mer, se terminent en terrasses de pouzzolane. Elles sont toutes en pierre blanche de Malte, une sorte de tuf très-facile à tailler, et avec lequel on peut, sans grands frais, se livrer à des caprices de sculpture et d'ornementation. Ces maisons rectilignes portent admirablement et ont un air de grandeur et de force qu'elles doivent à l'absence de toits, de corniches et d'attique. Elles tranchent nettement en équerre sur l'azur du ciel, que leur blancheur fait paraître plus intense ; mais ce qui leur donne un caractère original, ce sont les balcons en saillie, appliqués sur leurs façades comme des moucharabys arabes ou des miradores espagnols. Ces cages vitrées, garnies de fleurs et d'arbustes, et qui ressemblent à des serres projetées hors de la maison, portent sur des consoles et des modillons en volutes, en créneaux denticulés, en feuillages tordus, en chimères ornementales de la fantaisie la plus variée.

Les balcons rompent heureusement les lignes des façades, et, vus du bout de la rue, présentent les plus heureux profils ; les ombres qu'ils découpent par leurs fortes saillies tranchent à propos sur le ton clair des façades. Les brindilles des pois d'Alger, les étoiles rouges du géranium, les fleurs de porcelaine des plantes grasses, qui débordent de leurs vitrines ouvertes, égayent de leurs vives couleurs le bleu et le blanc, ton local du tableau. C'est dans ces miradores que les femmes de la classe aisée de Malte passent leur vie, guettant le moindre souffle de la brise de mer, ou affaissées sous les énervantes influences du sirocco. On aperçoit de la rue leur bras blanc accoudé, et l'on voit briller le coin de leur noire prunelle, ce qui vous distrait agréablement de vos contemplations architecturales. — Les Maltaises, chose rare parmi les femmes qui se laissent diriger dans leur toilette plutôt par la mode que par le goût, ont eu le bon esprit de conserver leur costume national, du moins dans la rue. Ce vêtement, appelé *faldetta*, consiste en une espèce de jupon d'une coupe particulière et dont on s'encapuchonne en élargissant ou en rétrécissant l'ouverture, maintenue par une petite baguette de baleine, selon que l'on veut plus ou moins laisser voir son visage.

La faldetta est uniformément noire comme un domino, dont elle a tous les avantages, plus une grâce refusée aux informes sacs de satin qui gazouillent en carnaval au foyer de l'Opéra ; on cache une joue et un œil du côté de la personne dont on veut ne pas être vu, on rejette la faldetta en arrière ou on la remonte jusque sur le nez, suivant les circonstances. C'est le bal masqué transporté en pleine rue. Sous ce capuchon de taffetas noir, assez semblable aux thérèses de nos grand'mères, on porte habituellement une robe rose ou lilas à grands volants. Autant que j'en ai pu juger lorsqu'un souffle propice faisait voltiger le voile mystérieux, les Maltaises se rapprochent du type oriental par leur grand œil arabe, leur teint pâle et leur nez généralement aquilin. Comme je n'ai pas vu un visage complet, mais la prunelle de celui-ci, le nez de celui-là, la joue de tel autre, et pas un seul menton (excepté aux fenêtres, en raccourci plafonnant), car la faldetta les recouvre, je ne porte pas un jugement définitif, et je livre mon observation pour ce qu'elle vaut.

Les Guides du Voyageur et les ouvrages spéciaux de géographie prétendent que les Maltaises ont l'humeur coquette et le cœur faible. Je ne suis pas un don Juan assez transcendental pour m'être assuré par moi-même de la vérité de cette assertion dans un séjour de quelques heures ; mais les maisons ont deux ou trois étages de miradores, les femmes portent uniformément sur la tête un jupon qui est l'équivalent de l'ancien masque vénitien et de la mantille espagnole actuelle, le sirocco souffle trois jours sur quatre, il fait ordinairement vingt-huit degrés de chaleur, on joue de la guitare dans les rues, le soir, et les offices sont très-suivis. Il est d'ailleurs bien difficile d'être puritainement glacial entre la Sicile et l'Afrique. Cette facilité de mœurs est attribuée, toujours par les mêmes livres sérieux, à la corruption des chevaliers de Malte ; mais les pauvres chevaliers dorment depuis maintes années sous leurs tombes de mosaïque, dans l'église de Saint-Jean, et la faute, si faute il y a, est tout entière au soleil. Tout ce que je puis dire, c'est qu'elles m'ont paru très-piquantes ainsi fagotées et mettant le nez à la fenêtre par l'ouverture de cette jupe.

En courant au hasard, je rencontre des coins de rue charmants et qui feraient le bonheur d'un aquarelliste. Les balcons enveloppent l'angle et forment plusieurs étages de tourelles ou de galeries, suivant leur dimension. Une madone ou un saint de grandeur naturelle, la tête sous un baldaquin de pierre, les pieds sur un énorme socle en gaîne à volutes tirebouchonnées, se présentent inopinément à l'adoration des personnes pieuses et au crayon des faiseurs de croquis ; de grandes lanternes, soutenues par des potences de serrurerie compliquée, éclairent ces dévotes images et fournissent de jolis motifs de dessin. Je ne m'attendais pas à trouver des carrefours si catholiques dans la Malte anglaise. Au bas de la plupart de ces statues sont écrites, sur des cartouches contournés, des inscriptions du genre de celle-ci : « Mgr Fernando Mattei, évêque de Malte, ou Son Excellence révérendissime don F. Saverio, accorde quarante jours d'indulgence à tous ceux qui diront un *Pater*, un *Ave* et un *Gloria* devant les images de la très-sainte Vierge ou de saint François Borgia, posées là par leurs soins. » Puisque j'ai parlé de sculpture sacrée, je placerai ici un détail assez bizarre que j'ai remarqué sur le portail d'une église.

Ce sont des têtes de mort cravatées d'ailes de papillon. Cet hiéroglyphe, funèbrement pompadour, de la brièveté de la vie m'a paru associer d'une façon neuve les emblèmes du boudoir aux ornements de la tombe. On ne saurait être plus galamment sépulcral, et l'idée a dû être caressée par un joli petit abbé de cour. Si le sens de ce rébus funèbre a été clair pour moi, il n'en a pas été de même d'un petit bas-relief que j'ai vu au-dessus de la porte de plusieurs maisons, et qui représente, avec de légères variantes, une femme nue plongée dans les flammes jusqu'à la ceinture, et levant les bras au ciel. Une banderole porte ce mot gravé : *Valletta*. Un Maltais, que je consulte, m'explique que la rente des maisons ainsi désignées revient à la confrérie des âmes du Purgatoire après la mort de leurs propriétaires, pour lesquels on dit des prières et des messes. Cette femme nue symbolise l'âme.

Le palais des grands maîtres, aujourd'hui palais du gouvernement, n'a rien de bien remarquable comme architecture. Sa date est récente, et il ne répond pas à l'idée qu'on se fait de la demeure des Villiers de l'Ile-Adam, des Lavalette et de leurs successeurs. Cependant il a une prestance assez monumentale et produit un bel effet sur cette grande place, dont il occupe un des pans. Deux portes à colonnes rustiques rompent l'uniformité de cette longue façade ; un immense miradore, faisant galerie intérieure, et porté par de fortes consoles sculptées, circule à la hauteur du premier étage à peu près, et donne à l'édifice le cachet de Malte. Ce détail tout local relève ce que cette architecture pourrait avoir de plat. Ce palais, vulgaire dans sa magnificence, devient ainsi original. — L'intérieur, que j'ai visité, offre une suite de vastes salles et de galeries renfermant des peintures représentant des batailles de terre et de mer, des siéges, des abordages de galères turques et de galères de la Religion (c'est ainsi que l'on appelle collectivement l'ordre de Saint-Jean), de Matteo da Lecce. — Il y a aussi des tableaux du Trevisan, de l'Espagnolet, du Guide, du Calabrèse et de Michel-Ange de Caravage.

Le cicerone vous fait promener dans de grands appartements aux planchers couverts de nattes fines, aux colonnes de stuc ou de marbre, aux tapisseries de haute lisse d'après Martin de Voos ou Jouvenet, aux plafonds de bois losangés ou quadrillés, accommodés, avec plus ou moins de goût, à la destination actuelle : les blasons et les portraits des grands maîtres rappellent çà et là les anciens habitants de ce palais chevaleresque, devenu résidence anglaise ; j'ai été surpris de trouver là un portrait de Lawrence, un Georges III ou IV, tout de satin blanc et d'écarlate, faisant face à un Louis XVI assez bien peint, quoique moins miroité de reflets nacrés que le monarque anglais. Une des plus énormes salles, lorsque je passai à Malte, était disposée en salle de bal, et à l'une des colonnes pendait la carte imprimée des valses, des polkas et des quadrilles ; ce détail, bien naturel pourtant, nous fit sourire ; il égayerait les ombres des jeunes chevaliers s'il leur plaisait de revenir la nuit dans leur ancienne demeure : les vieux rébarbatifs s'en offenseraient seuls, car ces moines soldats menaient assez joyeuse vie, et leurs *auberges* ressemblaient plus à des casernes qu'à des monastères. Le trône d'Angleterre, avec son dais, ses armoiries et ses lambrequins, s'élève orgueilleusement à la place du fauteuil qu'occupait le grand maître de l'ordre, et les portraits en lithographie coloriée de la nombreuse progéniture du prince Albert et de la reine Victoria, ainsi que cela doit être chez tout loyal sujet, sont appendus aux murailles étonnées de cet asile du célibat.

J'aurais désiré visiter le musée des armures, toucher ces casques rayés par les lames de Damas, ces cuirasses bosselées par la pierre des catapultes, et sous lesquelles ont battu tant de nobles cœurs : ces boucliers blasonnés de la croix de l'ordre, et où s'implantaient en tremblant les flèches sarrasines ; mais, après une heure d'attente et de recherche, on me dit que le gardien était allé à la campagne et avait emporté les clefs avec lui. A cette réponse superbe, je me crus encore en Espagne, où, assis devant la porte d'un monument quelconque, j'attendais que le concierge eût fini sa sieste et voulût bien m'ouvrir. Il fallut donc renoncer à voir ces héroïques ferrailles et diriger ma course ailleurs.

Pour en finir avec les chevaliers, je me dirigeai vers l'église Saint-Jean, qui est comme le Panthéon de l'ordre. La façade, à fronton triangulaire, flanquée de deux tours terminées par des clochetons de pierre, n'ayant pour tout ornement que quatre piliers couplés et superposés, et percée d'une fenêtre et d'une porte sans sculpture et sans arabesque, ne prépare pas le voyageur aux magnificences du dedans. La première chose qui arrête la vue, c'est une immense voûte peinte à fresque qui tient toute la longueur de la nef ; cette fresque, malheureusement détériorée par le temps, ou plutôt par la mauvaise qualité de l'enduit, est de Mattias Preti, dit le Calabrèse, un de ces grands maîtres secondaires qui, s'ils ont moins de génie, ont quelquefois plus de talent que les princes de l'art. Ce qu'il y a de science, d'habileté, d'esprit, d'abondance et de ressources dans cette colossale peinture, dont on parle à peine, est vraiment inimaginable.

Chaque division de la voûte renferme un sujet de la vie de saint Jean, à qui l'église est dédiée, et qui était le patron de l'ordre. Ces divisions sont soutenues, à leurs retombées, par des groupes de captifs, Sarrasins, Turcs, chrétiens ou autres, demi-nus ou couverts de quelque reste d'armure brisée, dans des poses humiliées et contraintes, espèces de cariatides barbares bien appropriées au sujet. Toute cette partie de la fresque est pleine de caractère et de ragoût, et brille par une force de couleur rare dans ce genre de peinture. Ces tons solides font valoir les tons légers de la voûte, et font fuir les *ciels* à une grande profondeur. Je ne connais d'aussi grande machine que le plafond de Fumiani, dans l'église de Saint-Pantaléon, à Venise, représentant la vie, le martyre et l'apothéose du saint de ce nom. Mais le goût de la décadence se fait moins sentir dans l'œuvre du Calabrais que dans celle du Vénitien. Si l'on veut connaître à fond l'élève du Guerchin, c'est à Malte, à l'église Saint-Jean, qu'il faut venir. En récompense de cette œuvre gigantesque, Mattias Preti eut l'honneur d'être reçu chevalier de l'ordre, comme le Caravage.

Le pavé de l'église se compose de quatre cents tombes de chevaliers, incrustées de jaspe, de porphyre, de vert antique, de brèches de toutes couleurs, qui doivent former la plus splendide mosaïque funèbre ; je dis doivent, car, au moment de ma visite, elles étaient recouvertes par ces immenses nattes de sparterie dont on tapisse les églises méridionales ; usage qui s'explique par l'absence de chaises et l'habitude de s'agenouiller par terre pour faire ses dévotions. Je le regrettai vivement ; mais les chapelles et la crypte contiennent assez de richesses sépulcrales pour vous dédommager. Ces chapelles, extrêmement ornées d'arabesque, de volutes, de rinceaux et de ramages de sculpture entremêlés de croix, de blasons, de fleurs de lis, le tout doré en or de ducat, surprennent par leurs richesses ceux qui ne connaissent que les églises de France, d'une nudité si sévère et d'une mélancolie si romantique. Cette profusion d'ornements, ces dorures, ces marbres variés, semblent à des Français convenir plutôt à la décoration d'un palais ou d'une salle de bal, car notre catholicisme est un peu protestant.

Le tombeau de Nicolas Cotoner, un des grands maîtres qui ont le plus contribué à la splendeur de l'ordre, et qui ont dépensé leur fortune particulière à doter Malte de monuments utiles ou luxueux, n'est pas d'un très-bon goût, mais il est riche et composé de matières précieuses. Il consiste en une pyramide appliquée au mur, que surmonte une boule croisetée qu'accompagnent une Renommée sonnant de la trompette et un petit génie tenant le blason des Cotoner. Le buste du grand maître occupe le bas de la pyramide au centre d'un trophée de casques, de canons, de mortiers, de drapeaux, de boucliers, de haches d'abordage et de piques. Deux esclaves agenouillés, les bras liés derrière le dos, et dont l'un se retourne avec un air de révolte, supportent la plinthe et forment le piédestal. J'ai décrit ce tombeau en détail, car il est comme le type des autres, où les emblèmes de la foi se mêlent aux symboles de la guerre, comme il convient à un ordre à la fois militaire et religieux. Il faut jeter aussi un coup d'œil sur le mausolée du grand maître Rohan, très-magnifique et très-coquet, et sur celui de don Ramon de Perillas, grand maître espagnol, dont les armes parlantes sont entremêlées de croix et de poires.

J'ai regardé toutes ces tombes sans autre impression que la tristesse respectueuse que donne toujours à un être vivant et pensant la pierre derrière laquelle est caché un être qui a vécu et pensé comme lui. Mais quelle n'a pas été mon émotion en rencontrant au détour d'une arcade un marbre signé Pradier, avec ces caractères demi-grecs, demi-français, et ce *sigma* hétéroclite auquel il voulait à toute force donner la valeur d'un *epsilon* ! Les dernières lignes que j'avais écrites en France, deux heures avant mon départ, déploraient la mort subite de cet artiste aimé, qui pouvait encore faire tant de chefs-d'œuvre. Je retrouvais inopinément à Malte une de ses statues les plus gracieusement mélancoliques, où il avait su conserver dans la mort tout le charme de la jeunesse, celle de l'infortuné comte de Beaujolais, que l'on a tant admirée au Salon, il y a une dizaine d'années. Le mort récent m'était rappelé par un tombeau déjà ancien, si les tombeaux ont un âge et si la pyramide de Chéops est plus vieille que la fosse fermée d'hier au Père-Lachaise. Heureux cependant celui qui lègue son nom à la plus dure matière qui soit, et s'assure par de belles œuvres l'immortalité relative dont l'homme peut disposer !

Une chapelle souterraine, assez négligée, renferme les sépultures de Villiers de l'Ile-Adam, de la Valette et d'autres grands maîtres couchés dans leurs armures sur des cippes armoriées, soutenues par des lions, des oiseaux et des chimères ; les uns en bronze, les autres en marbre ou en quelque autre matière précieuse. Cette crypte n'a rien de mystérieux ni de funèbre. La lumière des pays chauds est trop vive pour se prêter aux effets de clair-obscur des cathédrales gothiques.

Avant de quitter l'église, n'oublions pas de mentionner un groupe de *Saint Jean baptisant le Christ*, du sculpteur maltais Gaffan, placé sur le maître-autel, plein de talent, quoique un peu maniéré, et un tableau d'une férocité superbe, de Michel-Ange de Carravage, ayant pour sujet la décollation du même saint. A travers la poussière de l'abandon et la fumée du temps, on démêle des morceaux d'un réalisme surprenant, des cambrures truculentes et un faire d'une énergie extraordinaire.

L'heure s'avance, et le bateau à vapeur n'attend pas les retardataires. Parcourons encore une fois la rue de Saint-Jean et de Sainte-Ursule la pittoresque, avec leurs paliers étagés, leurs balcons saillants, les boutiques qui les bordent, la foule qui monte et descend perpétuellement leurs escaliers, la Strada-Stretta, qui avait autrefois le privilége de servir de terrain aux duellistes de l'ordre, sans qu'on pût les inquiéter ; jetons un coup d'œil, du haut des remparts, sur cette campagne fauve, divisée par des murs de pierre, sans ombre et sans végétation, dévorée par un âpre soleil ; regardons la mer du haut de la piazza Régina, émaillée de tombeaux anglais ; traversons en canot la Marse, parcourons la grande rue de la Sangle, et remontons à bord avec le regret de ne pouvoir emporter une paire de ces jolis vases en pierre de Malte, que les habitants taillent au couteau de la façon la plus ingénieuse et la plus élégante.

Il est quatre heures et demie, et le bateau lève l'ancre à cinq heures. — Un divertissement tout à fait local nous est réservé comme bouquet de notre trop court séjour à Malte. De petites barques nous entourent chargées de gamins tout nus. Les Maltais nagent comme les canards au sortir de l'œuf, et sont excellents plongeurs. — On jetait du haut du bord une pièce d'argent à la mer ; l'eau est si limpide dans le port, qu'on la voyait descendre jusqu'à une vingtaine de pieds de profondeur. Les gamins guettaient la chute de la monnaie, plongeaient aussitôt après elle et la rattrapaient trois fois sur quatre, exercice non moins favorable à leur santé qu'à leur bourse. Vous m'excuserez de ne pas vous parler des catacombes, de la colline Bengemma, des restes du temple d'Hercule, de la grotte de Calypso, car les savants prétendent que Malte est l'Ogygie d'Homère : je n'ai pas eu le temps de les voir, et ce n'est pas la peine de copier ce que d'autres en ont dit.

Demain, dans la matinée, nous apercevrons les rivages de Grèce. Je ne suis pas un classique forcené, tant s'en faut, cependant cette idée me trouble. On éprouve toujours quelque appréhension à voir se formuler dans la réalité une terre entrevue dès l'enfance à travers la brume des rêves poétiques.

III
SYRA

Demain, dans la journée, nous serons en vue du cap Matapan, nom barbare qui cache l'harmonie de l'ancien nom, comme une couche de chaux empâte une fine sculpture. Le cap Ténare est l'extrême pointe de cette feuille de mûrier aux profondes découpures étalée sur la mer qu'on nomme aujourd'hui la Morée et qui s'appelait autrefois le Péloponèse. Tous les passagers étaient debout sur le pont, regardant à l'horizon, dans le sens indiqué, trois ou quatre heures avant qu'il fût possible de rien distinguer. Ce nom magique de Grèce fait travailler les imaginations les plus inertes ; les bourgeois les plus étrangers aux idées d'art s'émeuvent eux-mêmes et se ressouviennent du dictionnaire de Chompré. — Enfin, une ligne violette se dessina faiblement au-dessus des flots : — c'était la Grèce ; une montagne sortit sa hanche de l'eau, comme une nymphe qui se repose sur le sable après le bain, belle, pure, élégante, digne de cette terre sculpturale. « Quelle est cette montagne ? demandai-je au capitaine. — Le Taygète, » me répondit-il avec bonhomie, comme s'il eût dit Montmartre. A ce nom de Taygète, un fragment de vers des *Georgiques* me jaillit instantanément de la mémoire :

… Virginibus bacchata Lacænis

Taygeta !

et se mit à voltiger sur mes lèvres comme un refrain monotone, mais qui suffisait à ma pensée. Que peut-on dire de mieux à une montagne grecque qu'un vers de Virgile ? — Quoiqu'on fût au milieu du mois de juin et qu'il fît assez chaud, le sommet de la montagne était argenté de lames de neige, et je songeais aux pieds roses de ces belles filles de Laconie qui parcouraient en bacchantes le Taygète, et laissaient leur empreinte charmante sur les sentiers blancs !

Le cap Matapan s'avance entre deux golfes profonds, qu'il divise de son arête : le golfe de Coron et celui de Kolokythia ; c'est une pointe de terre aride et décharnée, comme toutes les côtes de Grèce. Quand on l'a dépassé, on vous montre, sur la droite, un bloc de rochers fauves, fendillés de sécheresse, calcinés de chaleur, sans l'apparence de verdure ou même de terre végétale : c'est Cerigo, l'ancienne Cythère, l'île des myrtes et des roses, le séjour aimé de Vénus, dont le nom résume les rêves de volupté. Qu'eût dit Watteau avec son embarquement pour Cythère tout bleu et tout rose, en face de cet âpre rivage de roche effritée, découpant ses contours sévères sous un soleil sans ombre et pouvant offrir une caverne à la pénitence des anachorètes, mais non un bocage aux caresses des amants : Gérard de Nerval a du moins eu l'agrément de voir sur la rive de Cythère un pendu enveloppé de toile cirée, ce qui prouve une justice soigneuse et confortable. Le *Léonidas* passait trop loin de terre pour que ses passagers pussent jouir d'un détail si gracieux, quand même toutes les potences de l'île eussent été garnies en ce moment.

Les anciens ont-ils menti et supposé des sites ravissants là où n'existent maintenant qu'un îlot pierreux et qu'une terre pelée ? Il est difficile de croire que leurs descriptions, dont il était facile alors de vérifier l'exactitude, soient de pure fantaisie. Sans doute, ce sol fatigué par l'activité humaine s'est épuisé à la longue ; il est mort avec la civilisation qu'il supportait, exténué de chefs-d'œuvre, de génie et d'héroïsme. Ce que nous en voyons n'est plus que son squelette : la peau, les muscles, tout est tombé en poussière. Quand l'âme se retire d'un pays, il meurt comme un corps, — autrement, comment expliquer une différence si complète et si générale, car ce que je viens de dire peut s'appliquer à presque toute la Grèce ; cependant, ces côtes, quelque désolées qu'elles soient, ont encore de belles lignes et de pures couleurs.

On passe entre Cerigo et Servi, autre île de pierre ponce, et l'on double le cap Malia ou Saint-Ange, et l'on débusque dans l'archipel ; l'horizon se peuple de voiles, les bricks, les goëlettes, les caravelles, les argosils, sillonnent l'eau bleue dans tous les sens ; il fait un temps admirable ; ni roulis ni tangage. Une faible brise gonfle légèrement notre misaine et aide un peu nos roues, qui fouettent de leurs palettes une mer unie comme la glace, où devraient nager les cortéges mythologiques d'Amphitrite et de Galatée, et que ne rident pas même les sauts des marsouins, ces tritons de l'histoire naturelle, qui, à distance, peuvent produire l'illusion de dieux marins. La terre a fui et ne se montre plus que comme un brouillard au bord du ciel ; puisqu'il n'y a rien à voir au loin, examinons un peu les nouveaux hôtes embarqués à Malte.

Ce sont des Levantins accroupis ou couchés sur leur tapis à l'avant du bateau, près du cabas renfermant leurs provisions et du matelas roulé sur lequel ils s'étendent la nuit. — Un Levantin en voyage emporte toujours trois choses : son tapis, son chibouck et son matelas. L'un d'eux, assez âgé, est vêtu d'une pelisse pistache passée de couleur, historiée dans le dos d'une arabesque d'or, quoique le reste de son costume soit fort simple et même un peu déguenillé. Il a avec lui un jeune enfant aux yeux noirs très-vifs et très-intelligents. — Deux ou trois Grecs ont établi leur installation non loin du Levantin. Ils portent la fustanelle et une veste blanche agrémentée assez élégante ; mais, chose horrible à dire et plus horrible encore à contempler, ces nobles Hellènes étaient coiffés de bonnets de coton comme des Bas-Normands ! — O Grèce ! terre classique ! ton intention était-elle de me navrer le cœur et de me faire perdre ma dernière illusion en m'apparaissant sous la figure de deux de tes fils mitrés du casque à mèche bourgeois ! Il est vrai que ces bonnets de coton, vus de près, offraient quelques passementeries de fil qui en mitigeaient un peu la triviale laideur, et qu'on peut alléguer que Pâris séduisit Hélène casqué d'un bonnet phrygien, qui n'est autre chose qu'un bonnet de coton teint de pourpre.

Sur le tillac, Vivier, le célèbre cor dont la spirituelle bizarrerie égale le talent, et que le bateau à vapeur d'Italie nous avait amené, racontait, au milieu d'un cercle d'auditeurs charmés, la prodigieuse histoire de Mastoc Riffardini et de son lieutenant Pietro, et une belle jeune fille aux yeux bleus, se rendant à Athènes avec son père, s'allongeait paresseusement sur un canapé et laissait errer son regard dans la sérénité de l'air, tout en souriant vaguement de l'histoire.

D'après l'assurance du capitaine qu'aucune île ne serait en vue avant six ou sept heures du soir, l'on consentit à descendre dîner. Quand on remonta de table, Milo et Anti-Milo étaient en vue, déjà baignées de teintes violettes par l'approche du crépuscule ; l'apparence était toujours la même : des escarpements stériles, des pentes dénudées, mais qu'importe ? De ce maigre terrain n'est-il pas jailli un fruit merveilleux ? ce sol infertile, plus riche que celui de la Beauce et de la Touraine, ne recélait-il pas le chef-d'œuvre de l'art, le type le plus pur et le plus vivant de la forme, la radieuse Vénus, adoration des poëtes et des artistes, et qui n'a eu qu'à secouer la poussière des siècles pour reconquérir ses autels ? car devant son piédestal tout le monde est païen ; les temps écoulés disparaissent, et l'on se sent prêt à sacrifier des colombes et des moineaux. Quelle civilisation devait être celle des Grecs, pour qu'une île comme Milo renfermât une production si achevée ? On nous a dit que, dans l'île, on contait à qui voulait l'entendre que les bras absents, objets de tant d'amoureuses lamentations, gisaient en terre auprès de la statue, avaient été exhumés, et s'étaient égarés par une fatale négligence. Je ne me porte nullement garant de ce bruit, qui pourrait raviver des regrets inutiles ; mais telle est la légende qui a cours dans Milo.

Le soleil avait disparu derrière nous, mais il ne faisait pas nuit pour cela ; la voie lactée rayait le ciel de sa large zone d'opale, et il fallait qu'Hercule eût mordu bien fort le sein de Junon, car d'innombrables taches blanches constellaient l'azur nocturne ; les étoiles brillaient d'un éclat inconcevable, et leur reflet scintillait dans l'eau en longues traînées de feu ; des millions de paillettes phosphorescentes petillaient et s'évanouissaient comme des vers luisants dans le sillage du bateau à vapeur. Ce phénomène, fréquent dans les tièdes mers du Levant et des tropiques, est produit par des myriades d'infusoires microscopiques, et l'on ne saurait rien imaginer de plus magiquement pittoresque. Cette nuit me restera dans la mémoire comme une des plus splendides de ma vie. Nous voguions entre deux abîmes de lapis-lazuli, traversés de veines d'or et poudrés de diamants. La lune, absente ou tellement mince encore que le dos de sa faucille d'argent se distinguait à peine, laissait rayonner dans toute sa magnificence cette nuit or et bleu que ses teintes d'argent eussent rendue blafarde. Deux bateaux à vapeur venant en sens contraire de notre marche contribuaient, avec leurs fanaux rouges et verts, à l'illumination générale. Presque tout le monde passa la nuit sur le pont, et ce fut le froid du matin qui nous chassa dans nos cabines.

Lorsque le jour reparut, nous passions entre Serpho et Siphanto. Serpho, que nous longions de plus près, est l'ancienne Sériphe, un lieu de déportation sous les empereurs romains ; Serpho paraît encore très-propre à cette destination lugubre ; rien n'est plus nu, plus sec, plus désolé, du moins vu de la mer. Des collines montagneuses, fauves, pulvérulentes, bossellent la surface de l'île. Avec la lorgnette, on distingue quelques petits murs de pierre, quelques taches noirâtres qui doivent être des enclos et des cultures ; une ville ou plutôt un bourg étagé en amphithéâtre sur un escarpement se détache par sa blancheur. Tout cela, sans cet air transparent et cette admirable lumière de Grèce, aurait un aspect misérable ; mais ces terres brûlées prennent, sous ce soleil, des tons superbes.

En mer, comme dans les montagnes, on se trompe souvent sur les distances et les dimensions des objets. Sur le flanc de Serpho se trouve un îlot nommé Boni ou Poloni, qui me parut avoir une vingtaine de pieds de hauteur, jusqu'à ce qu'une goëlette vînt, en le rasant, rétablir l'échelle. Cet îlot, qui me faisait l'effet d'une grosse pierre tombée dans l'eau, avait au moins deux ou trois fois la hauteur de la goëlette.

Après Serpho et Siphanto apparurent Anti-Paros et Paros, cette carrière qui a fourni aux sublimes sculpteurs de la Grèce la chair éternellement étincelante de leurs divinités, et aux architectes les blanches colonnes de leurs temples ; car, dans cet archipel des Cyclades, les îles se succèdent sans interruption, et chaque tour de roue en fait surgir une nouvelle. A peine un rivage a-t-il disparu sous la mer, qu'un autre s'élève azuré d'ombre ou doré de soleil. A droite, à gauche, vous voyez toujours quelque terre ornée d'un nom sonore ou célèbre, et vous vous étonnez que tant de fable, d'histoire et de poésie, aient pu tenir dans un si petit espace. Elles sont là, assises en rond sur le tapis bleu de la mer, toutes ces îles qui ont donné naissance à quelque dieu, à quelque héros, à quelque poëte, dénuées de leurs couronnes de verdure, mais belles encore, et agissant invinciblement sur l'imagination. De chacun de ces rochers arides est sorti un poëme, un temple, une statue, une médaille, que ne pourront jamais égaler nos civilisations, qui se croient si parfaites.

Le matin nous étions devant Syra. Vue de la rade, Syra ressemble beaucoup à Alger, en petit, bien entendu. Sur un fond de montagne du ton le plus chaud, terre de Sienne ou topaze brûlée, appliquez un triangle étincelant de blancheur dont la base plonge dans la mer et dont la pointe est occupée par une église, et vous aurez l'idée la plus exacte de cette ville, hier encore tas informe de masures, et que le passage des bateaux à vapeur rendra dans peu de temps la reine des Cyclades. — Des moulins à vent à huit ou neuf ailes variaient cette silhouette aiguë ; au reste, pas un arbre, pas une pointe d'herbe verte, aussi loin que l'œil pouvait s'étendre. Une grande quantité de bâtiments de toute forme et de tout tonnage dessinaient en noir leur agrès déliés sur les maisons blanches de la ville et se pressaient le long du bord ; des canots allaient et venaient avec une animation joyeuse : l'eau, la terre, le ciel, tout ruisselait de lumière ; la vie éclatait de toutes parts. — Des barques se dirigeaient vers notre vaisseau à force de rames et faisaient une *regatta* dont nous étions le point de mire.

Bientôt le pont fut couvert d'une foule de gaillards au teint basané, au nez d'aigle, aux yeux flamboyants, aux moustaches féroces, qui nous offraient leurs services du ton dont on demande ailleurs la bourse ou la vie ; les uns portaient des calottes grecques (ils en avaient bien le droit), d'immenses pantalons faisant la jupe et sanglés par des ceintures de laine, et des vestes de drap bleu foncé ; les autres, la fustanelle, la veste blanche et le bonnet de coton, ou bien un petit chapeau de paille cerclé d'un cordon noir. L'un d'eux était superbement costumé et semblait poser pour l'aquarelle d'album ; il méritait l'épithète que les harangueurs, dans Homère, adressent aux auditeurs qu'ils veulent flatter : « *Euknémidès Achaioi* » (Grecs bien bottés) car il avait les plus belles knémides piquées, brodées, historiées et floconnées de houppes de soie rouge qu'il soit possible d'imaginer ; sa fustanelle, bien plissée, d'une propreté éblouissante, s'évasait en cloche ; une ceinture bien ajustée étranglait sa taille de guêpe ; son gilet, galonné, soutaché, enjolivé de boutons en filigrane, laissait passer les manches d'une fine chemise de toile, et sur le coin de son épaule était élégamment jetée une belle veste rouge, roide d'ornements et d'arabesques. Ce personnage si triomphant n'était autre qu'un drogman qui sert de guide aux voyageurs dans leur tournée de Grèce, et probablement il veut flatter ses pratiques par ce luxe de couleur locale, comme les belles filles de Procida et de Nisida, qui ne revêtent leurs costumes de velours et d'or que pour les touristes anglais.

En mettant pied à terre, la première chose qui frappa mes yeux, ce fut une inscription en grec annonçant des bains européens et turcs. Cela fait un singulier effet de voir inscrits sur les murs les caractères d'une langue que l'on croyait morte et que l'on ne connaît guère que par le Jardin des racines grecques du père Lancelot. De mes huit ans de collége, il m'est resté juste assez de science pour lire couramment les enseignes et les noms des rues. Comme vous le voyez, je n'ai pas perdu tout à fait mon temps. Grâce à ces souvenirs classiques, je comprends que je suis dans la rue de Mercure (*odos tou Hermou*), qui mène à la place d'Othon. Au milieu de cette place s'élève un arc de triomphe de bois de charpente entrelacé de branches de laurier desséché, qui témoigne du passage récent du roi Othon, le monarque bavarois de la terre de Pélops.

Vivier, qui est descendu avec moi, déclare sentir le besoin de civiliser cette île sauvage et d'apprendre aux naturels la véritable manière de faire des bulles de savon remplies de fumée de tabac, perfectionnement qu'ils ne paraissent pas soupçonner, si l'on doit s'en rapporter à leur physionomie. Nous entrons dans un café, où Vivier demande avec un flegme imperturbable de l'eau, du savon, du papier et une pipe. Cette demande surprend un peu le cafetier, qui se dit en lui-même : « Ce voyageur est propre, il désire se laver les mains, » et apporte innocemment tout ce qui est nécessaire à la confection des bulles. A la première bulle qui s'échappe du tube, opalisée par la fumée blanche insufflée dans sa frêle enveloppe, la surprise arrête la tasse de café sur la lèvre des consommateurs. Un autre globe transparent et muni, comme un ballon, d'un parachute opaque, monte à son tour dans l'air et balance au soleil tous les reflets du prisme ; alors l'admiration n'a plus de bornes : un grand cercle se forme et suit avec intérêt les bulles voltigeantes. Quand l'enthousiasme est assez surexcité, Vivier, qui sait ménager ses effets, vide les blouses du billard et lance sur le drap vert, comme pour remplacer les boules d'ivoire, un nombre égal de bulles carambolant et roulant au moindre souffle.

Regardez comme ils se civilisent, me dit Vivier en me montrant un Grec moustachu et de physionomie truculente qui tournait un morceau de savon dans un verre d'eau, saisi de la fièvre d'imitation ; déjà leurs mœurs s'adoucissent.

Au bout d'un quart d'heure, l'on aurait cru le café occupé par une bande de jongleurs indiens : ce n'étaient que boules qui montaient et descendaient. Une heure après, toute l'île était occupée à souffler de l'eau de savon et de la fumée par des cornets de papier, avec toute la gravité que mérite une occupation si sérieuse. — Pourquoi s'étonner de ce que les habitants de Syra se soient amusés d'un spectacle qui a fait tenir pendant six mois le nez en l'air, sur la place de la Bourse, à tous les badauds de Paris ?

Pendant que mon ami opérait ces prodiges, j'examinais l'intérieur du café blanchi à la chaux et décoré de quelques mauvaises images coloriées de la rue Saint-Jacques. Ce qu'il y avait de plus caractéristique, c'étaient deux tableaux brodés au petit point, représentant des Turcs à cheval, et signés Sophia Dapola, 1847, un chef-d'œuvre de pensionnaire.

Le quai est bordé de boutiques de toutes sortes : poissonneries, boucheries, confiseries, cafés, gargotes, tavernes, marchands de tabac, etc., et présente l'aspect le plus animé. Il y fourmille perpétuellement un monde bariolé de matelots, de portefaix, d'acheteurs et de curieux de tout pays et de tout costume. On peut du bord donner la main aux barques, et le rivage vit avec la mer dans la plus intime familiarité. Rien n'est plus amusant et plus pittoresque ; à travers les cabans et les braies goudronnées, étincelle de temps à autre un beau costume grec de Pallikare ou d'Armatole théâtralement porté.

Las de ce bruit, nous allâmes nous asseoir dans une rue parallèle au port, à un café garni de divans extérieurs, — car à Syra on vit en plein air, — et l'on nous y servit des glaces au citron, infiniment supérieures à celles de Tortoni et valant celles du café de la Bolsa, à Madrid, ce qui est tout dire ; là je vis passer un Grec d'une beauté admirable, en grand costume, pur de toute altération française ; il n'y a pas de vêtement à la fois plus élégant et plus noble que le costume grec moderne : cette calotte rouge inondée d'une crinière de soie bleue ; ces gilets et ces vestes à manches pendantes, galonnés et brodés, cette ceinture hérissée d'armes ; cette fustanelle plissée et tuyautée comme une draperie de Phidias ; ces guêtres pareilles aux jambards des héros homériques, forment un ensemble plein de grâce et de fierté. Les Grecs se serrent extrêmement, et plus d'un hussard ou d'une femme à la mode envierait leur corsage délié. Cette sveltesse de taille évase le buste, fait valoir la poitrine et donne de la légèreté à ce jupon blanc que la marche balance. J'ai dit tout à l'heure que ce Grec était très-beau : n'allez pas imaginer là-dessus un profil d'Apollon ou de Méléagre, un nez perpendiculaire au front comme dans les statues antiques. Les Grecs actuels ont en général le nez aquilin, et se rapprochent plus du type arabe ou juif qu'on ne se l'imagine ordinairement. — Il est possible qu'il existe encore dans l'intérieur des terres des peuplades où le caractère primitif de la race se soit maintenu. Je ne parle que de ce que j'ai vu.

Syra présente le phénomène d'une ville en ruine et d'une ville en construction, contraste assez singulier. Dans la ville basse, il y a partout des échafaudages, les moellons, et les platras encombrent les rues, on voit pousser les maisons à vue d'œil ; dans la ville haute, tout s'affaisse et s'écroule, la vie quitte la tête pour se réfugier aux pieds.

Je parcourus d'abord la Syra moderne, montant de ruelle en ruelle, car l'escarpement commence presque dès le bord de la mer. Une chose me frappe, c'est le petit nombre de femmes que je rencontre ; — à l'exception de quelques vieilles et de quelques petites filles que leur âge trop avancé ou trop tendre met à l'abri du soupçon, les femmes pressent le pas ou rentrent lorsque je passe. Leur costume n'a rien de caractéristique : la vulgaire robe de cotonnade anglaise et un gazillon noirâtre tortillé sur la tête, voilà tout. La réclusion orientale semble déjà commencer pour elles. On n'en voit aucune dans les boutiques, et ce sont les hommes qui vendent, vont au marché et portent les provisions.

Une joyeuse fusée d'éclats de rire part d'une maison que je côtoie ; c'est un pensionnat de petites filles à qui je parais sans doute profondément ridicule, je ne sais pas pourquoi.

La maîtresse était sur la porte et me fit signe que je pouvais entrer pour examiner l'intérieur de l'école. Je vis là une belle collection d'yeux noirs, de dents blanches et de grosses nattes de cheveux, et Decamps y aurait trouvé de quoi faire un joli pendant à sa *Sortie de l'École turque.* — J'entrai aussi dans une église grecque d'une architecture très-simple, décorée à l'intérieur d'images en style byzantin passant à travers des plaques d'orfévrerie, des têtes et des mains d'une couleur bistrée, comme j'en avais déjà vues à Livourne ; une espèce de portique formant cloison interdit aux fidèles la vue du sanctuaire, qui ne renferme qu'un autel recouvert d'une nappe blanche ; on nous montra une croix et divers ornements du culte en vermeil, d'un travail grossier et barbare, mais ayant assez de caractère.

Une espèce de chaussée très-abrupte sépare la nouvelle Syra de l'ancienne. Ce pont franchi, l'ascension commence à travers des rues à pic pavées comme des lits de torrent. Je grimpe avec deux ou trois camarades entre des murs croulants, des masures effondrées, à travers les pierres qui roulent et les cochons qui se dérangent en glapissant et se sauvent en frottant leur dos bleuâtre à mes jambes. Par les portes entr'ouvertes, j'aperçois des mégères hagardes qui cuisent des mets inconnus à quelque feu brillant dans l'ombre ; les hommes, à physionomie de brigands de mélodrame, quittent leur narghilé et regardent passer notre petite caravane d'un air très-peu gracieux.

La pente devient si roide, que nous montons presqu'à quatre pattes, par des dédales obscurs, des passages voûtés, des escaliers en ruines. Les maisons se superposent les unes aux autres, de façon que le seuil de la supérieure soit au niveau de la terrasse de l'inférieure ; chaque masure a l'air, pour se hisser au haut de la montagne, de mettre le pied sur la tête de celle qu'elle précède dans ce chemin fait plutôt pour les chèvres que pour les hommes. Le mérite de l'ancienne Syra semble de n'être facilement accessible que pour les milans et les aigles. C'est un site charmant pour des nids d'oiseaux de proie, mais tout à fait invraisemblable pour des habitations humaines.

Haletants, ruisselants de sueur, nous arrivâmes enfin à l'étroite plate-forme sur laquelle s'élève l'église de Saint-Georges, plate-forme toute pavée de tombes, où reposent des morts aériens, et là nous sommes amplement dédommagés de notre fatigue par un magnifique panorama. Derrière nous se découpait la crête de la montagne sur laquelle est appliquée Syra ; à droite, en tournant la face vers la mer, se creusait en abîme un immense ravin déchiré, accidenté de la façon la plus sauvagement romantique ; à nos pieds s'étageaient les maisons blanches de la haute et basse Syra ; plus loin brillait la mer avec ses moires lumineuses, et s'arrondissaient en cercle Délos,

Mycone, Tine, Andro, revêtues par le couchant de tons roses et gorge de pigeon qui sembleraient fabuleux s'ils étaient peints.

Quand nous eûmes assez contemplé cet admirable spectacle, nous nous laissâmes rouler en avalanche jusqu'au bas de la ville, et nous allâmes achever notre soirée à une espèce de redoute située sur une pointe qui s'avance dans la mer, en fumant des cigarettes et en écoutant, devant une limonade, une bande de musiciens hongrois exécutant des morceaux d'opéras italiens. Quelques femmes, mises à la française, sauf la coiffure, se promenaient ensemble, côtoyées d'un mari ou d'un amant, sur le terre-plein entouré de tables et de chaises sur lesquelles s'étalait la fustanelle des Pallikares prenant leur café, ou faisant clapoter l'eau de leur narghilé.

En face de nous, la mer était étoilée des fanaux des navires ; derrière nous, les lumières de Syra semaient de paillettes d'or la robe violette de la montagne. C'était charmant. Nos barques nous attendaient sur la jetée, et quelques coups de rames nous ramenèrent à bord du *Léonidas*, harassés mais ravis. — Le lendemain nous devions appareiller pour Smyrne, et je devais, pour la première fois, mettre le pied sur la terre d'Asie, ce berceau du monde, ce sol heureux où le soleil se lève, et qu'il ne quitte qu'à regret pour aller éclairer l'Occident.

IV
SMYRNE

A dix heures du matin, lorsque le bateau à vapeur de correspondance qui touche au Pirée eut pris les voyageurs se rendant à Athènes, le *Léonidas* se remit paisiblement en marche par une mer superbe, aussi pure et aussi tranquille que le lac Léman. — Puisque nous venons de parler d'Athènes, disons qu'il est absurde d'avoir changé l'ancienne route et de rester à Syra vingt-quatre heures qui pourraient être beaucoup mieux employées à visiter l'Acropole et le Parthénon.

Délos, que nous longions, a une singulière cosmogonie mythologique. Je ne sais pas si quelque géologue de profession s'en est occupé scientifiquement pour démêler ce qu'il pouvait y avoir de vrai au fond de la légende ; en attendant, voici l'origine de Délos telle que la fable la raconte : Neptune, d'un coup de son trident, fit sortir cette île du fond de la mer, pour assurer à Latone, persécutée par Junon, un lieu où elle pût mettre au monde Apollon et Diane ; Apollon, en reconnaissance de ce qu'il y avait reçu le jour, la rendit immobile de flottante qu'elle était auparavant, et la fixa au milieu des Cyclades. Doit-on voir là une de ces éruptions volcaniques sous-marines produisant des îles, dont quelques unes périssent au bout de quelque temps, comme l'île Julia, qui rentra dans la mer d'où elle était sortie ? Faut-il prendre au pied de la lettre l'épithète de flottante, en admettant que Délos fut primitivement un banc d'algues, de goëmons, de fucus et de troncs d'arbres, promené sur les eaux, arrêté ensuite sur un bas-fond, puis desséché et transformé en terre habitable par le soleil ? Ou bien, croire qu'à cause de sa situation au milieu d'une pléiade d'îlots presque semblables, Délos dut être souvent manquée par les premiers navigateurs, dépourvus de moyens de direction certains, ce qui lui valut la réputation d'île vagabonde ?

Ce n'est pas la place de discuter ici cette question *ex-professo* ; je la soulève seulement, laissant à de plus doctes le soin de la résoudre, parce qu'elle me vint à l'esprit en passant près de l'endroit sacré où naquirent Apollon et Diane. Délos était, dans l'antiquité, l'objet d'une extrême vénération. On y voyait un autel d'Apollon, que le dieu avait élevé lui-même à l'âge de quatre ans, avec les cornes des chèvres tuées par Diane, sur le mont Cynthus, et qui passait pour une des merveilles du monde. Ce sol sacré semblait si respectable, que l'on n'y souffrait pas les chiens et qu'on emportait de l'île les malades en danger de mort, car il n'était pas permis d'inhumer personne dans cette terre divine, révérée même des barbares. Les Perses, qui ravagèrent les autres îles de la Grèce, abordèrent à Délos avec leur flotte de mille vaisseaux ; mais ils s'abstinrent de toute déprédation et de toute violence. Aujourd'hui Délos n'est qu'une terre aride, où Latone aurait de la peine à trouver l'ombre d'un olivier pour protéger ses couches, seulement elle justifie encore son étymologie lumineuse, et le soleil semble la dorer avec amour.

Toutes ces Cyclades sont si petites, qu'en les rasant en bateau à vapeur on peut suivre dans la réalité les formes et les découpures indiquées sur la carte : la nature elle-même semble une carte repoussée et coloriée d'une grande échelle. Cela produit un effet bizarre de faire de la géographie palpable, de saisir tous les détails des choses comme sur un plan en relief, et de traverser en si peu de temps des lieux qui tiennent tant de place dans l'imagination et dans l'histoire.

Le canal qui sépare Tine de Mycone franchi, nous entrons dans une mer plus libre et nettoyée d'îles. — La journée s'écoule claire et sereine : la parfaite placidité de la mer permet aux estomacs les plus timorés de faire un dîner complet sans crainte et sans remords. Après avoir flâné sur le pont et remis sa montre à l'heure sur le cadran de l'habitacle, car il y a une différence d'une heure un quart de Constantinople à Paris, chacun descendit se coucher pour être levé de grand matin et voir le soleil monter à l'horizon derrière Smyrne, la ville des Roses.

Dans la nuit, on s'arrêta quelque temps à Chio, — l'île des vins, — comme dit Victor Hugo dans ses *Orientales*, — pour charger des marchandises. Le bruit des ballots roulant sur le pont et le piétinement des portefaix me réveilla. Je montai jusqu'au haut de l'escalier, mais je n'aperçus rien qu'une masse sombre sur laquelle se mouvaient des lumières pareilles à ces étincelles qui courent sur le papier brûlé.

Au petit jour, nous entrâmes dans la rade de Smyrne, courbe gracieuse au fond de laquelle s'étale la ville. Ce qui frappa d'abord mes yeux à cette distance, ce fut un grand rideau de cyprès s'élevant au-dessus des maisons et mêlant leurs pointes noires aux pointes blanches des minarets ; une colline encore baignée d'ombre et surmontée d'une vieille forteresse en ruines, dont les murs démantelés se détachaient du ciel clair, s'arrondissait en amphithéâtre derrière les édifices. Ce n'était plus cet aspect âpre et désolé des rivages de la Grèce. La terre d'Asie apparaissait fraîche et souriante dans les lueurs roses du matin.

Je l'avoue à ma honte, je n'ai encore vu que deux des cinq parties du monde, l'Europe et l'Afrique. Cela me causait une joie presque puérile d'en voir une troisième, l'Asie. — Le même site sur la côte d'Europe ne m'eût pas assurément causé le même plaisir. — Quand visiterai-je l'Amérique et la Polynésie ? Dieu seul le sait ! Que d'années on perd stupidement dans la vie ! Toute éducation ne devrait-elle pas avoir pour complément un voyage de circumnavigation autour du monde ? Comment se fait-il qu'il n'y ait pas un navire au service de chaque collège, qui prendrait les élèves en troisième, et leur ferait achever leurs études dans le livre universel, le livre le mieux écrit de tous, parce qu'il est écrit par le bon Dieu ? Ne serait-il pas charmant d'expliquer l'*Odyssée* et l'*Énéide* en accomplissant les voyages du héros grec et du héros troyen ?

Un canot indigène nous conduisit à terre. Il était de très-bonne heure, mais l'air de la mer est appétitif, et notre petite bande, composée de Vivier, de M. R. et de deux jeunes élèves de l'école de Rome venant d'Athènes, fut unanime sur la proposition de manger quelque chose, avant de se répandre dans l'intérieur de la ville pour remplir ses obligations de touriste. Malheureusement l'heure officielle des repas n'avait point sonné dans les hôtels, et il fallut se rabattre sur une tasse de café et un petit pain. — L'établissement où nous fîmes ce frugal repas occupait sur le bord de la mer une espèce d'estacade planchéiée d'où l'on apercevait les vaisseaux en rade et sous laquelle la vague clapotait doucement ; ce café n'avait pour tout ornement que le fourneau où se cuisine la boisson noire dans une petite cafetière de cuivre jaune contenant une seule tasse, et qu'une planche sur laquelle brillait une rangée de narghilés bien écurés et bien limpides, car à Smyrne on ne fume presque que le narghilé, tandis que le chibouck est d'un usage général à Constantinople. Vers ces latitudes, le cigare commence à devenir chimérique, et les fumeurs doivent changer leurs habitudes.

Ce serait manquer aux bonnes traditions que de quitter Smyrne sans avoir visité le pont des Caravanes : un drogman juif, baragouinant un peu de français et d'italien, nous racola en quelques minutes un nombre d'ânes équivalant au nôtre, le pont des Caravanes étant à l'extrémité de la ville et le temps nous manquant pour faire cette course à pied. D'ailleurs, en Orient, monter à âne n'a rien de ridicule, et les personnages les plus graves se prélassent sur ce paisible animal, que Jésus-Christ n'a pas dédaigné pour faire son entrée triomphale dans Jérusalem ; ces ânes étaient harnachés de bâts, de têtières et de croupières agrémentés de dessins en petits coquillages de différentes couleurs, et n'avaient pas la mine piteuse de nos pauvres aliborons qui se sentent plaisantés. Nous enfourchâmes prestement chacun notre bête, et nous voilà lancés à travers les rues, le drogman en tête, l'ânier en queue. Excités par les cris gutturaux que poussait ce dernier gaillard, sec, nerveux, basané, toujours courant dans la poussière après ses grisons, et occupé à bâtonner les retardataires ou les rétifs, nos ânes avaient pris une allure assez vive. Tout en courant, nous jetions un coup d'œil aux maisons, aux cimetières, aux jardins, aux passants ; mais ce n'est pas ici le lieu de les décrire ; hâtons-nous d'arriver au pont des Caravanes ; comme il est encore matin, il est très-possible que nous y trouvions un convoi en partance.

Ce pont célèbre, qu'on a malheureusement déshonoré par une vilaine balustrade en fer fondu, enjambe une petite rivière de quelques pouces de profondeur, sur laquelle nageaient familièrement une demi-douzaine de canards, comme si le divin aveugle n'avait pas lavé ses pieds poudreux dans cette eau que trois mille ans n'ont pas tarie. Ce ruisseau, c'est le Mélès, d'où Homère a pris l'épithète de Mélésigène. Il est vrai que des savants refusent à cette rigole le nom de Mélès, mais d'autres savants, encore plus forts, prétendent qu'Homère n'a jamais existé, ce qui simplifie beaucoup la question. Moi qui ne suis qu'un poëte, j'admets volontiers la légende qui met une pensée et un souvenir dans un lieu déjà charmant par lui-même. D'immenses platanes, sous lesquels est établi un café, ombragent l'une des rives ; sur l'autre, de superbes cyprès révèlent un cimetière. Que ce mot ne réveille en vous aucune idée lugubre : de jolies tombes de marbre blanc, diaprées de lettres turques dorées sur des fonds bleu-de-ciel ou vert-pomme et d'une forme toute différente des sépulcres chrétiens, brillent gaiement sous les arbres révélées par un rayon de soleil ; cela n'a rien de funèbre et excite tout au plus sur ceux qui n'y sont pas habitués une légère mélancolie qui n'est pas sans charme.

A la tête du pont s'élève une espèce de douane corps de garde, occupée par quelques-uns de ces Zeibecs dont les tableaux asiatiques de Decamps ont rendu la physionomie familière à tout le monde : haut turban conique, petit caleçon de toile blanche faisant la poche par derrière, ceinture énorme montant depuis le bas des reins presque jusque sous les aisselles, formidablement hérissée de pommeaux de yatagans et de kandjars ; avec cela des jambes nues couleur de cuir de Cordoue, une figure tannée aux yeux d'aigle, au nez crochu, aux moustaches de vieux grognard. Il y avait là, nonchalamment vautrés sur un banc, trois ou quatre gredins, très-honnêtes sans doute, mais qui avaient bien plus l'air de bandits que de douaniers.

Pour laisser souffler nos bêtes, nous nous étions assis sous les platanes, où l'on nous avait apporté des pipes et du mastic, — le mastic est une espèce de liqueur en usage dans le Levant, surtout dans les îles grecques, et dont le meilleur vient de Chio. La chose consiste en esprit-de-vin dans lequel on a fait fondre une sorte de gomme parfumée. — On boit ce mastic mélangé avec de l'eau qu'il rafraîchit et blanchit comme de l'eau de Cologne ; c'est l'absinthe de l'Orient. Cette boisson toute locale me fit penser aux petits verres d'aguardiente que je buvais il y a douze ans sur la route de Grenade à Malaga, en allant à la course de taureaux avec l'arriero Lanza, revêtu de mon costume de majo, maintenant mangé des vers, hélas ! et qui avait un si splendide pot à fleurs dans le dos.

Pendant que nous fumions et que nous buvions à petites gorgées, une file d'une quinzaine de chameaux, précédée d'un âne agitant sa sonnette, passa processionnellement sur le pont avec ce pas d'amble si singulier qu'ont aussi l'éléphant et la girafe, arrondissant leur dos, faisant onduler leur long col d'autruche. La silhouette étrange de cet animal difforme, qui semble fait pour une nature spéciale, surprend et dépayse au dernier point. Quand on rencontre en liberté de ces bêtes curieuses qu'on montre chez nous dans les ménageries, on se sent décidément loin du boulevard de Gand. — Nous vîmes aussi deux femmes soigneusement voilées qu'accompagnait un nègre à physionomie maussade, un eunuque sans doute. — L'orient commençait à se dessiner d'une façon irrécusable, et l'esprit le plus paradoxal n'aurait pu soutenir que nous étions encore à Paris.

Avant de rentrer dans la ville, on fit le projet d'aller visiter les ruines de l'ancien château, sur le sommet du mont Pagus, que recouvrait l'acropole de la Smyrne antique. Je me soucie assez peu des ruines, lorsque la beauté en est absente et qu'elles sont réduites à l'état de simples tas de moellons. Il me manque cette facilité de pamoison sur parole dont sont doués des voyageurs plus tendres à l'enthousiasme rétrospectif. Mais du haut d'une montagne, on a toujours une belle vue, et je ne vis aucune objection contre l'ascension du mont Pagus, où conduisent des sentiers non pas parsemés de roses, mais de pierres de toute dimension que les ânes contournent avec cette sûreté de pied qui les caractérise. Ces sentiers sont vaguement tracés, à la manière orientale, sur le flanc de la colline, et par l'entre-croisement des lignes battues, ressemblent plutôt à un filet qu'à un ruban. On traverse d'abord de vieux cimetières abandonnés qui retournent peu à peu à l'état de bois ou de champ, les tombeaux s'oblitérant sous la végétation, la poussière et l'oubli. A une certaine élévation, le coup d'œil est superbe : Smyrne s'étend sous vos pieds avec ses maisons rouges et blanches, ses toits de tuiles cannelées d'un rouge vif, ses rideaux de cyprès, ses touffes d'arbres, ses dômes et ses minarets, pareils à des mâts d'ivoire, ses campagnes aux cultures variées et sa rade, espèce de ciel liquide, plus bleu encore que l'autre, tout cela baigné d'une lumière argentée et fraîche, d'un air d'une transparence inouïe.

Le panorama suffisamment admiré, l'on redescendit par des pentes assez abruptes et des ruelles en montagnes russes, à travers des quartiers aussi peu macadamisés que pittoresques. Les maisons de Smyrne sont généralement très-basses, un rez-de-chaussée et un étage qui surplombe, voilà tout. Une peinture blanche, parsemée de filets, de rosaces, de palmettes et autres arabesques d'un bleu d'azur égaye leurs façades et leur donne un air de porcelaine anglaise très-frais et très-propre. Entre les fenêtres sont quelquefois appliquées de petites maisons de plâtre percées de plusieurs trous pour inviter les hirondelles à venir faire leur nid, hospitalité touchante que l'homme offre à l'oiseau et que celui-ci accepte avec une confiance qui n'est jamais trompée en Orient, où les idées des brahmes sur le respect de la vie des animaux, ces humbles frères de l'homme, semblent être parvenues du fond de l'Inde moins lointaine.

C'est à ces idées, sans doute, qu'est due la quantité de chiens errants qui infestent la voie publique, où ils tolèrent à peine les passants obligés de leur céder le pas. On les voit par groupes de trois ou quatre : couchés en rond au milieu de la rue et se laissant plutôt fouler aux pieds que de se lever. Il faut les contourner ou les enjamber. Les vers d'Alfred de Musset, dans Namouna, sur des mendiants « qu'on prendrait pour des dieux » peuvent s'appliquer parfaitement, avec une légère variante, aux chiens de Smyrne et de Constantinople :

Ne les dérange pas, ils t'appelleraient *homme* ;

Ne les écrase pas, ils te laisseraient faire.

Tout en marchant, j'admirais à l'angle des rues une jolie fontaine avec son toit évasé à la turque, ses versets du Coran sculptés en relief, ses colonnettes et ses ornements d'un rococo oriental, ou quelque petit cimetière entouré de murs percés de fenêtres à grillages par où l'on pouvait voir les poules picorant entre les tombes, les chats dormant au soleil, sur les marbres funèbres, et le linge au blanchissage se balancer d'un cyprès à l'autre. En Orient, la vie ne se sépare pas soigneusement de la mort comme chez nous, mais elles continuent de frayer ensemble comme de vieux amis : s'asseoir, dormir, fumer, manger, causer d'amour sur une tombe n'emporte ici aucune idée de sacrilége ou de profanation ; les vaches et les chevaux paissent dans les cimetières ou les traversent à tout moment ; on s'y promène, on s'y donne rendez-vous absolument comme si les morts n'étaient pas là à quelques pieds, ou même à quelques pouces de profondeur, occupés à pourrir, et roides sous leurs planches de bois de mélèze. Mais laissons là ce sujet, qui pourrait ne pas paraître gai à nos lecteurs et surtout à nos lectrices d'Europe ; cependant Paris, au moyen âge, avait ses cimetières et ses charniers ; et à Londres, la ville de la civilisation par excellence, on enterre encore autour de Westminster, de Saint-Paul et autres églises.

Les quartiers que nous avions traversés étaient assez déserts, en sorte que la figure manquait un peu au paysage. En conséquence, nous priâmes le drogman de diriger notre caravane par le Bezestin, qui, dans une ville orientale, est toujours l'endroit le plus curieux, à cause du concours de costumes et de races de tous pays, que le désir de vendre et d'acheter, ou la simple envie de flâner, y attire. L'axiome anglais « *Time is money* » n'aurait aucun sens en Orient, car chacun s'y occupe à ne rien faire avec une conscience admirable, et les gens passent la journée assis sur une natte sans faire un mouvement.

Le Bezestin se compose d'une infinité de petites rues bordées de boutiques, ou plutôt d'alcôves à mi-hauteur, dans lesquelles se tiennent des marchands accroupis ou couchés, fumant ou dormant, ou bien encore roulant sous leurs doigts le comboloio, espèce de chapelet turc formé de cent grains, qui correspondent aux cent noms ou épithètes d'Allah. Avec la main, le marchand peut atteindre à tous les angles de son magasin : les acheteurs se tiennent en dehors, et les transactions se concluent sur l'étal. Rien de moins luxueux, comme vous voyez, que ces boutiques formées d'un trou carré pratiqué dans une muraille, mais elles n'en contiennent pas moins des étoffes précieuses, de belles armes, des selles magnifiques et des chefs-d'œuvre de broderie d'or et d'argent.

De même qu'à Constantine, où ce détail m'avait frappé jadis, les rues du Bezestin sont ombragées de planches posées à plat sur des poutrelles transversales, mais avec quelque espace entre elles, autrement on n'y verrait plus. Ces interstices laissent filtrer le soleil qui zèbre le sol de barres éclatantes et produit les effets de clair-obscur les plus bizarres et les plus inattendus : un homme qui passe sous un de ces rayons reçoit une touche de lumière sur le nez comme un portrait de Rembrandt ; le feredgé d'une femme s'allume comme une flamme rose, un narghilé frappé d'une paillette reluit comme un monceau d'escarboucles, et les richesses de la caverne d'Ali-Baba semblent flamboyer au fond d'une boutique de confiseur. Il est bizarre qu'on n'ait pas couvert ces rues avec des berceaux de vigne ou de plantes grimpantes ; probablement le soleil trop vif les grillerait, mais des tendidos et des bannes de toile, comme en Espagne, remplaceraient avantageusement, ce me semble, ce plancher aérien.

Non loin du Bezestin s'élève une mosquée composée, comme elles le sont presque toutes, d'une agglomération de petites coupoles flanquées de minarets que je ne saurais mieux comparer qu'à des mâts de vaisseaux avec leurs huniers représentés par les balcons, du haut desquels le muezzin invite les fidèles à la prière. Près de cette mosquée, il y a une fontaine pour les ablutions, formée par une rotonde de colonnes à chapiteaux d'un corinthien barbare, grossièrement peintes en bleu et reliées par une grille d'un très-joli travail, le tout recouvert d'un toit saillant et retroussé ; l'eau ruisselle à l'entour dans une rigole où les musulmans se lavent les pieds jusqu'aux genoux et les mains jusqu'aux coudes, d'après les prescriptions de Mahomet, sans parler d'une ablution plus intime que l'ampleur des vêtements orientaux permet d'accomplir avec décence, même en public.

C'était l'heure de la prière ; nous montâmes l'escalier de la mosquée jusqu'au parvis, qu'il eût été dangereux de franchir. La foule était considérable, et l'enceinte, trop étroite, ne pouvait contenir tous les fidèles. — Une montagne de babouches, de souliers et de savates s'élevait à la porte du temple, et trois rangs de dévots alignés sous le portique aux arcades découpées en cœur suivaient, le visage tourné vers la Mecque, la liturgie pratiquée à l'intérieur par le mollah. Quelle que soit leur croyance, des hommes qui adorent Dieu dans la sincérité de leur âme ne doivent présenter rien de ridicule ; cependant les évolutions pieuses de ces bons musulmans, exécutées comme la charge en douze temps sous le bâton d'un caporal prussien, me semblaient, malgré moi, passablement étranges. — J'avais beau me dire que nos cérémonies catholiques devaient leur paraître réciproquement baroques, j'eus bien de la peine à m'empêcher de rire lorsque, se précipitant tous le nez en avant, ils offrirent, sur trois rangs de profondeur, une perspective à charmer les matassins de Molière. Rien ne peut être grotesque aux yeux de celui qui a tout fait ; mais je crois que si j'étais Dieu, mes dévots me feraient trouver mon culte si risible que je supprimerais ma religion.

Au sortir de la mosquée, nous allâmes à l'église grecque, qui était toute tendue de calicot rouge d'un effet assez affreux et barbouillée de fresques modernes peintes par des vitriers italiens. Cela ressemblait assez au salon de Momus ou à quelque salle de bal de la banlieue. Un prêtre, avec force gestes et force cris, débitait, du haut d'une chaire, un sermon en grec moderne, très-édifiant sans doute, mais dont il nous était impossible de profiter. Dans le cloître extérieur, je remarquai sur la muraille une plaque commémorative à la mémoire de Clément Boulanger, le peintre de la *Procession du Corpus domini*, de la *Tarasque*, et de la *Fontaine de Jouvence*, mort il y a quelques années dans une expédition scientifique aux ruines d'Éphèse. La tombe d'un compatriote à l'étranger a quelque chose de particulièrement triste, soit par un retour d'égoïsme humain, soit par la pensée que la terre barbare est plus lourde aux os qu'elle recouvre. — J'avais connu Clément Boulanger, et la vue inopinée de cette inscription funèbre me causa une impression plus douloureuse qu'à tout autre.

Une sortie d'opéra ou d'église est un endroit très-commode pour passer en revue le *beau sexe* (style empire) ; si l'on voit force vieilles ridées, jaunies, momifiées, englouties dans des coiffes noires, on en est de loin en loin dédommagé par quelque jeune tête pure et fraîche sous son tortil de papillon, de fleurs et de gaz. — Malheureusement le costume local s'arrête là : une robe en soie de Brousse ou de Lyon, un châle mis à l'européenne, achèvent la toilette. Les élégantes ont pour chapeaux des capotes de cabriolet dont on a retiré les roues ! J'ai cru, en outre, m'apercevoir que la plupart de ces dames se *maquillaient*, comme disent les actrices et les lorettes de Paris, c'est-à-dire se composaient un teint au pastel avec du blanc, du rouge, du bleu et du noir. Je ne hais pas ce badigeonnage lorsqu'il s'applique sur une figure jeune et qu'il n'est pas là pour dissimuler les rides.

En rôdant à pied à travers la ville, car nous avions renvoyé nos ânes, nous traversâmes une espèce de cour de refuge, fondée par M. le baron de Rothschild en faveur des pauvres israélites. — Un berceau, suspendu à deux arbres comme un hamac indien, mettait un peu de grâce au milieu de cet asile de la misère, de la difformité et de la vieillesse, cette infirmité incurable.

L'enfant était recouvert d'un lambeau de gaze pour le préserver des mouches, et sa petite main, endormie et moite de la sueur du sommeil, passait seule hors du berceau, s'agitant comme pour saisir un hochet poursuivi en rêve.

Nous arrivâmes ainsi au marché des Esclaves, — une cour entourée d'arcades en ruines et de constructions effondrées. — Il n'y avait à vendre que deux jeunes négresses accroupies tristement sur un mauvais tapis et gardées par leur maître, un drôle à physionomie chafouine et rusée. Dès que nous mîmes le pied sur le seuil, une nuée de petits enfants en guenilles, dont les pauvres parents habitent ces décombres, accoururent au devant de nous en nous demandant l'aumône d'une voix glapissante.

L'une des deux négresses me toucha par l'expression inexprimablement nostalgique de ses yeux, et une mélancolie pour ainsi dire animale, celle d'une gazelle captive ; des yeux européens ne sauraient avoir ce regard, où la douleur n'est plus une pensée, mais un instinct. Elle avait des traits assez fins et rappelant le type gracieusement camard du sphinx et des colonnes cariatides d'Égypte ; un teint d'un noir bleuâtre avec une fleur sur le bord, comme les prunes de Monsieur. Je l'aurais bien achetée, si j'avais su qu'en faire, comme Victor Hugo de son petit cochon rose dans la grande rue des Boucheries de Francfort. Le marchand en voulait deux cent cinquante francs à peu près, ce qui n'était pas bien cher. Je dus me contenter de lui donner quelques piastres et des sucreries, qu'elle reçut avec un geste antique, le bras collé au corps, la paume de la main renversée ; ses doigts, que j'effleurai, étaient froids et doux comme ceux d'un singe.

Fatiguée de courir, notre petite troupe s'installa devant un café dans le Bezestin, où nos circonvolutions nous avaient ramenés, et nous restâmes là à voir défiler sous nos yeux, jusqu'à l'heure du départ, la procession bigarrée des Turcs, des Persans, des Arabes de Syrie et d'Afrique, des Arméniens, des Kurdes, des Tatars, des Juifs, dans des costumes quelquefois splendides, souvent déguenillés, mais toujours pittoresques. Jamais kaléidoscope plus varié ne tourna sous un œil curieux, et nous vîmes là, en une heure, représentés par des échantillons authentiques, tous les types de l'Orient, sans en excepter l'Inde. Je vous ferais bien de chacun de ces personnages une description détaillée, si je n'avais peur de n'être pas rendu à temps à bord du *Léonidas* ; mais nous les reverrons à Constantinople, où je compte faire un séjour assez prolongé.

V
LA TROADE, LES DARDANELLES

Quel regret de quitter si vite Smyrne, cette ville à la grâce asiatique et voluptueuse ! Tout en me hâtant vers le canot, mon regard plongeait avidement par les portes entr'ouvertes qui laissaient voir des cours pavées de marbre, rafraîchies de fontaines comme les *patios* d'Andalousie, et des jardins verdoyants, oasis de calme et d'ombre qu'embellissaient de charmantes jeunes filles en peignoir blanc ou de couleurs tendres, la tête ornée de l'élégante coiffure grecque, et groupées à souhait pour le peintre ou le poëte. Ce regret s'adresse aux belles rues de la ville, à la rue des Roses et à celles qui l'avoisinent ; car dans le quartier juif et dans certaines portions du quartier turc règnent une misère sordide, un délabrement hideux. La justice me force de ne pas dissimuler ce revers de la médaille.

Malgré sa haute antiquité, puisqu'elle existait déjà du temps d'Homère, Smyrne ne renferme qu'un très-petit nombre de débris de sa splendeur première ; — je n'y vis, pour ma part, d'autres ruines antiques que trois ou quatre grosses colonnes romaines dépassant les frêles constructions modernes qui les entouraient. Ces colonnes frustes, restes d'un temple de Jupiter ou de la Fortune, je ne sais trop lequel, sont d'un bel effet et doivent avoir exercé la sagacité des érudits ; je n'ai fait que les apercevoir du haut d'un âne en passant, ce qui ne me permet pas d'émettre un avis raisonné.

Le rivage d'Asie est beaucoup moins aride que celui d'Europe, et je restai sur le pont tant que le jour me permit de distinguer les contours de la terre.

Le lendemain, quand l'aurore parut, nous avions dépassé Mételin, l'antique Lesbos, la patrie de Sapho, la Cythère de cet étrange amour dont l'homme était banni, et qui compte encore aujourd'hui plus d'une prêtresse. Une terre assez plate se déployait devant nous, à notre droite : c'était la Troade :

Campos ubi Troja fuit,

le sol même de la poésie épique, le théâtre des immortelles épopées, le lieu sacré deux fois par le génie grec et par le génie latin, par Homère et par Virgile. C'est une impression étrange de se trouver ainsi en plein poëme et en pleine mythologie. Comme Énée racontant son histoire à Didon du haut de son lit élevé, je puis dire du haut du tillac et avec plus de vérité encore :

Est in conspectu Tenedos…

car voilà l'île dont se sont élancés les serpents qui ont noué dans leurs replis l'infortuné Laocoon et ses fils, et fourni le sujet d'un des chefs-d'œuvre de la statuaire, Ténédos, sur laquelle règne puissamment Phœbus Apollon, le dieu à l'arc d'argent invoqué par Chrysès ; et, plus loin, voilà la plage que Protésilas, la première victime de cette guerre qui devait détruire un peuple, teignit de son sang comme d'une libation propitiatoire. Cet amas de décombres douteux qu'on devine dans le lointain, ce sont les portes Scées, par où sortait Hector, coiffé de ce casque à l'aigrette rouge dont s'effrayait le petit Astyanax, et devant lesquelles s'asseyaient à l'ombre les vieillards par qui Homère fait saluer la beauté d'Hélène ; cette montagne sombre, revêtue d'un manteau de forêts qui se dresse à l'horizon, c'est l'Ida, la scène du jugement de Pâris, où les trois déesses rivales, Hérè aux bras de neige, Pallas Athénè aux yeux vert-de-mer, et Aphrodite au ceste magique, posèrent nues devant l'heureux berger ; où Anchise connut l'ivresse d'un hymen céleste, et rendit Vénus mère d'Énée. La flotte des Grecs était rangée le long de ce rivage, sur lequel s'appuyait la proue des noirs vaisseaux à moitié tirés sur le sable. L'exactitude d'Homère ressort avec évidence de chaque détail du terrain ; un stratégiste y pourrait suivre, l'*Iliade* en main, toutes les opérations du siége.

Pendant que, rappelant mes souvenirs classiques, je regarde la Troade, Stalimène, l'ancienne Lemnos, qui reçut dans sa chute Éphaïstos précipité du ciel, sort de la mer et découpe derrière moi ses promontoires jaunâtres. Je voudrais être comme Janus et avoir deux faces. C'est bien peu, vraiment, que deux yeux, et l'homme est bien inférieur sous ce rapport à l'araignée, qui en a huit mille, selon Leuvenhoeck et Swammerdam. Je détourne la tête un instant pour jeter un coup d'œil à l'île volcanique où se forgeaient les armes à l'épreuve des héros favorisés des dieux, et ces trépieds d'or, vivants esclaves de métal, qui servaient les Olympiens dans leurs demeures célestes, et voici que le capitaine me tire par la manche pour me montrer sur le rivage troyen un tertre arrondi, une colline conique dont la forme régulière atteste la main de l'homme. Ce tumulus recouvre Antiloque, fils de Nestor et d'Eurydice, le premier Grec qui tua un Troyen à l'ouverture du siége et qui périt lui-même de la main d'Hector, en parant un coup que Memnon portait à son père. Antiloque repose-t-il véritablement sous cette butte ? diront sans doute les critiques épilogueurs. — La tradition l'affirme, et pourquoi la tradition mentirait-elle.

En avançant, l'on découvre encore deux *tumuli*, non loin d'un petit village appelé Yeni-Scheyr, reconnaissable à une rangée de neuf moulins à vent, pareils à ceux de Syra. Le premier en venant de Smyrne, et le plus rapproché du bord de la mer, est le tombeau de Patrocle, l'ami de cœur, le frère d'armes, le compagnon inséparable d'Achille. Là fut dressé ce bûcher gigantesque arrosé du sang d'innombrables victimes, où le héros, ivre de douleur, jeta quatre chevaux de prix, deux chiens de race et douze jeunes Troyens immolés de sa main aux mânes de son ami, et autour duquel l'armée en deuil célébra des jeux funèbres qui durèrent plusieurs jours. Le second, plus reculé dans l'intérieur des terres, est le tombeau d'Achille lui-même. Du moins, tel est le nom qu'on lui donne. D'après la tradition homérique, les cendres d'Achille furent mêlées à celles de Patrocle dans une urne d'or, et, par conséquent, les deux grands amis, inséparables dans la vie, le furent encore dans la mort. Les dieux s'émurent du trépas du héros ; Thétis sortit de la mer avec un chœur plaintif de néréides ; les neuf muses pleurèrent et entonnèrent des chants de douleur autour du lit funèbre, et les plus braves de l'armée exécutèrent des jeux sanglants en l'honneur du héros. Ce tumulus doit être celui de quelque autre chef grec ou troyen, d'Hector, probablement. Du temps d'Alexandre, on connaissait encore l'emplacement de la tombe du héros de l'Iliade, car le conquérant de l'Asie s'y arrêta en disant qu'Achille était bien heureux d'avoir eu un ami tel que Patrocle et un poëte tel qu'Homère. Lui n'eut qu'Éphestion et Quinte-Curce, et pourtant ses exploits dépassèrent ceux du fils de Pélée ; et cette fois l'histoire l'emporta sur la mythologie.

Pendant que je discours sur la géographie homérique et les héros de l'*Iliade*, pédanterie bien innocente et bien pardonnable en face de Troie, le *Léonidas* continue sa marche, un peu contrariée par un vent du nord soufflant de la mer Noire, et s'avance vers le détroit des Dardanelles, défendu par deux châteaux forts, l'un sur la rive d'Asie, l'autre sur la rive d'Europe. Leurs feux croisés barrent l'entrée du détroit et en rendent l'accès sinon impossible, du moins très-difficile à toute flotte ennemie. Pour en finir avec la Troade, disons qu'au delà d'Yeni-Scheyr se dégorge dans le Bosphore un cours d'eau qu'on prétend être le Simoïs, et d'autres disent le Granique.

L'Hellespont, ou mer d'Hellé, est très-étroit ; on croirait plutôt naviguer sur un grand fleuve à son embouchure que sur une mer véritable. Sa largeur ne dépasse pas celle de la Tamise vers Gravesend. Comme le vent était favorable pour débusquer dans la mer Égée, nous traversions une vraie foule de navires qui venaient à nous toutes voiles dehors, et de loin ressemblaient, avec leurs bonnettes basses, à des silhouettes de femmes portant un seau de chaque main et se dandinant dans leur marche. Cette comparaison, si naturelle, qu'elle vint à la fois à plusieurs personnes sur le pont, me paraît absurde maintenant que je l'écris, et le paraîtra sans doute davantage à ceux qui me liront, et cependant elle est très-juste.

Le rivage d'Europe, que nous serrions de plus près, consiste en collines abruptes tachetées de quelques plaques de végétation d'un aspect assez aride et monotone ; le rivage d'Asie est beaucoup plus riant et présente, j'ignore pourquoi, une apparence de verdure septentrionale qui, d'après les idées reçues, conviendrait plutôt à l'Europe. A un certain moment, nous étions si près du bord, que nous discernions cinq cavaliers turcs cheminant sur un petit sentier tendu au bas de la falaise comme un mince ruban jaune. Ils nous servirent d'échelle pour nous rendre compte de la hauteur de la côte, beaucoup plus élevée que nous ne l'aurions cru. C'est vers cet endroit que Xerxès fit jeter le pont destiné au passage de son armée et fouetter la mer irrespectueuse qui avait eu l'inconvenance de le rompre. Jugée sur la place, cette entreprise, citée dans tous les recueils de morale comme le comble de la folie humaine et le délire de l'orgueil, semble, au contraire, fort raisonnable. On pense aussi que Sestos et Abydos, illustrés par les amours d'Héro et de Léandre, étaient situés à peu près à cette hauteur où l'Hellespont rétréci n'a que huit cent soixante-quinze pas de large.

Lord Byron, comme on sait, renouvela sans être amoureux l'exploit natatoire de Léandre ; mais, au lieu de Héro élevant sur la rive son flambeau comme un phare, il ne trouva que la fièvre. Il mit à faire le trajet une heure dix minutes, et se montrait plus fier de cette prouesse que d'avoir fait *Child-Harold* ou le *Corsaire*, amour-propre de nageur que concevront tous ceux qui ont piqué proprement une tête au bain Deligny et pu prétendre aux honneurs du caleçon rouge.

On s'arrêta un instant, mais sans faire escale, devant une ville au-dessus de laquelle flottaient les étendards des consulats de plusieurs nations, et qu'animaient les roues des moulins à vent tournant avec furie ; en dehors de la ville, la plage était mamelonnée de tentes blanches et vertes sous lesquelles campaient des troupes. Je ne vous dirai pas précisément le nom de cet endroit, attendu que chaque personne à qui je l'ai demandé m'en a désigné un différent, ce qui est très-ordinaire dans un pays où, au nom grec primitif, se superpose le nom latin recouvert par le nom turc, le tout badigeonné par le nom franc pour plus grande clarté ; cependant, je pense que c'était Chanak-Kalessi, que nous autres Européens nous traduisons librement par Dardanelles.

Le vent, le courant, le peu d'étendue du bassin rendaient les eaux clapoteuses, et de petites lames courtes berçaient assez rudement une barque à plusieurs rameurs qui tâchait d'accoster le *Léonidas*, arrêté pour l'attendre au milieu du Bosphore. Cette barque portait un pacha se rendant à Gallipoli, à l'entrée de la mer de Marmara. C'était un gros homme, d'encolure épaisse, à figure large et grasse, mais fine sous son empâtement. Il était vêtu de l'affreux costume du Nizam, le fez rouge et la redingote bleue boutonnée droit ; une suite nombreuse s'empressait autour de lui, intendant, secrétaires, porte-pipes et autres menus officiers, sans compter les cawas et les domestiques. Tout ce monde déplia des tapis, déroula des matelas, et s'accroupit dessus ; les mieux élevés s'assirent sur les bancs, et se contentèrent de tenir un de leurs pieds dans une de leurs mains, pour se donner une contenance.

Les bagages étaient curieux. C'étaient des narghilés enfermés dans des écrins de maroquin rouge, des paquets de tuyaux de cerisier et de jasmin, des corbeilles revêtues de cuir en façon de malles, gaufrées d'or autour des serrures et piquées des plus jolis dessins, des rouleaux de tapis de Perse et des tas de carreaux. Il y avait dans cette bande des types assez bizarres, entre autres un jeune garçon obèse, tout blond, tout joufflu, tout rose, qui avait l'air d'un énorme baby anglais travesti en turc, et un Grec maigre, pointu, anguleux, à museau de renard, perdu dans une longue robe de drap cannelle bordée de fourrure, comme les dolimans avec lesquels on joue Bajazet au théâtre de la rue Richelieu ; ils enfermaient le gros pacha comme entre deux parenthèses et semblaient jouir, à titres différents, de la faveur du maître ; les costumes de la canaille inférieure avaient conservé leur caractère : les grandes ceintures bourrées d'armes, les gilets galonnés, les vestes à soutaches et à coudes éclatants, les belles physionomies de bandits Arnautes ou Albanais qui font la joie des peintres et le désespoir des fabricants de tissus imperméables en caoutchouc et gutta-percha ; ainsi vêtus, les esclaves avaient l'air de princes orientaux, et leurs maîtres de domestiques de place sans ouvrage.

Comme on était dans le Ramadan, ni maîtres ni esclaves ne touchèrent à leurs chiboucks, et se contentèrent, pour passer le temps, de dormir ou de tourner entre leurs doigts les grains de leurs chapelets.

De la mer de Marmara proprement dite, je ne saurais vous faire un grand détail, attendu qu'il faisait nuit lorsque nous la traversâmes, et que je dormais au fond de ma cabine, fatigué par une faction de quatorze heures sur le pont. Au-dessus de Gallipoli elle s'évase et s'élargit considérablement, pour s'étrangler encore à Constantinople. On déposa le pacha et sa suite à Gallipoli, dont les minarets apparaissaient confusément dans l'ombre du soir. Quand parut le jour, du côté de l'Asie, l'Olympe de Bithynie, glacé de neiges éternelles, s'élevait dans les vapeurs rosées du matin, avec des reflets de gorge-de-pigeon et des miroitements argentés. — Le rivage d'Europe, infiniment moins accidenté, était tacheté de franges de maisons blanches et de massifs de verdure, au-dessus desquelles se haussaient de longues cheminées de briques, obélisques de l'industrie, dont la brique vermeille imite assez bien, de loin, le granit rose d'Égypte. Si je ne craignais d'être accusé de vouloir faire du paradoxe, je dirais que toute cette partie m'a rappelé l'aspect de la Tamise, entre l'île des Chiens et Greenwich ; le ciel, très-laiteux, très-opalin, presque blanc et noyé d'une brume transparente, ajoutait encore à l'illusion ; il me semblait aller à Londres sur le paquebot de Boulogne, et il faut, pour me détromper, le pavillon rouge à croissant d'argent que nous avons hissé à notre mât depuis notre entrée dans les Dardanelles.

Dans le lointain bleuit l'Archipel des Iles-des-Princes, espèces d'Iles-d'Hyères de Constantinople, où l'on va le dimanche en partie de plaisir ; encore quelques minutes, et Stamboul va nous apparaître dans toute sa splendeur. Déjà, sur la gauche, à travers la gaze d'argent du brouillard, jaillissent les flèches de quelques minarets ; le Château des Sept-Tours, où l'on enfermait autrefois les ambassadeurs, hérisse ses tours massives reliées entre elles par des murailles crénelées ; il baigne du pied dans la mer et s'adosse à la colline ; c'est de lui que part l'ancien rempart qui entoure la ville jusqu'à Eyoub. Les Turcs l'appellent Yedi-Kulé, et les Grecs le nommaient Heptapurgon. Sa construction remonte aux empereurs byzantins. Il fut commencé par Zénon et fini par les Comnènes. Vu de la mer, il semble en mauvais état et près de tomber en ruines ; toutefois il produit un bel effet avec ses formes lourdes, ses tours trapues, ses murs épais, son aspect de bastille et de forteresse.

Le *Léonidas*, ralentissant sa marche pour ne pas arriver de trop bonne heure, rase la pointe du sérail ; c'est une suite de longues murailles blanchies à la chaux, découpant leurs crénelures sur des rideaux de térébinthes et de cyprès, de cabinets aux fenêtres treillissées, de kiosques aux toits en saillie, sans symétrie aucune ; il y a loin de là aux magnificences des *Mille et une Nuits* que ce seul mot de sérail fait rêver aux imaginations les plus paresseuses, et il faut avouer que ces boîtes de bois à grillages serrés, qui enferment les beautés de Géorgie, de Circassie et de Grèce, houris de ce paradis de Mahomet dont le padischa est le dieu, ressemblent furieusement à des cages à poulets. Nous confondons malgré nous l'architecture arabe et l'architecture turque, qui n'ont aucun rapport, et nous faisons involontairement de tout sérail un alhambra, ce qui est fort loin de la réalité. Ces observations refroidissantes n'empêchent pas le vieux sérail de présenter un aspect agréable, avec sa blancheur étincelante et sa verdure sombre, entre le ciel clair et l'eau bleue dont le courant rapide lave ses murailles mystérieuses.

On nous fit remarquer en passant un plan incliné jaillissant d'une ouverture de la muraille et se projetant en montagne russe au-dessus de la mer. C'est par là, dit-on, qu'on faisait glisser dans le Bosphore les odalisques infidèles ou qui avaient déplu au maître, pour un motif quelconque, enveloppées d'un sac renfermant un chat et un serpent. Combien de corps charmants a promenés cette eau bleue et profonde, au courant impétueux ! Maintenant, les mœurs se sont beaucoup épurées ou adoucies, car l'on n'entend plus parler de ces barbares exécutions. Après cela, la légende est peut-être fausse, et je ne me porte nullement pour garant de son authenticité. Je la raconte sans critique ; si elle n'est pas vraie, elle a du moins la couleur locale.

La pointe du sérail est doublée ; le *Léonidas* s'arrête à l'entrée de la Corne-d'Or. Un panorama merveilleux se déploie sous mes yeux comme une décoration d'opéra dans une pièce féerique. La Corne-d'Or est un golfe dont le vieux sérail et l'échelle de Top'Hané forment les deux caps, et qui s'enfonce à travers la ville, bâtie en amphithéâtre sur ses deux rives, jusqu'aux eaux douces d'Europe, et à l'embouchure du Barbysès, petit fleuve qui s'y jette. Son nom de Corne-d'Or vient sans doute de ce qu'il représente pour la ville une véritable corne d'abondance, par la facilité qu'il donne aux navires, au commerce et aux constructions navales.

En attendant que nous puissions descendre à terre, faisons un léger croquis au crayon du tableau que nous peindrons plus tard. A droite, au delà de la mer, blanchit un immense bâtiment percé régulièrement de plusieurs rangées de fenêtres et flanqué à ses angles d'espèces de tourelles surmontées de hampes de drapeaux : c'est une caserne, le bâtiment le plus considérable, mais non le plus caractéristique de Scutari, désignation turque de ce faubourg asiatique de Constantinople qui se déploie, en remontant du côté de la mer Noire, sur l'emplacement de l'ancienne Chrysopolis, dont il ne reste aucun vestige.

Un peu plus loin, au milieu de l'eau, s'élève, sur un îlot de rochers, un phare éclatant de blancheur, qu'on appelle la Tour de Léandre ou encore la Tour de la Fille, quoique l'endroit ne se rapporte en rien à la légende des deux amants célébrés par Musée. Cette tour, d'une forme assez élégante et que la pureté de la lumière fait paraître d'albâtre, se détache admirablement du ton d'azur foncé de la mer.

A l'entrée de la Corne-d'Or, Top'Hané s'avance, avec son débarcadère, sa fonderie de canons et sa mosquée au dôme hardi, aux sveltes minarets, bâtie par le sultan Mahmoud. Le palais de l'ambassade de Russie dresse, au-dessus des toits de tuiles rouges et des touffes d'arbres, sa façade orgueilleusement dominatrice, qui force le regard et semble s'emparer de la ville par avance, tandis que les palais des autres ambassades se contentent d'une apparence plus modeste. La tour de Galata, quartier occupé par le commerce franc, s'élève du milieu des maisons, coiffée d'un bonnet pointu de cuivre vert-de-grisé, et domine les anciennes murailles génoises tombant en ruines à ses pieds. Péra, la résidence des Européens, étage au sommet de la colline ses cyprès et ses maisons de pierre, qui contrastent avec les baraques de bois turques et s'étendent jusqu'au grand champ des Morts.

La pointe du Sérail forme l'autre cap, et sur cette rive se déploie la ville de Constantinople proprement dite. Jamais ligne plus magnifiquement accidentée n'ondula entre le ciel et l'eau : le sol s'élève à partir de la mer, et les constructions se présentent en amphithéâtre, les mosquées, dépassant cet océan de verdure et de maisons de toutes couleurs, arrondissent leurs coupoles bleuâtres et dardent leurs minarets blancs entourés de balcons et terminés par une pointe aiguë dans le ciel clair du matin, et donnent à la ville une physionomie orientale et féerique à laquelle contribue beaucoup la lueur argentée qui baigne leurs contours vaporeux. Un voisin officieux nous les nomme par ordre en partant du Sérail et en remontant vers le fond de la Corne d'Or : Sainte-Sophie, Saint-Iréné, Sultan-Achmet, Osmanieh, Sultan-Bayezid, Solimanieh, Sedja-Djamissi, Sultan-Mohammed II, Sultan-Selim. Au milieu de tous ces minarets, derrière la mosquée de Bayezid, se dresse, à une prodigieuse hauteur, la tour du Séraskier, d'où l'on signale les incendies.

Trois ponts de bateaux rejoignent les deux rives de la Corne-d'Or, et permettent une communication incessante entre la ville turque et ses faubourgs aux populations bigarrées. — La principale rue de Galata aboutit au premier de ces points. Mais n'anticipons pas sur ces détails, qui viendront à leur place, et bornons-nous à l'aspect général. Comme à Londres, il n'y a pas de quais à Constantinople, et la ville plonge partout ses pieds dans la mer ; les navires de toutes nations s'approchent des maisons sans être tenus à distance respectueuse par un quai de granit. Près du pont, au milieu de la Corne-d'Or et au large, stationnaient des flottilles de bateaux à vapeur anglais, français, autrichiens, turcs : omnibus d'eau, watermen du Bosphore, cette Tamise de Constantinople où se concentrent tout le mouvement et toute l'activité de la ville ; des myriades de canots et de caïques sillonnaient comme des poissons l'eau azurée du golfe et se dirigeaient vers le *Léonidas*, mouillé à quelque distance de la douane, située entre Galata et Top'Hané. Dans tous les pays du monde, la douane a des colonnes et un architrave dans le goût de l'Odéon. Celle de Constantinople n'a garde de manquer à l'architectonique du genre. Heureusement, les baraques qui l'avoisinent sont si délabrées, si hors d'aplomb, si projetées en avant et s'épaulent les unes contre les autres avec une nonchalance si orientale, que cela corrige l'aspect classique de la douane.

Comme à l'ordinaire, le pont du *Léonidas* fut couvert en un instant d'une foule polyglotte : c'était un ramage à n'y rien comprendre de turc, de grec, d'arménien, d'italien, de français et d'anglais. J'étais assez embarrassé au milieu de ces charabias variés, quoique j'eusse avant de partir étudié le turc de Covielle et de la cérémonie du *Bourgeois gentilhomme*, lorsque apparut, dans un caïque, comme un ange sauveur, la personne à qui j'étais recommandé et qui parle à elle seule autant de langues que le fameux Mezzofanti ; elle envoya au diable, chacune dans son idiome particulier, toutes les canailles qui m'entouraient, me fit entrer dans sa barque et me conduisit à la douane, où l'on se contenta de jeter un coup d'œil distrait sur ma maigre malle, qu'un *hammal* chargea comme une plume sur son large dos.

Le hammal est une espèce particulière à Constantinople : c'est un chameau à deux pieds et sans bosse ; il vit de concombres et d'eau, et porte des poids énormes par des rues impraticables, des montées perpendiculaires et des chaleurs accablantes. Au lieu de crochets, il porte sur les épaules un coussinet de cuir rembourré sur lequel il pose les fardeaux, sous lesquels il marche tout courbé, et prenant la force dans le col, comme les bœufs. Son costume consiste en larges grègues de toile, en une veste de grosse étoffe jaunâtre et un fez entouré d'un mouchoir. Les hammals ont le torse extrêmement développé, et souvent, chose extraordinaire, des jambes très-grêles. On conçoit à peine comment ces pauvres tibias, recouverts d'une peau tannée et semblables à des flûtes dans leur étui, peuvent soutenir des poids qui feraient plier des Hercules.

En suivant le hammal, qui se dirigeait vers le logement retenu pour moi, je m'enfonçais dans un dédale de rues et de ruelles étroites, tortueuses, ignobles, affreusement pavées, pleines de trous et de fondrières, encombrées de chiens lépreux, d'ânes chargés de poutres ou de gravats, et le mirage éblouissant que présente Constantinople de loin s'évanouissait rapidement. Le Paradis se changeait en cloaque, la poésie se tournait en prose, et je me demandais, avec une certaine mélancolie, comment ces laides masures pouvaient prendre par la perspective des aspects si séduisants, une couleur si tendre et si vaporeuse. Je gagnai, sur les talons de mon hammal et m'accrochant au bras de mon guide, la chambre qui m'était destinée chez une hôtesse smyrniote, *copa syrisca*, comme celle de Virgile, près de la grande rue de Péra, bordée de bâtisses insignifiantes mais de bon goût, dans le genre des rues de troisième ordre de Marseille ou de Barcelone.

J'étais venu de Paris en douze jours et demi, marchant aussi vite que la poste, car j'ai pour principe dans mes voyages de voler à tire-d'ailes au point le plus éloigné pour en revenir ensuite à mon aise ; et je m'étais promis de consacrer cette journée à un repos que j'avais bien mérité ; mais la curiosité fut la plus forte, et, après quelques bouchées avalées à la hâte, n'y pouvant plus tenir, je commençai le cours de mes pérégrinations et me lançai au hasard à travers la ville inconnue, sans avoir la précaution d'emporter une boussole pour m'orienter, comme avait coutume de le faire un de mes amis plein de sagacité et de prudence.

VI
LE PETIT CHAMP, LA CORNE-D'OR

Le logement qu'on m'avait préparé occupait le premier étage d'une maison située à l'extrémité d'une rue du quartier Franc, le seul que les Européens puissent habiter. Cette rue va de la grande rue de Péra au petit Champ-des-Morts, et je ne vous la désigne pas plus clairement, par la raison péremptoire qu'à Constantinople les rues ne portent à leurs angles aucune désignation, ni turque, ni française. En outre, les maisons ne sont pas numérotées, ce qui complique la difficulté. A travers ce dédale anonyme, chacun se conduit au juger et se retrouve au moyen de ses remarques particulières. Le fil d'Ariane ou les cailloux blancs du Petit-Poucet seraient ici fort utiles ; quant à émietter son pain sur la route, il n'y faut pas penser : les chiens l'auraient bientôt mangé, à défaut des oiseaux du ciel. — A propos de chiens, mon point de repère, pour connaître mon logis pendant les premiers jours qui suivirent mon arrivée, était un grand trou creusé au milieu de la voie publique, et au fond duquel une lice rogneuse allaitait quatre ou cinq petits avec une sécurité parfaite et un complet mépris des piétons et des cavaliers. Cependant, quelques rues ont un nom traditionnel tiré du voisinage d'un khan ou d'une mosquée, et celle où je demeurais, comme je l'appris plus tard, s'appelait Dervish-Sokak ; mais jamais ce nom n'est écrit et ne sert à vous guider.

Ma maison était construite en pierres, circonstance que l'on me fit beaucoup valoir et qui n'est pas à dédaigner dans une ville aussi combustible que Constantinople. Pour plus de sécurité, une porte de fer, des volets de tôle épaisse se repliant par feuilles, devaient, en cas d'incendie du quartier, intercepter les flammes et les étincelles, et l'isoler complétement. J'avais un salon aux murailles blanchies à la chaux, au plafond de bois peint en gris et rechampi de filets bleus, meublé d'un long divan, d'une table et d'un miroir de Venise dans un cadre or et noir ; une chambre à coucher avec un lit de fer et une commode. Cela n'avait rien d'extrêmement oriental, comme vous voyez ; pourtant mon hôtesse était Smyrniote, et sa nièce, quoique vêtue à l'européenne d'un peignoir rose, roulait, dans un masque pâle serti de cheveux d'un noir mat, des yeux langoureusement asiatiques. Une servante grecque, très-jolie sous le petit mouchoir tortillé au sommet de sa tête, complétait, avec une sorte de jocrisse des Cyclades, le personnel de la maison, et lui donnait une teinte de couleur locale. La nièce savait un peu de français, la tante un peu d'italien, au moyen de quoi nous finissions par nous entendre à peu près. Constantinople est, du reste, la vraie tour de Babel, et l'on s'y croirait au jour de la confusion des langues. La connaissance de quatre idiomes est indispensable pour les rapports ordinaires de la vie : le grec, le turc, l'italien, le français, sont parlés dans Péra par des gamins polyglottes. A Constantinople, le célèbre Mezzofanti n'étonnerait personne ; nous autres

Français, qui ne savons que notre langue, nous restons confondus devant cette prodigieuse facilité.

Mon habitude, en voyage, est de me lancer tout seul à travers les villes à moi inconnues, comme un capitaine Cook dans un voyage d'exploration. Rien n'est plus amusant que de découvrir une fontaine, une mosquée, un monument quelconque, et de lui assigner son vrai nom sans qu'un drogman idiot vous le dise du ton d'un démonstrateur de serpents boas ; d'ailleurs, en errant ainsi à l'aventure, on voit ce qu'on ne vous montre jamais, c'est-à-dire ce qu'il y a de véritablement curieux dans le pays que l'on visite.

Coiffé d'un fez, vêtu d'une redingote boutonnée, le visage bruni par le hâle de la mer, la barbe longue de six mois, j'avais assez l'air d'un Turc de la réforme pour ne pas attirer l'attention dans les rues, et je m'avançai bravement vers le Petit-Champ-des-Morts, — notant bien la place de ma maison et le chemin que je prenais, afin de ne pas me perdre.

Le Petit-Champ-des-Morts, que, pour abrévier ou éviter une idée mélancolique, on appelle d'ordinaire le Petit-Champ, occupe le revers d'une colline qui monte de la rive de la Corne-d'Or à la crête de Péra, marquée par une terrasse bordée de hautes maisons et de cafés. C'est un ancien cimetière turc où on n'enterre plus depuis quelques années, soit parce qu'il n'y a plus de place, soit que les musulmans morts s'y trouvent trop près des giaours vivants.

Un soleil éclatant brûlait de lumière cette pente hérissée de cyprès au noir feuillage, au tronc grisâtre, sous lesquels se dressait une armée de pieux de marbre, coiffés de turbans coloriés ; ces pieux, penchés les uns à droite, les autres à gauche, ceux-ci en avant, ceux-là en arrière, selon que le terrain avait cédé sous leur poids, simulaient vaguement une forme humaine, et rappelaient ces jouets d'enfants où des forgerons, dont la tête seule est indiquée, battent l'enclume avec un marteau de bois fiché dans leur ventre. En plusieurs endroits, les marbres historiés de versets du Koran avaient cédé à l'action de la pesanteur, et, négligemment scellés dans un sol friable, s'étaient renversés ou brisés en morceaux. Quelques-unes des colonnes funéraires étaient décapitées, et leurs turbans gisaient à leur base comme des têtes coupées. On dit que ces tombes tronquées recouvrent d'anciens janissaires poursuivis au delà du trépas par la rancune de Mahmoud. Aucune symétrie n'est observée dans ce cimetière diffus, qui s'avance, par une pointe de cyprès et de tombeaux, à travers les maisons de Péra, jusqu'au Tekké ou monastère des derviches tourneurs ; deux ou trois chemins pavés et revêtus de soutènements faits de débris de monuments funèbres le traversent diagonalement ; çà et là s'élèvent des espèces de terre-pleins, quelquefois entourés de petits murs ou de balustrades formant la sépulture réservée de quelque famille puissante ou riche. Ces enceintes renferment habituellement un pilier terminé par un turban magistral, entouré de trois ou quatre feuilles de marbre, arrondies au sommet comme un manche de cuiller, et d'une douzaine de petits cippes enfantins : c'est un pacha avec ses femmes et sa progéniture morte en bas âge, sorte de harem funèbre qui lui tient compagnie dans l'autre monde.

Aux endroits libres, des ouvriers taillent des chambranles de porte et des marches d'escalier ; des oisifs dorment à l'ombre ou fument leur pipe, assis sur une tombe ; des femmes voilées passent, traînant leurs bottines jaunes d'un pied nonchalant ; des enfants jouent à cache-cache derrière les pierres tumulaires en poussant de petits cris joyeux ; des marchands de gâteaux offrent leurs légères couronnes incrustées d'amandes. Entre les interstices des monuments dégradés, les poules picorent, les vaches cherchent quelques maigres brins d'herbe, et, à défaut de gazon, paissent des quartiers de savates et des morceaux de vieux chapeaux. Les chiens se sont installés dans les excavations produites par la pourriture des cercueils ou plutôt des planches qui soutiennent la terre autour des cadavres, et ils se sont fait de hideux terriers de ces asiles de la mort agrandis par leur voracité.

Aux endroits les plus passagers, les tombes s'usent sous les pieds insouciants des promeneurs, et s'oblitèrent peu à peu dans la poussière et les détritus de toute sorte ; les piliers rompus s'éparpillent sur le sol comme les pièces d'un jeu d'onchets, et s'enterrent ainsi que les corps qu'ils désignaient, ensevelis par ces invisibles fossoyeurs qui font disparaître toute chose abandonnée, tombeau, temple ou ville ; ici, ce n'est pas la solitude s'étendant sur l'oubli, mais la vie reprenant la place concédée temporairement à la mort. Des massifs de cyprès, plus compactes, ont cependant préservé quelques coins de ce cimetière profané, et lui ont conservé sa mélancolie. Les tourterelles nichent dans les noirs feuillages, et les gypaëtes planent au-dessus de leurs pointes sombres, traçant de grands cercles sur le ciel d'azur.

Quelques maisonnettes de bois, composées de planches, de lattes et de treillages, peintes d'un rouge rendu rose par la pluie et le soleil, se groupent parmi les arbres, affaissées, déhanchées, hors d'aplomb et dans l'état de délabrement le plus favorable à l'aquarelle ou à l'illustration anglaise.

Avant de descendre la pente qui conduit à la Corne-d'Or, je m'arrêtai un instant et je contemplai l'admirable spectacle qui se déroulait devant mes yeux : le premier plan était formé par le Petit-Champ et ses déclivités plantées de cyprès et de tombes ; le second par les toits de tuiles brunes et les maisons rougeâtres du quartier de Kassim-Pacha ; le troisième par les eaux bleues du golfe qui s'étend de Seraï-Burnou aux eaux douces d'Europe, et le quatrième par la ligne de collines onduleuses, sur le revers desquelles Constantinople se déroule en amphithéâtre. Les dômes bleuâtres des bazars, les minarets blancs des mosquées, les arcs du vieil aqueduc de Valens se découpant sur le ciel en dentelle noire, les touffes de cyprès et de platanes, les angles des toits, variaient cette magnifique ligne d'horizon prolongée depuis les Sept-Tours jusqu'aux hauteurs d'Eyoub : tout cela argenté par une lumière blanche où flottait comme une gaze transparente la fumée des bateaux à vapeur du Bosphore chauffant pour Therapia ou Kadi-Keuï, et d'une légèreté de ton formant le plus heureux contraste avec la fermeté crue et chaude des devants.

Après quelques minutes de pensive admiration, je me remis en marche, tantôt suivant quelque vague sentier, tantôt enjambant les tombes, et j'arrivai à un lacis de ruelles bordées de maisons noires, habitées par des charbonniers, des forgerons et autres industries ferrugineuses. — J'ai dit maisons tout à l'heure, mais le mot est bien magnifique, et je le reprends. Mettez cahutes, bouges, échoppes, taudis, tout ce que vous pourrez imaginer de plus enfumé, de plus sale, de plus misérable, mais sans ces bonnes vieilles murailles empâtées, égratignées, lépreuses, chancies, moisies, effritées, que la truelle de Decamps maçonne avec tant de bonheur dans ses tableaux d'Orient, et qui donnent un si haut ragoût aux masures. De pauvres petits ânes aux oreilles flasques, à l'échine maigre et saigneuse, rasaient les noires boutiques, chargés de charbon ou de ferrailles. De vieilles mendiantes, assises sur leurs cuisses plates, reployées comme des articulations de sauterelle, tendaient piteusement vers moi, hors d'un feredgé en haillons, leur main de momie démaillotée. Leurs yeux de chouette tachaient de deux trous bruns la loque de mousseline, bossuée par l'arqûre de leur bec d'oiseau de proie, et jetée comme un suaire sur leur visage hideux ; d'autres, plus ingambes, passaient, le dos voûté, la tête au milieu de la poitrine et les mains appuyées sur de grandes cannes, comme ma Mère l'Oie dans les prologues de pantomime aux Funambules.

On ne peut savoir qu'en Orient à quelle laideur fantastique arrivent les vieilles femmes qui ont renoncé franchement à leur sexe, et que ne déguisent plus les savants artifices d'une toilette laborieuse ; ici même le masque ajoute à l'impression ; ce que l'on voit est affreux, mais ce que l'on rêve est épouvantable. Il est fâcheux que les Turcs n'aient pas de sabbat pour y envoyer ces sorcières à cheval sur un balai.

Quelques hammals Arnautes ou Bulgares, pliant sous un faix énorme, et, comme le Dante en enfer, ne levant pas un pied que l'autre ne fût assuré, montaient ou descendaient la ruelle ; des chevaux cheminaient bruyamment, tirant à chaque écart des gerbes d'étincelles du pavé inégal et raboteux de ce quartier plus laborieux que fashionable.

J'arrivai ainsi à la Corne-d'Or, où je débouchai près des bâtiments blancs de l'arsenal, élevés sur de vastes substructions et couronnés d'une tour en forme de beffroi. Cet arsenal, construit dans un goût civilisé, n'a rien de curieux pour un Européen, quoique les Turcs en soient très-fiers ; aussi ne m'arrêtai-je pas longtemps à le contempler et gardai-je toute mon attention pour le mouvement du port, encombré de navires de toutes nations, sillonné en tous sens par les caïques, et surtout pour le merveilleux panorama de Constantinople déployé sur l'autre rive.

Cette vue est si étrangement belle, que l'on doute de sa réalité. On croirait avoir devant soi une de ces toiles d'opéra faites pour la décoration de quelque féerie d'Orient et baignées, par la fantaisie du peintre et le rayonnement des rampes de gaz, des impossibles lueurs de l'apothéose. Le palais de Seraï-Bournou avec ses toits chinois, ses murailles blanches crénelées, ses kiosques treillagés, ses jardins de cyprès, de pins parasols, de sycomores et de platanes ; la mosquée du sultan Achmet, arrondissant sa coupole entre ses six minarets pareils à des mâts d'ivoire ; Sainte-Sophie, élevant son dôme byzantin sur d'épais contre-forts rayés transversalement d'assises blanches et roses, et flanquée de quatre minarets ; la mosquée de Bayezid, sur laquelle planent comme un nuage des bouffées de colombes ; Yeni-Djami ; la tour du Séraskier, immense colonne creuse qui porte à son chapiteau un stylite perpétuel guettant l'incendie à tous les points de l'horizon ; la Suléimanieh avec son élégance arabe, son dôme pareil à un casque d'acier, se dessinent en traits de lumière sur un fond de teintes bleuâtres, nacrées, opalines, d'une inconcevable finesse, et forment un tableau qui semble plutôt appartenir aux mirages de la fata Morgana qu'à la prosaïque réalité. L'eau argentée de la Corne-d'Or reflète ces splendeurs dans son miroir tremblant, et ajoute encore à la magie du spectacle ; des vaisseaux à l'ancre, des barques turques carguant leurs voiles ouvertes comme des ailes d'oiseaux, servent, par leurs tons vigoureux et les noires hachures de leurs agrès, de repoussoirs à ce fond de vapeur à travers laquelle s'ébauche avec les couleurs du rêve la ville de Constantin et de Mahomet II.

Je sais, par des amis qui ont fait avant moi le voyage de Constantinople, que ces merveilles ont besoin, comme les décorations de théâtre, d'éclairage et de perspective ; quand on approche, le prestige s'évanouit, les palais ne sont plus que des baraques vermoulues, les minarets que de gros piliers blanchis à la chaux ; les rues étroites, montueuses, infectes, n'ont aucun caractère ; mais qu'importe, si cet assemblage incohérent de maisons, de mosquées et d'arbres colorés par la palette du soleil, produit un effet admirable entre le ciel et la mer ? L'aspect, quoique résultant d'illusions, n'en est pas moins vraiment beau.

Je restai quelque temps sur le bord de l'eau à regarder les mouettes voler, les caïques nager avec la prestesse de dorades, et fourmiller les types de tous les peuples représentés par un ou plusieurs échantillons, carnaval perpétuel dont on ne se lasse pas ; j'avais bien envie de me risquer à franchir le pont de bateaux qui rejoint les deux rives, et d'aller *cis tin polin*, comme disaient les Grecs : phrase dont les Turcs, à force de l'entendre répéter, ont fait

Istamboul, nom moderne de la Byzance antique, quoique certains docteurs prétendent qu'on doive prononcer Islambol, ville de l'Islam ; mais c'était vraiment là une entreprise hardie que le jour avancé déjà ne m'eût d'ailleurs pas laissé le temps d'accomplir. — Je rebroussai donc chemin, et je remontai le Petit-Champ-des-Morts pour regagner Péra. Je déviai à droite, ce qui m'amena, en suivant les anciennes murailles génoises, au pied desquelles règne un fossé tari, à moitié comblé d'immondices, où dorment les chiens et jouent les enfants, devant la tour de Galata, haute construction qu'on aperçoit de loin en mer, et qui, comme la tour du Séraskier, porte à son sommet une vigie pour l'incendie.

C'est un vrai donjon gothique, couronné d'un cercle de machicoulis et coiffé d'un toit pointu de cuivre oxydé par le temps, et qui, au lieu du croissant, pourrait porter la girouette à queue d'aronde d'un manoir féodal. Au bas de cette tour se groupe une agglomération de cahutes et de maisonnettes basses qui donnent l'échelle de son élévation, qui est fort grande. Sa construction remonte aux Génois. Ces marchands soldats avaient fait de leurs magasins des forteresses et crénelé leur quartier comme une ville de guerre ; leurs comptoirs auraient pu soutenir des siéges, et ils en ont soutenu plus d'un.

Au sommet de la colline occupée par le Petit-Champ règne un large chemin bordé d'un côté de maisons qui jouissent d'une vue admirable : je le suivis jusqu'à un angle où s'élève un vieux cyprès au tronc veiné de vigoureuses nervures, et je me trouvai bientôt en face de ma rue, assez las et mourant de faim.

On me servit un dîner qu'on avait été chercher à la locanda voisine, et qui calma bien vite mon appétit, plutôt par le dégoût que par la satisfaction de ma faim, bien légitime, hélas ! Je n'ai pas l'habitude de faire des élégies sur mes déceptions culinaires en voyages, et une omelette chevelue aromatisée de beurre rance est un léger malheur que je ne cherche pas à élever à l'état de catastrophe publique, comme certains touristes trop gastronomes ; mais je constate ici en passant que cette première révélation de la cuisine constantinopolitaine me parut d'un triste augure pour l'avenir. L'Espagne m'a accoutumé au vin sentant le bouc de la poix, et je me résignai assez facilement au vin noir de Tenedos apporté dans une peau de chevreau ; mais l'eau jaune et saumâtre, charriant la rouille des vieux aqueducs, me fit regretter les gargoulettes d'Alger et les alcarrazas de Grenade.

VII
UNE NUIT DU RAMADAN

A Paris, l'idée de se promener de huit heures à onze heures du soir dans le Père-Lachaise ou le cimetière Montmartre, en vignette des *Nuits d'Young*, paraîtrait ultrasingulière et cadavéreusement romantique ; les plus courageux dandies s'en effrayeraient ; quant aux femmes, la proposition seule d'une semblable partie de plaisir les ferait évanouir de peur. A Constantinople, personne n'y fait attention. Le boulevard de Gand de Péra est situé sur la crête de la colline occupée par le Petit-Champ-des-Morts. Figurez-vous, mon cher monsieur et ma belle dame, qu'assis l'été au perron de Tortoni, vous voyiez devant vous, sous la noirceur des cyprès, blanchir au clair de la lune, comme des colonnes d'argent tronquées, des milliers de cippes et de tombes, tout en taillant votre glace à facettes et en devisant d'amour ou d'autre chose.

Une frêle grille renversée en plusieurs endroits trace entre le champ funèbre et la joyeuse promenade une ligne de démarcation franchie à tout instant : une rangée de chaises ou de tables où s'accoudent les consommateurs devant une tasse de café, un sorbet ou un verre d'eau, règne d'un bout à l'autre de la terrasse, qui plus loin se contourne et va rejoindre le Grand-Champ-des-Morts, derrière le haut Péra. De vilaines maisons à cinq, six ou sept étages, de cet affreux ordre d'architecture inconnu à Vignole, — l'ordre bourgeois, — aimable mélange de la caserne et de la filature, — bordent la chaussée d'un côté et jouissent d'une admirable vue dont elles ne sont pas dignes. — Il est vrai que ces maisons passent pour les plus belles de Constantinople, et que Péra s'en enorgueillit, les jugeant dignes, avec raison, de figurer honorablement à Marseille, à Barcelone et même à Paris ; elles sont en effet de la hideur la plus civilisée et la plus moderne ; cependant il est juste de dire que la nuit, vaguement éclairées par le reflet des fanaux et le scintillement des étoiles ou la lueur violette de la lune qui glace leurs façades badigeonnées, elles prennent, à cause de leur masse même, un aspect assez imposant.

A chaque bout de la terrasse se trouve un café-concert, c'est-à-dire joignant aux délices de la consommation l'agrément d'un orchestre en plein vent de musiciens bohèmes qui exécutent des valses allemandes et des ouvertures d'opéras italiens.

Rien n'est plus gai que cette promenade bordée de tombeaux ; la musique, qui ne s'arrête jamais, un orchestre recommençant lorsque l'autre finit, donne un air de fête à cette réunion habituelle de promeneurs, dont le chuchotement amical sert de basse aux phrases cuivrées de Verdi. Les vapeurs du latakyéh et du tombeki montent en spirales parfumées des chiboucks, des narghiléhs et des cigarettes, car tout le monde fume à Constantinople, même les femmes. Toutes ces pipes allumées piquent l'ombre de points brillants et ressemblent à des essaims de lucioles. Le cri « du feu ! » retentit dans tous les idiomes possibles, et les garçons se précipitent à ces appels polyglottes brandissant un charbon rouge au bout de petites pincettes.

Les familles pérotes s'avancent en clans nombreux dans l'espace laissé libre par les consommateurs assis, habillées à l'européenne, sauf quelques modifications insignifiantes dans la coiffure et l'ajustement des femmes. Les jeunes gens sont mis comme les gravures de Jules David, à l'avant-dernier goût ; on ne les distinguerait d'élégants Parisiens qu'à une fraîcheur un peu trop crue de nouveauté ; ils ne suivent pas la mode, ils la devancent. Chaque pièce de leur ajustement est signée d'un fournisseur célèbre de la rue Richelieu ou de la rue de la Paix ; leurs chemises sont *de chez* Lami-Housset ; leurs cannes *de chez* Verdier ; leurs chapeaux *de chez* Bandoni ; leurs gants *de chez* Jouvin ; quelques-uns cependant, de famille arménienne la plupart, portent la calotte rouge à gland de soie noire, mais c'est le petit nombre. L'Orient n'est rappelé dans cette réunion que par quelque Grec qui passe, rejetant les manches de sa veste brodée et balançant sa fustanelle blanche évasée comme une cloche, ou par quelque fonctionnaire turc à cheval, suivi de son cawas et de son porte-pipe, qui revient du Grand-Champ et regagne Constantinople en se dirigeant vers le pont de Galata.

Les mœurs turques ont déteint sur les mœurs européennes, et les femmes de Péra vivent très-renfermées, — réclusion volontaire, bien entendu ; — elles ne sortent guère que pour aller faire un tour au Petit-Champ et respirer la fraîcheur nocturne ; encore en est-il beaucoup qui ne se permettent pas cette innocente distraction, ce qui ôte au voyageur l'occasion de passer en revue les types féminins du pays, comme aux Cascines, au Prado, à Hyde-Park, aux Champs-Élysées ; l'homme seul semble exister en Orient, la femme y passe à l'état de mythe, et les chrétiens y partagent sur ce point les idées des musulmans.

Ce soir-là, le Petit-Champ était très-animé ; le Ramadan avait commencé avec la lune nouvelle, dont l'apparition au-dessus de la cime de l'Olympe de Bithynie, guettée par de pieux astrologues et proclamée par tout l'Empire, annonce le retour du grand jubilé mahométan. Le Ramadan, comme chacun sait, est un carême doublé d'un carnaval ; le jour appartient à l'austérité, la nuit au plaisir ; la pénitence se complique de la débauche, comme réparation légitime. Du lever au coucher du soleil, dont l'instant précis est indiqué par un coup de canon, le Koran interdit de prendre aucun aliment, quelque léger qu'il soit. On ne peut pas même fumer, privation la plus pénible de toutes pour un peuple dont les lèvres ne quittent guère le bouquin d'ambre ; étancher la soif la plus ardente par une gorgée d'eau serait un péché et détruirait le mérite de l'abstinence ; mais du soir au matin tout est permis, et l'on se dédommage amplement des privations de la journée. La ville turque est en fête.

De la promenade du Petit-Champ, l'on jouissait du spectacle le plus merveilleux. De l'autre côté de la Corne-d'Or, Constantinople étincelait comme la couronne d'escarboucles d'un empereur d'Orient ; les minarets des mosquées portaient à chacune de leurs galeries des bracelets de lampions, et d'une flèche à l'autre couraient, en lettres de feu, des versets du Koran, inscrits sur l'azur comme sur les pages d'un livre divin ; Sainte-Sophie, Sultan-Achmet, Yeni-Djami, la Suléimanieh et tous les temples d'Allah qui s'élèvent de Seraï-Burnou aux collines d'Eyoub, resplendissaient de lumières et proclamaient en exclamations enflammées la formule de l'Islam. Le croissant de la lune, qu'accompagnait une étoile, semblait broder le blason de l'Empire sur l'étendard céleste.

L'eau du golfe multipliait, en les brisant, les reflets de ces millions de phosphorescences et paraissait rouler des torrents de pierreries à demi fondues. La réalité, dit-on, reste toujours au-dessous du rêve ; mais ici le rêve était dépassé par la réalité. Les contes des *Mille et Une Nuits* n'offrent rien de plus féerique, et le ruissellement du trésor effondré d'Haraoun al-Raschid pâlirait à côté de cet écrin colossal flamboyant sur une lieue de longueur.

Pendant le Ramadan, on jouit d'une liberté plénière ; la lanterne n'est pas obligatoire comme dans les autres temps ; les rues, brillamment illuminées, rendent inutile cette précaution de police. Les giaours peuvent rester à Constantinople jusqu'à ce que les dernières lumières s'éteignent, hardiesse qui ne serait pas sans danger à une autre époque. Aussi acceptai-je avec empressement la proposition que me fit un jeune Constantinopolitain, à qui j'étais recommandé, de descendre à l'échelle de Top'Hané, de fréter un caïque pour aller voir le sultan faire sa prière à Schiragan, et de finir la soirée dans la ville turque.

On descend de Péra à Top'Hané par une espèce de ruelle en montagne russe, assez semblable au lit d'un torrent à sec. Pour un pied parisien habitué aux élasticités du bitume, à la mollesse du macadam, cette dégringolade est un rude exercice. Grâce au bras que me donnait mon compagnon, très-expert dans la géographie des casse-cous de ce calvaire, j'arrivai au bas sans entorse, — résultat inespéré et surprenant. Je ne marchai même sur la patte d'aucun chien, et je ne me fis sauter aux jambes aucun de ces aimables animaux.

A mesure que nous descendions, et surtout à partir d'une petite fontaine turque à toit projeté où la rue se divise, la foule augmentait et devenait compacte ; les boutiques, vivement éclairées, illuminaient la voie publique, envahie par des Turcs accroupis à terre ou sur des tabourets bas et fumant avec la volupté que donne un jour d'abstinence ; c'était un va-et-vient, un fourmillement perpétuel le plus animé et le plus pittoresque du monde ; car, entre ces deux rives de fumeurs immobiles, coulait un ruisseau de promeneurs de toute nation, de tout sexe et de tout âge.

Portés par le flot, nous arrivâmes sur la place de Top'Hané, en traversant la cour à arcades de la mosquée, qui, de ce côté, forme le coin, et nous nous trouvâmes en face de cette charmante fontaine de style arabe que les gravures anglaises ont rendue familière à tout le monde, et qu'on a décoiffée de son joli toit chinois, remplacé maintenant par une ignoble balustrade en fer creux.

Le *Bal masqué de Gustave* n'offre pas une plus grande variété de costume que la place de Top'Hané pendant une nuit du Ramadan : les Bulgares, avec leur grossier sayon et leur bonnet cerclé d'une couronne de fourrure, accoutrement qui ne doit pas avoir changé depuis le paysan du Danube ; les Circassiens, à la taille svelte et à la poitrine évasée, tuyautés de cartouches qui les font ressembler à des buffets d'orgue ; les Géorgiens, à la courte tunique serrée d'un cercle de métal, à la casquette russe en cuir verni ; les Arnautes, portant une veste brodée et sans manches sur leur torse nu ; les juifs, désignés par leur robe fendue sur le côté et leur calotte noire entourée d'un mouchoir bleu ; les Grecs des îles, avec leurs immenses grègues, leurs ceintures sanglées et leur tarbouch à crinière de soie ; les Turcs de la réforme, en redingote droite et en fez rouge ; les vieux Turcs, au turban évasé, au caftan rose, jonquille, cannelle ou bleu-de-ciel, rappelant les modes du temps des janissaires ; les Persans, au grand bonnet d'agneau noir d'Astracan ; les Syriens, reconnaissables à leur mouchoir rayé d'or et à leurs larges mach'las en forme de dalmatiques byzantines ; les femmes turques, drapées du yachmack blanc et du feredgé de couleur claire ; les Arméniennes, moins sévèrement voilées, vêtues de violet et chaussées de noir, forment pour l'œil, en groupes qui se composent et se décomposent sans cesse, le plus amusant carnaval qu'on puisse imaginer.

Des étalages en plein vent de yaourth (lait caillé), de kaimak (crème bouillie), des boutiques de confiseries, dont les Turcs sont très-friands, des comptoirs de marchands d'eau faisant tinter, par des artifices hydrauliques, leurs petits carillons de grelots, de clochettes ou de capsules de cristal, des buvettes de sorbets, de granits, d'eau de neige, sont rangés sur les bords de la place, qu'égayent leurs illuminations. Les boutiques de marchands de tabac, brillamment éclairées, sont remplies de hauts personnages qui regardent la fête en fumant du tabac de première qualité dans des pipes de cerisier ou de jasmin aux bouquins énormes. Au fond des cafés ronfle le tarbouka, frissonne le tambour de basque, glapit le rebeb et piaule la flûte de roseau ; des chants monotones, nasillards, mêlés de temps à autre de portements à la tyrolienne et de cris aigus, s'élèvent du sein des nuages de fumée. Nous eûmes toutes les peines du monde à gagner, à travers cette foule qui ne se dérange pas, l'échelle de Top'Hané, où nous devions prendre un caïque.

En quelques coups de rames nous eûmes pris le large et nous pûmes voir au milieu du Bosphore les illuminations de la mosquée du sultan Mahmoud et de la fonderie de canons qui l'avoisine et donne son nom à cette échelle. (*Top*, en turc, veut dire canon ; *Hané*, lieu, place, magasin.) — Les minarets de la mosquée du sultan Mahmoud passent pour les plus élégants de Constantinople et sont cités comme des types classiques d'architecture turque ; ils s'élançaient sveltement dans l'atmosphère bleue de la nuit, dessinés en lignes de feu et reliés par des versets du Koran, et produisaient l'effet le plus gracieux. Devant la fonderie l'illumination figurait un gigantesque canon avec son affût et ses roues, blason enflammé de l'artillerie turque symbolisée assez exactement par ce dessin naïf.

Nous longeâmes, en suivant le Bosphore, la rive d'Europe, toute pailletée de lumière et bordée des palais d'été des vizirs et des pachas, signalés par des pièces d'illuminations montées sur des carcasses de fer et représentant des chiffres calligraphiquement compliqués, à la manière orientale, des bateaux à vapeur, des bouquets, des pots à feu, des sentences du Koran, et nous arrivâmes à la hauteur du palais de Schiragan, composé d'un corps de logis à fronton triangulaire et à colonnes grêles, dans le genre de la Chambre des députés de Paris, et de deux ailes treillissées de fenêtres et ressemblant à deux immenses cages. Le nom du sultan écrit en jambages de feu scintillait sur la façade, et par la porte ouverte on apercevait une vaste salle, où, dans l'embrasement lumineux des candélabres, se mouvaient plusieurs ombres opaques agitées de convulsions pieuses. C'était le padischah qui faisait sa prière, entouré de ses grands officiers agenouillés sur des tapis ; une rumeur de psalmodie nasillarde s'échappait de la salle avec les reflets jaunes des bougies, et se répandait dans la nuit calme et bleue.

Après quelques minutes de contemplation, nous fîmes signe au caïdji de retourner, et je pus regarder l'autre rive, — la rive d'Asie, sur laquelle s'étageait Scutari, l'ancienne Chrysopolis, avec ses mosquées illuminées et ses rideaux de cyprès drapant derrière elle les plis de leurs feuillages funèbres.

Pendant le trajet, j'eus l'occasion d'admirer l'adresse avec laquelle les rameurs de ces frêles embarcations se dirigent à travers ce tumulte d'embarcations et de courants qui rendraient la navigation du Bosphore extrêmement dangereuse pour des bateliers moins adroits. Les caïques n'ont pas de gouvernail, et les rameurs, contrairement aux gondoliers de Venise, qui regardent la proue de la gondole, tournent le dos au but vers lequel ils se dirigent, ce qui fait qu'à chaque coup de rame ils retournent la tête pour voir si quelque obstacle inattendu ne vient pas se mettre à la traverse. Ils ont aussi des cris convenus par lesquels ils s'avertissent et s'évitent avec une prestesse inconcevable.

Assis sur un coussin au fond du caïque, à côté de mon compagnon, je jouissais en silence et dans l'immobilité la plus absolue de cet admirable spectacle, car le moindre mouvement suffit pour faire chavirer ces étroites nacelles, calculées pour la gravité turque ; la rosée de la nuit perlait sur nos cabans et faisait grésiller le latakyéh de nos chibloucks, car, si chaude qu'ait été la journée, les nuits sont fraîches sur le Bosphore, toujours éventé par les brises marines et les colonnes d'air déplacées par les courants.

Nous entrâmes dans la Corne-d'Or, et, rasant la pointe de Seraï-Burnou, nous vînmes débarquer, au milieu d'une flottille de caïques, entre lesquels le nôtre, après s'être retourné, s'insinuait comme un fer de hache, près d'un grand kiosque au toit chinois et aux murailles tendues de toiles vertes, pavillon de plaisir du sultan, abandonné aujourd'hui et changé en corps de garde. C'était plaisir de voir aborder les longues barques à proues dorées des pachas et des hauts personnages, qu'attendaient sur le quai de beaux chevaux barbes magnifiquement harnachés et tenus en main par des nègres, des Arnautes ou des cawas, — la foule s'écartait avec respect pour leur livrer passage.

En temps ordinaire, les rues de Constantinople ne sont pas éclairées, et chacun doit porter à la main sa lanterne, comme s'il cherchait un homme ; mais, à l'époque du Ramadan, rien n'est plus joyeusement lumineux que ces ruelles et ces places habituellement noires, le long desquelles tremblote de loin en loin une étoile en papier, les boutiques, ouvertes toute la nuit, flamboient et jettent de vives traînées de lueurs que réfléchissent gaiement les maisons opposées ; ce ne sont, à tous les étaux, que lampes, bougies et veilleuses nageant dans l'huile ; les rôtisseries, où le mouton coupé par petits morceaux (kébab) grésille enfilé par des brochettes perpendiculaires, s'illuminent d'ardents reflets de braise ; les fours, qui cuisent les galettes de baklava, ouvrent leur gueule rouge ; les marchands en plein air s'entourent de petits cierges pour attirer l'attention de la pratique et faire valoir leur marchandise ; des groupes d'amis soupent ensemble, autour d'une lampe à trois becs, dont l'air frais fait vaciller la flamme, ou d'une grande lanterne bariolée de couleurs vives ; les fumeurs assis à la porte des cafés ravivent à chaque aspiration la paillette rouge de leur chibouck et de leur narghiléh, et sur cette foule en belle humeur la lumière tombe, rejaillit en réfractions bizarrement pittoresques.

Tout ce monde mangeait avec un appétit aiguisé par un jeûne de quatorze heures, les uns des boulettes de riz et de viande hachée enveloppées de feuilles de vigne, les autres du kébab roulé dans une espèce de crêpe, ceux-ci des rapes de maïs bouilli ou rôti, ceux-là d'énormes concombres ou des *carpous* de Smyrne, à la peau verte, à la chair blanche ; quelques-uns, plus riches ou plus sensuels, se faisaient tailler de grandes parts de baklava ou se gorgeaient de sucreries avec une avidité enfantine, risible dans de grands gaillards barbus comme des sapeurs ; d'autres se régalaient plus frugalement avec des mûres blanches, entassées par monceaux aux devantures des fruitiers.

Mon ami me fit entrer dans une boutique de confiseur, qui est comme le Boissier de Constantinople, pour m'initier aux douceurs de la gourmandise turque, plus raffinée qu'on ne le pense à Paris.

Cette boutique mérite une description toute particulière : les volets, relevés en éventail, comme des sabords de navire, formaient une espèce d'auvent sculpté, quadrillé et peint en jaune et en bleu, au-dessus de grands vases de verre remplis de dragées roses et blanches, de stalactites de rahat-lokoum, espèce de pâte transparente faite avec de la fleur de farine et du sucre colorée diversement, de pots de conserves de roses et de bocaux de pistaches.

Nous entrâmes dans l'établissement, où trois personnes auraient eu de la peine à se remuer, et qui est pourtant un des plus vastes de Constantinople, et le maître, gros Turc à teint basané, à barbe noire, à physionomie bonassement féroce, nous fit servir d'un air aimablement terrible du rahat-lokoum rose et blanc, et toutes sortes de sucreries exotiques très-parfumées et très-exquises, quoique un peu trop mielleuses pour un palais parisien ; — une tasse d'excellent moka vint à propos relever, par son amertume salutaire, ces douceurs écœurantes, dont j'avais abusé par amour pour la couleur locale. Au fond de la boutique, de jeunes garçons, les reins serrés par un tablier d'indienne de Rouen, un chiffon autour de la tête et les bras nus, agitaient sur un feu clair les bassines de cuivre dans lesquelles les amandes et les pistaches s'habillaient de chemises de sucre, ou roulaient sur de la poudre blanche des boudins de rahat-lokoum, ne faisant nul mystère de leurs préparations.

Assis sur un de ces tabourets bas qui forment avec les divans les seuls siéges des Turcs, je regardais passer dans la rue la foule compacte et bigarrée, sillonnée de vendeurs de sorbet, de crieurs d'eau glacée, de gâteaux, et dans laquelle un fonctionnaire à cheval, précédé de son cawas et suivi de son porte-pipe, se frayait imperturbablement son chemin sans crier gare, ou qu'entrouvrait un talika horriblement cahoté par les cailloux et les fondrières, et conduit par un cocher à pied ; — je ne pouvais me rassasier de ce tableau si nouveau pour moi, et il était plus d'une heure du matin lorsque, guidé par mon compagnon, je me dirigeai vers l'embarcadère où nous attendait notre barque.

En nous en allant, nous traversâmes la cour d'Yeni-Djami, entourée d'une galerie de colonnes antiques surmontées d'arcs arabes d'un style superbe que la lune blanchissait de lumières argentées et baignait d'ombres bleuâtres ; sous les arcades gisaient, avec la tranquillité de gens qui sont chez eux, plusieurs groupes de gueux roulés dans leurs guenilles. Tout musulman qui n'a pas d'asile peut s'étendre, sans crainte des rondes de nuit, sur les marches des mosquées ; il y dormira aussi en sûreté qu'un mendiant espagnol sous un porche d'église.

La fête devait durer à Constantinople jusqu'au coup de canon qui annonce, avec le premier rayon de l'aurore, le retour du jeûne ; mais il était temps d'aller prendre un peu de repos, et il nous restait à opérer l'ascension de Top'Hané à Péra, exercice mélancolique après une journée de fatigue physique et d'éblouissement intellectuel. Les chiens grommelaient bien un peu à mon passage, me sentant Français et nouvellement débarqué ; mais ils s'apaisaient à quelques mots que mon ami leur disait en turc et me laissaient aller sans attenter à mes mollets ; grâce à lui, je rentrai à mon logis vierge de leurs crocs formidables.

VIII
CAFÉS

Le café turc du boulevard du Temple a égaré bien des imaginations de Parisiens sur le luxe des cafés orientaux. Constantinople reste bien loin de cette magnificence d'arcs en cœur, de colonnettes, de miroirs et d'œufs d'autruche : — rien n'est plus simple qu'un café turc en Turquie.

Je vais en décrire un qui peut passer pour un des plus beaux et qui cependant ne rappelle en rien le luxe des féeries orientales ; vous y chercheriez en vain les carreaux de faïence vernissée, les guipures de stuc, les voûtes en ruches d'abeille, les fenêtres à trèfles et le coloriage d'or, de vert et de rouge des salles de l'Alhambra, rendues célèbres par les lithographies enluminées de Girault de Prangey ; — beaucoup d'établissements où l'on vend du bouillon hollandais, à Paris, ont des splendeurs équivalentes.

Figurez-vous une salle d'une douzaine de pieds carrés voûtée et peinte à la chaux, entourée d'une boiserie à hauteur d'homme et d'un divan-banquette recouvert d'une natte de paille. Au milieu, et c'est là le détail le plus élégamment oriental, une fontaine en marbre blanc à trois vasques superposées lance un filet d'eau qui retombe et grésille. Dans un angle flamboie un fourneau à hotte, où le café se fait, tasse par tasse, dans de petites cafetières de cuivre jaune, à mesure que les consommateurs le demandent.

Aux murailles sont appliquées des étagères chargées de rasoirs, où pendent de jolis petits miroirs de nacre, pareils à des écrans, dans lesquels les pratiques se regardent pour voir si elles sont accommodées à leur gré ; car, en Turquie, tout café est en même temps une boutique de barbier ; et, pendant que je fumais mon chibouck accroupi sur la natte, entre un gros Turc à nez de perroquet et un maigre Persan à nez d'aigle, en face de moi, un jeune Grec, un dandy du Phanar, se faisait cirer la moustache et peindre les sourcils, préalablement régularisés au moyen d'une petite pince.

L'on a l'idée, d'après la défense du Koran, que les Turcs proscrivent absolument les images, et regardent les produits des arts plastiques comme des œuvres d'idolâtrie : cela est vrai en principe, mais l'on est beaucoup moins rigoureux dans la pratique, et les cafés sont ornés de toutes sortes de gravures du goût et du choix les plus baroques, qui ne paraissent aucunement scandaliser l'orthodoxie musulmane.

Le café de la Fontaine, entre autres, renferme une galerie complète, assez grotesquement caractéristique pour que j'en transcrive ici le catalogue, relevé sur place avec le soin qu'il mérite : un turban de derviche dessiné avec des vers du Koran, et posé sur un trépied ; la polka nationale ; un Santon assis sur une peau de gazelle et apprivoisant un lion du cinabre le plus vif, sans doute un de ces lions rouges dont parle Henri Heine dans sa préface des Reisebilder ; des études d'animaux, par Victor Adam ; des guerriers du Khorassan à moustaches féroces, à cimiers barbares, brandissant des masses d'armes et montés sur des chevaux bleus à six jambes ; Napoléon à la bataille de Ratisbonne ; les noms d'Allah et d'Ali en beaux parafes calligraphiques, entremêlés d'arabesques et de fleurs ; la jeune Espagnole, estampe de la rue Saint-Jacques, avec cette épigraphe en vers de mirliton de Saint-Cloud ou de jarretière de Temblequé :

J'ai cru voir dans tes yeux l'image du bonheur,

Aussi je te confie et ma vie et mon cœur.

Des vaisseaux turcs, des bateaux à vapeur et des caïques dont les matelots sont représentés par des lettres turques aux jambages prolongés en rames ; le combat de vingt-deux Français contre deux cents Arabes ; des fakirs se faisant suivre dans le désert par des chèvres, des antilopes et des serpents du dessin le plus primitif ; l'empereur de Russie et son auguste famille ; des costumes de femmes turques ; Grivas, héros grec ; un Turc se faisant saigner ; la bataille d'Austerlitz ; le portrait de Méhemet-Ali, pacha d'Égypte, et celui d'un phénomène d'embonpoint ; le ballon de Tomaski, qui a fait à Constantinople une ascension célèbre ; un lion, un cerf, un angora, animaux de haute fantaisie, chimères d'histoire naturelle dont on ne trouverait les pareilles que sur des tableaux de ménageries foraines ; des vues de l'Arsenal et des principales mosquées ; Geneviève de Brabant, etc., etc. Tout cela bordé de petits cadres de deux sous.

Ce mélange bizarre se retrouve partout avec quelques variations de sujets ; la calligraphie turque y donne amicalement la main à l'imagerie française et forme sans malice les antithèses d'idées les plus bizarres sur les murailles bénévoles, qui souffrent tout, comme le papier : les sirènes y nagent à côté des bateaux à vapeur, et les héros du Schah-Nameh y brandissent leurs haches d'armes au-dessus des grognards de l'Empire.

C'est un vrai plaisir de prendre là une de ces petites tasses de café trouble qu'un jeune drôle aux grands yeux noirs vous apporte sur le bout des doigts dans un grand coquetier de filigrane d'argent ou de cuivre découpé à jour, après une longue course dans les rues si fatigantes de Constantinople, et cela vous rafraîchit plus que toutes les boissons glacées ; à la tasse de café est joint un verre d'eau, que les Turcs boivent avant et les Francs après. On raconte même à ce sujet une anecdote assez caractéristique. Un Européen, qui parlait parfaitement bien les langues de l'Orient, portait le costume musulman avec l'aisance que donne une longue habitude, et dont le teint hâlé au chaud soleil du pays avait au plus haut degré la teinte locale, fut reconnu Franc dans un petit café borgne de Syrie par un pauvre Bédouin en guenilles, incapable, assurément, de reconnaître une faute dans le pur arabe du consommateur exotique. — « A quoi as-tu pu voir que j'étais Franc ? » dit l'Européen, aussi contrarié que Théophraste, appelé étranger par une marchande d'herbes, sur le marché d'Athènes, pour un accent mal placé. — « Tu as pris ton eau après ton café, » répondit le Bédouin.

Chacun apporte son tabac dans une blague, le café ne fournit que le chibouck, dont le bouquin d'ambre ne peut contracter de souillure, et le narghiléh, appareil assez compliqué qu'il serait difficile de charrier avec soi. Le prix de la tasse de café est de vingt paras (à peu près deux sous et demi) ; si vous donnez une piastre (quatre sous et demi), vous êtes un magnifique seigneur. L'argent se dépose dans un coffre percé d'une ouverture, comme une tirelire, et placé près de la porte.

Quoique en Turquie le premier gueux en haillons aille s'asseoir sur le divan des cafés auprès du Turc le plus somptueusement vêtu sans que celui-ci se recule pour éviter à sa manche brodée d'or le contact d'une loque effilochée et graisseuse, cependant certaines classes ont leurs lieux de réception habituels, et le café à la fontaine de marbre, situé entre Seraï-Bournou et la mosquée de Yeni-Djami, dans un des plus beaux quartiers de Constantinople, est un des mieux hantés de la ville.

Un détail charmant et tout oriental poétise ce café aux yeux d'un Européen.

Des hirondelles ont maçonné leur nid à la voûte, et, comme la devanture est toujours ouverte, elles entrent et sortent d'un rapide coup d'aile, en poussant de petits cris joyeux et en apportant des moucherons à leurs petits, sans s'effrayer autrement de la fumée des pipes et de la présence des consommateurs, dont leurs pennes brunes effleurent quelquefois le fez ou le turban. Les oisillons, la tête passée hors de l'ouverture du nid, regardent tranquillement de leurs yeux, semblables à de petits clous noirs, les pratiques qui vont et viennent, et s'endorment au ronflement de l'eau dans les carafes des narghiléhs.

C'est un spectacle touchant que cette confiance de l'oiseau dans l'homme et que ce nid dans ce café ; les Orientaux, souvent cruels pour les hommes, sont très-doux pour les animaux et savent s'en faire aimer ; aussi, les bêtes viennent-elles volontiers à eux. Ils ne les inquiètent pas, comme les Européens, par leur turbulence, leurs éclats de voix et leurs rires perpétuels. — Les peuples réglés par la loi du fatalisme ont quelque chose de la passivité sereine de l'animal.

Près du Tekké ou monastère des derviches tourneurs à Péra, en face d'un cimetière annexe ou prolongement du Petit-Champ-des-Morts, il y a un café fréquenté principalement par les Francs et les Arméniens. C'est une grande pièce carrée, boisée à mi-hauteur d'une boiserie jaunâtre rehaussée de filets blancs, entourée d'un divan en tapisserie, égayée de miroirs au cadre or et noir soutenus par des câbles à glands dorés, ornée de petites mains de cuivre estampé où sont accrochées des serviettes ; car ce café, comme tout établissement de ce genre, à Constantinople, se complique d'une *barberie*, pour emprunter à l'espagnol ce mot utile qui manque au français. Sur une planche, au fond, sont rangés les narghiléhs en cristal taillé, en verre de Bohême, en acier damasquiné, accrochant la lumière sur leurs facettes, et enlacés comme des Laocoons par leurs flexibles tuyaux de maroquin, annelés de fils de laiton. Près des narghiléhs rayonnent, pareils à des boucliers aux flancs d'une trirème antique, de grands bassins de cuivre où le barbier savonne la tête de ses pratiques. Sur le banc adossé à la porte, l'on s'asseoit rêveusement et l'on regarde passer les négociants qui se rendent à leur comptoir de Galata, ou l'on contemple les tombes déjetées qui se penchent sur la voie publique du haut de leur terre-plein planté de cyprès.

Le café de Beschick-Tash, sur la rive européenne du Bosphore, est d'une construction plus pittoresque ; il ressemble à ces cahutes soutenues par des pieux, du haut desquelles les pêcheurs guettent le passage des bancs de poissons ; ombragé de touffes d'arbres, fait de treillages et de planches sur pilotis, il est baigné par le courant rapide qui lave le quai d'Arnaut Keuï, et rafraîchi par les brises de la mer Noire ; vu du large, il produit un gracieux effet, avec ses lumières dont le reflet traîne sur l'eau. Une émeute perpétuelle de caïques cherchant à aborder anime les abords de ce café aérien, rappelant, mais avec plus d'élégance, ceux qui bordent le golfe de Smyrne.

Pour clore cette monographie du café constantinopolitain, citons-en un autre situé près de l'Échelle de Yeni-Djami, et qui n'est guère fréquenté que par des matelots. L'éclairage en est assez original : il consiste en verres remplis d'huile où brûle une mèche et que suspend au plafond un fil de fer tordu en spirale, comme ceux qu'on met dans les canons de bois des petits enfants pour servir de ressort. Le cawadji (maître du café) touche de temps en temps les verres, qui, par la force de l'élastique, montent et redescendent, exécutant une sorte de ballet pyrotechnique, au grand contentement de l'assemblée, mise de façon à ne pas redouter les taches. Un lustre composé d'une carcasse de fil d'archal représentant un vaisseau et garni d'une quantité de lumières qui en dessinent les lignes, complète cette illumination bizarre et fait une allusion délicate, saisie sans peine par la clientèle du café.

En voyant entrer un Franc, le cawadji donna, pour lui faire honneur, une impulsion furibonde à son luminaire ; les verres se mirent à danser ainsi que des feux follets, et le lustre nautique tangua et roula comme une caravelle dans une tempête en répandant une rosée d'huile rance.

Il faudrait, pour bien rendre la physionomie des habitués de ce bouge, le crayon de Raffet ou le pinceau de Decamps ; ce ne serait pas trop. Il y avait là des gaillards aux moustaches rébarbatives, au nez martelé de tons violents, au teint de cigare de Havane et de brique cuite, aux grands yeux orientaux noirs et blancs, aux tempes rasées et bleuâtres, d'une touche féroce et d'un accent extraordinaire, — de ces têtes que l'on n'oublie pas quand on les a vues une fois, et qui rendent molles toutes les sauvageries des maîtres les plus truculents.

L'incertaine clarté des veilleuses oscillantes les ébauchait dans la fumée de tabac par plans abruptes, par méplats inattendus, et de fortes ombres de momie, de terre de Sienne et de bitume relevaient énergiquement la lumière rembranesque des reliefs. Au lieu de la tranquille muraille d'un café, on leur rêvait involontairement pour fond les âpres rochers d'une gorge de montagne, ou les noires anfractuosités d'une caverne de brigands, quoique ce fussent, après tout, les plus honnêtes gens du monde ; car des nez recourbés, de fortes couches de hâle, des sourcils en broussaille et des crânes à tons faisandés, ne font pas l'âme scélérate, et ces êtres d'apparence farouche humaient leur café et se livraient aux douceurs du kief avec une placidité étonnante pour des mortels si caractéristiques et si dignes de servir de modèle aux bandits de Salvator Rosa ou d'Adrien Guignet.

Leur accoutrement consistait en vieilles vestes posées à cru sur le torse, en larges culottes de toile à voile glacée de brai et de goudron, en ceintures rouges montant jusqu'aux aisselles, en tarbouches déteints, en guenilles tortillées autour de la tête, en savates éculées, en cabans grossièrement agrémentés, roidis dans l'eau de mer, confits dans le soleil, merveilleux haillons qui sont pittoresques et non misérables, défroques de lazzarone et non de pauvre, et dont les trous laissent voir des muscles d'acier et des chairs de bronze.

Presque tous ces marins avaient les bras tatoués de rouge et de bleu. L'homme le plus brut sent d'une manière instinctive que l'*ornement* trace une ligne infranchissable de démarcation entre lui et l'animal ; et, quand il ne peut pas broder ses habits, il brode sa peau. Cette coutume se retrouve partout : ce n'est pas la fille du potier Dibutade, traçant sur un mur l'ombre de son amant, mais le sauvage incrustant une arabesque dans son cuir fauve avec une arête de poisson, qui a inventé le dessin.

Je vis sur ces bras aux veines saillantes, aux biceps d'athlètes, d'abord le *mach'allah* talismanique qui préserve du mauvais œil si redouté en Orient, puis des cœurs enflammés traversés d'une flèche, absolument comme sur des bras de tambour français ou du papier à lettre de cuisinière amoureuse, des suras du Koran, pieux souvenirs du pèlerinage de la Mecque, entrelacées de fleurs et de ramages, des ancres en sautoir, des bateaux à vapeur avec leurs roues et leur fumée en tire-bouchon.

Je remarquai surtout un fort garçon, un peu plus élégamment déguenillé que les autres, dont les bras, nus jusqu'à l'épaule, laissaient voir, dans un cadre d'arabesques, du côté droit un jeune Turc, en costume de la réforme, redingote bleue et fez rouge, tenant à la main un pot de basilic, et du côté gauche une petite danseuse en jupon court, en corset de péri, qui semblait s'arrêter au milieu d'une cabriole pour accepter l'hommage fleuri du galant. Ce chef-d'œuvre de tatouage faisait allusion, sans doute, à quelque histoire de bonne fortune dont le prudent marin avait écrit le souvenir sur sa peau pour le cas où il s'effacerait de son cœur.

Deux drôles effroyables, mais très-polis, me firent gracieusement place sur le divan de paille ; et le café que je pris là était certainement meilleur que la décoction noire du plus célèbre café de Paris. L'absence d'ivrognerie rend praticables les plus basses classes de Constantinople, et les Orientaux ont une dignité naturelle inconnue chez nous. — Figurez-vous un Turc allant la nuit chez Paul Niquet ! — De quelles huées gouailleuses, de quelles curiosités grossières n'eût-il pas été l'objet et la victime ! C'était ma position dans ce bouge enfumé, et personne ne parut prendre garde à moi et ne se permit la plus légère inconvenance. Il est vrai que la seule boisson débitée était de l'eau colportée autour de la salle par de jeunes enfants grecs répétant d'une voix monotone et glapissante : *Crionero, crionero* (eau à la glace), et que chez Paul Niquet on boit du *bleu* et de l'*eau-d'aff* par excès de civilisation.

Citons encore un café assez remarquable situé près du Vieux-Pont, à Oun-Capan, sur la Corne-d'Or, et principalement hanté par les Grecs du Phanar. On y aborde en caïque, et, tout en fumant sa pipe, on y jouit de la vue des barques qui vont et viennent, et des évolutions des goëlands rasant l'eau du bout de l'aile, ou des éperviers traçant de grands cercles dans le bleu du ciel.

Tels sont, à quelques variations près, les types des cafés turcs, qui ne ressemblent guère à l'idée qu'on s'en fait en France, mais qui ne me surprirent pas, préparé que j'étais par les cafés algériens, encore plus primitifs, si c'est possible. — Souvent ils sont égayés par des troupes de musiciens chantant et jouant des instruments sur des tons bizarres et des rhythmes insaisissables pour des oreilles européennes, mais que les Orientaux écoutent pendant des heures entières avec des signes d'un plaisir que j'ai partagé quelquefois, je l'avoue, dussent Meyer-Beer, Halévy et Berlioz me mépriser profondément et me traiter de barbare. J'aurai occasion de revenir sur ces musiciens, qui, au moins, sont pittoresques, s'ils ne sont pas harmonieux.

IX
LES BOUTIQUES

La boutique orientale diffère beaucoup de la boutique européenne : c'est une espèce d'alcôve pratiquée dans la muraille et qui se ferme le soir avec des volets qu'on rabat comme des mantelets de sabord ; le marchand, accroupi en tailleur sur un bout de natte ou de tapis de Smyrne, fume nonchalamment son chibouck ou fait défiler dans ses doigts distraits les grains de son comboloio d'un air impassible et détaché, gardant la même pose des heures entières et ayant l'air de se soucier fort peu de la pratique ; les acheteurs se tiennent habituellement en dehors, dans la rue, examinant les marchandises entassées sur la devanture sans la moindre coquetterie mercantile ; l'art de l'étalage, poussé à un si haut degré en France, est entièrement inconnu ou dédaigné en Turquie ; rien ne rappelle, même dans les plus belles rues de Constantinople, les splendides magasins de la rue Vivienne ou du Strand.

Fumer est un des premiers besoins du Turc ; aussi les boutiques de marchands de tabac, de bouquins d'ambre et de lulés abondent-elles. Le tabac, haché très-fin en longues touffes soyeuses et de couleur blonde, est disposé par tas sur la planchette d'étalage, suivant les prix et qualités ; il se divise en quatre sortes principales dont voici les noms : *iavach* (doux), *orta* (moyen), *dokan akleu* (piquant), *sert* (fort), et se vend de dix-huit à vingt piastres l'ocque (l'ocque revient à deux livres et demie environ), suivant la provenance. Ces tabacs, de force graduée, se fument dans le chibouck ou se roulent en cigarettes dont l'usage commence à se répandre en Turquie. Les plus estimés sont ceux de la Macédoine.

Le tombeki, tabac exclusivement destiné au narghiléh, vient de Perse ; il n'est pas haché comme l'autre, mais froissé et rompu en petits morceaux ; sa couleur est plus brune, et sa force est telle, qu'il ne peut être fumé sans avoir subi préalablement deux ou trois lavages. Comme il s'éparpillerait, on le renferme dans des bocaux de verre, ainsi que les drogues d'apothicairerie. Sans tombeki, le narghiléh est impossible, et il est fâcheux qu'on ne puisse que très-difficilement s'en procurer en France, car rien n'est plus favorable aux poétiques rêveries que d'aspirer à petites gorgées, sur les coussins d'un divan, cette fumée odorante, rafraîchie par l'eau qu'elle traverse, et qui vous arrive après avoir circulé dans des tuyaux de maroquin rouge ou vert dont on s'entoure le bras, comme un psylle du Caire jouant avec des serpents. C'est le sybaritisme du fumage, de la fumerie ou de la fumade — le mot manque, et j'essaye des trois vocables en attendant que le mot propre se fasse de lui-même — poussé à son plus haut degré de perfection ; l'art ne reste pas étranger à cette délicate jouissance ; il y a ces narghiléhs d'or, d'argent et d'acier ciselés, damasquinés, niellés, guillochés d'une façon merveilleuse, et d'un galbe aussi élégant que celui des plus purs vases antiques ; les grenats, les turquoises, les coraux et d'autres pierres plus précieuses en étoilent souvent les capricieuses arabesques, vous fumez dans un chef-d'œuvre un tabac métamorphosé en parfum, et je ne vois pas ce que la duchesse la plus aristocratiquement dédaigneuse pourrait objecter à ce passe-temps qui procure aux sultanes de longues heures de kief et d'heureux oubli au bord des fontaines de marbre, sous le treillage des kiosques.

Les marchands de tabac, à Constantinople, s'appellent tutungis. Ils sont, pour la plupart, Grecs ou Arméniens ; dans la première catégorie ils viennent de Janina, de Larisse, de Salonique ; dans la seconde, de Samsoun, de Trébizonde, d'Erzeroum ; ils ont des manières fort engageantes, et quelquefois, surtout dans les soirs du Ramadan, des vizirs, des pachas, des beys et autres grands dignitaires, s'assoient familièrement dans leurs boutiques, pour fumer, causer et apprendre les nouvelles, sur de petits tabourets ou sur des balles de tabac, comme les membres du parlement sur leurs sacs de laine.

Chose singulière ! le tabac, aujourd'hui d'un usage si universel dans l'Orient, a été, de la part de certains sultans, l'objet des interdictions les plus rigoureuses ; plus d'un Turc a payé de sa vie le plaisir de fumer, et le féroce Amurat IV a fait plus d'une fois tomber la tête du fumeur avec la pipe ; le café a eu des débuts non moins sanglants à Constantinople : il a fait des fanatiques et des martyrs.

On apporte, dans la moderne Byzance, un soin extrême et souvent un grand luxe à tout ce qui regarde la pipe, le plaisir favori du Turc. Les boutiques de marchands de tuyaux de pipe, de lulés et de bouquins sont très-nombreuses et bien approvisionnées. Les tuyaux les plus estimés se percent dans des branches de cerisier ou de jasmin, que l'on a maintenues droites, et ils atteignent des prix considérables, selon leur grosseur et leur perfection.

Un beau tuyau de cerisier avec son écorce intacte qui reluit d'un éclat sombre comme un satin grenat, un jet de jasmin dont les callosités sont bien égales et d'une jolie teinte blonde, valent jusqu'à cinq cents piastres.

Je faisais quelquefois de longues stations devant la boutique d'un marchand de tuyaux de pipe, dans la rue qui descend à Top'Hané, en face le cimetière muré dont on aperçoit, à travers des ouvertures garnies de grilles, les riches tombeaux bariolés d'or et d'azur ; le marchand était un vieillard à barbe grise et rare, à l'œil entouré de peaux blanchâtres, au nez courbé, à la physionomie d'ara déplumé, et qui dessinait innocemment avec sa figure une excellente caricature de Turc que Cham eût enviée. Par l'emmanchure de son gilet à boutons usés sortait un bras plat, jaune et maigre, faisant mouvoir un archet comme un violoniste qui scie la quatrième corde en exécutant une difficulté à la Paganini. Sur une pointe de fer, mise en rotation par cet archet, tournait avec une éblouissante rapidité un tuyau de bois de cerisier qui subissait la délicate opération du forage, et que le vieux marchand frappait de temps à autre sur le rebord de sa boutique pour en faire tomber le bois réduit en poussière ; auprès du vieillard travaillait un jeune garçon, son fils sans doute, qui s'exerçait sur des tuyaux moins précieux. Une famille de petits chats jouait nonchalamment au soleil et se roulait dans la fine sciure ; les bois non travaillés et ceux déjà façonnés garnissaient le fond de l'échoppe baignée d'ombre, et le tout formait un joli tableau de genre oriental que je recommande à Théodore Frère, — tableau qui, avec quelques variantes, se trouve encadré à tous les coins de rue.

Les fabriques de lulés (fourneaux de pipe) sont reconnaissables à la poussière rousse qui les saupoudre ; une infinité de lulés d'argile jaune, que la cuisson colorera d'un rouge rosâtre, attendent, rangées par ordre sur des planchettes, le moment d'entrer au four ; les fourneaux, d'une pâte très-fine et très-douce, sur lesquels le potier imprime divers ornements à l'aide d'une roulette, et qu'il stigmatise d'un petit cachet, ne se culottent pas comme les pipes françaises et se vendent à très-bas prix. On en consomme des quantités incroyables.

Quant aux bouquins d'ambre, ils sont l'objet d'un commerce spécial et qui se rapproche de la joaillerie pour la valeur de la matière et du travail. L'ambre vient de la mer Baltique, sur les rives de laquelle on le recueille plus abondamment que partout ailleurs ; à Constantinople, où il est fort cher, les Turcs préfèrent la nuance citron pâle, demi-opaque, et veulent que le morceau n'ait ni tache, ni paille, ni veine, conditions assez difficiles à réunir, et qui élèvent considérablement le prix du bouquin. Une paire de bouquins parfaits s'est payée jusqu'à huit ou dix mille piastres.

Un râtelier de pipes de cent cinquante mille francs n'est pas chose rare chez les hauts dignitaires et les riches particuliers de Stamboul ; ces précieux bouquins sont cerclés d'un anneau d'or émaillé, quelquefois enrichi de diamants, de rubis et autres pierres précieuses ; c'est une manière orientale d'étaler du luxe, comme chez nous d'avoir de l'argenterie anglaise et des meubles de Boulle ; tous ces bouts d'ambre, de succin ou de carabé, divers de ton et de transparences, polis, tournés, évidés avec un soin extrême, prennent au soleil des nuances chaudes et dorées à rendre jaloux Titien, et donner la fantaisie de fumer au plus enragé tabacophobe. Dans des boutiques plus humbles, on trouve des bouquins moins chers, ayant quelque tare imperceptible, mais qui n'en remplissent pas moins bien leur office et sont aussi doux à la lèvre.

Il y a aussi des imitations d'ambre en verre coloré de Bohême, dont on fait un grand débit, et qui coûtent très-peu de chose ; mais ces faux bouquins ne servent qu'aux Grecs ou aux Arméniens de la plus basse classe. A tout Turc qui se respecte, on peut appliquer le vers de Namouna, ainsi modifié :

Heureux *Turc* ! il fumait de l'*orta* dans de l'ambre.

J'espère que mes lectrices ne m'en voudront pas de tous ces détails de tabac et de pipe où me force l'exactitude du voyageur, car Constantinople s'enveloppe d'un nuage de fumée perpétuel, plus opaque que celui où cheminaient les dieux d'Homère.

Cette flânerie à travers rues fait malgré moi vagabonder ma plume ; la phrase suit la phrase comme le pas suit le pas ; la transition manque, je le sens, entre tant d'objets disparates, mais il serait peut-être inutile de la chercher ; acceptez donc tous ces petits détails caractéristiques, habituellement négligés par les voyageurs, comme des verroteries de couleurs diverses réunies sans symétrie par le même fil, et qui, si elles sont sans valeur, ont au moins le mérite d'une certaine baroquerie sauvage.

Près d'un magasin de bouquins d'ambre, j'aperçois une petite boutique de confiseur dont la montre, à défaut de splendeur, offre au moins de l'originalité : un bateau à vapeur en sucre, avec ses roues et sa fumée, figure à côté d'un petit berceau d'enfant de même matière ; un derviche tourneur, les bras étendus, la tête penchée, et d'un style plus primitif encore que celui des bas-reliefs en pain d'épice, effleure des plis de sa jupe volante un lion chimérique qui a la crinière verte, le toupet bleu, la queue rose, et rappelle vaguement, pour l'attitude, le grand lion accroupi rapporté du Pirée à Venise, ou, mieux encore, celui de Barye, sur la terrasse du bord de l'eau ; non loin du lion flotte une escadre d'oiseaux indéfinis que Toussenel lui-même aurait de la peine à classer, et qui sont zébrés de raies tricolores comme un pantalon d'été de soldat de la République ; je pense cependant, mais sans oser trancher une question si grave, qu'on avait voulu représenter des canards ou des goëlands, et que leur coloriage bleu, blanc et rouge était une flatterie délicate à l'adresse de la France. Le bateau à vapeur préoccupe singulièrement les Turcs, et ce pyroscaphe en sucre m'a rappelé les petits bateaux à vapeur des boutiques de joujoux anglais dans le Strand ; la barbarie et la civilisation se rencontrent dans la même idée.

Les Turcs, mangeant avec leurs doigts, n'ont naturellement pas d'argenterie, à l'exception de quelques personnages qui ont fait le voyage de France ou d'Angleterre et rapporté de Paris ou de Londres cet objet de luxe à peu près inconnu en Orient, et encore ne se servent-ils des fourchettes et des cuillers que devant les étrangers, et pour faire preuve de civilisation. Mais l'on ne peut prendre l'yaourth, le kaimak ni la compote de cerises avec les doigts, et les tabletiers fabriquent de jolies spatules d'écaille et de buis d'un travail charmant, destinées à remplacer l'argenterie absente. J'ai vu chez un de ces marchands un service de ce genre, composé d'une grande cuiller et de six petites s'emboîtant les unes dans les autres et se faisant réciproquement étui, d'une exquise originalité de formes et d'arrangement.

Le manche de la grande cuiller est décoré de fenestrages découpés à la scie et représentant des arabesques d'une ténuité et d'une délicatesse qui n'ont rien à envier aux plus fins ivoires chinois ; quelques nielles légères, des fleurs et des ramages du meilleur goût, complètent cette ornementation. Les petites cuillers, moins riches de travail, ont aussi leur mérite. Il nous semble que les orfévres parisiens, toujours en quête de formes nouvelles, pourraient heureusement imiter ce service en argent ou en vermeil, et qu'il figurerait avec honneur sur les tables les plus splendides pour l'entremets ou le dessert. J'en tiens un exactement pareil et venant de Trébizonde, qui m'a été donné par M. R... de la légation sarde, à la disposition de Froment Meurice, de Wechte, ou de tout autre Benvenuto Cellini moderne.

Dans la rue qui longe la Corne-d'Or, entre le nouveau et le vieux pont, se tiennent les marbreries où l'on taille ces pieux coiffés de turbans qui hérissent, comme de blancs fantômes sortis de leur tombe, les nombreux cimetières de Constantinople. C'est un bruit perpétuel de maillets et de marteaux ; un nuage de poussière étincelante et micacée saupoudre d'une neige qui ne fond pas toute cette portion du chemin ; des enlumineurs, entourés de pots de vert, de rouge et de bleu, colorient les fonds sur lesquels doivent ressortir en lettres d'or le nom du défunt ou de la défunte, accompagné d'un verset du Koran, ou les ornements tels que fleurs, ceps de vigne, grappes qui décorent plus spécialement les tombeaux de femmes, comme emblèmes de grâce, de douceur et de fécondité.

C'est là qu'on façonne aussi les vasques de marbre des fontaines destinées à rafraîchir les cours, les appartements et les kiosques, ou à servir aux ablutions si fréquentes exigées par la loi musulmane, qui élève la propreté à la hauteur d'une vertu, contraire en cela au catholicisme, où la crasse est sanctifiée ; si bien que longtemps, en Espagne, les gens qui usaient fréquemment du bain furent soupçonnés d'hérésie et regardés plutôt comme des Maures que comme des chrétiens.

Cette funèbre industrie ne paraît aucunement attrister ceux qui la professent, et ils taillent leurs marbres lugubres de la façon la plus joviale du monde ; en Turquie, l'idée de la mort ne semble effrayer personne et n'éveille pas le plus léger sentiment mélancolique. On est familiarisé sans doute avec elle et le voisinage du cimetière, mêlé partout à la cité vivante au lieu d'être relégué comme chez nous hors des murs et dans quelque lieu solitaire, lui ôte son effet de mystère et de terreur.

A côté de ce chantier de tombes toujours en activité, et à qui les commandes ne manquent jamais, car la mort est la meilleure des pratiques, la vie fourmille, pullule et bourdonne joyeusement : les marchands de comestibles étalent leurs victuailles ; ce ne sont de toutes parts que tonneaux de fromage blanchâtre, semblable à du plâtre gras, et dont les Turcs se servent en guise de beurre ; que barils d'olives noires, que caques de caviar de Russie, que tas de pastèques et de concombres, que monceaux d'aubergines et de tomates aux tons violets et pourprés, que quartiers de viande saigneux pendus aux crocs des boucheries, entourées d'un cercle de maigres chiens en extase ; plus loin, la poissonnerie vous prend au nez par son âcre odeur maritime, et fait grimacer à vos yeux les formes monstrueuses des seiches, des poulpes, des vieilles, des scorpions de mer et autres bizarres habitants de l'empire salé que la nature ne semble pas avoir modelés pour la pure lumière du jour, et qu'elle cache prudemment dans les profondeurs verdâtres de ses abîmes.

Les narvals que l'on mange à Constantinople sont d'un aspect particulièrement formidable : ils ont six ou huit pieds de long, et se coupent par larges dalles ; leur tête tranchée, qu'étoile un œil rond, vitré et sanglant, vous menace encore de son épée, forte, rigide et bleuâtre comme de l'acier bruni. Rien n'est plus étrange que ce nez auquel se visse un glaive, et cela compose une étrange physionomie de poisson. — Quand je traversai la poissonnerie, il y avait précisément, sur quatre étaux se faisant face, quatre narvals énormes qui brandissaient formidablement leurs espadons et semblaient des raffinés de mer se provoquant en duel. Sneyders aurait tiré un grand parti de ce motif.

Ce qui frappe l'étranger à Constantinople, c'est l'absence de femmes dans les boutiques, il n'y a que des marchands et pas de marchandes. La jalousie musulmane s'accommoderait peu des rapports que le commerce nécessite ; aussi en a-t-elle écarté soigneusement un sexe auquel elle accorde peu de confiance. Beaucoup de petits détails de ménage, laissés chez nous aux femmes, sont remplis, en Turquie, par des gaillards athlétiques, aux biceps renflés, à la barbe crépue, au large col de taureau, ce qui nous paraît assez justement ridicule.

Si les femmes ne vendent pas, en revanche elles achètent ; on les voit stationner devant les boutiques par groupes de deux ou trois, suivies de leurs négresses, qui tiennent un sac ouvert, et à qui elles passent leurs acquisitions, comme Judith tendait la tête d'Holopherne à sa servante noire. Le marchandage paraît amuser les Turques autant que les Anglaises ; c'est un moyen comme un autre de passer le temps et d'échanger des paroles avec un être humain autre que le maître, et il est peu de femmes qui se refusent ce plaisir, surtout les femmes de la classe bourgeoise, car les cadines se font apporter les étoffes et les marchandises chez elles.

X
LES BAZARS

Si vous suivez les rues tortueuses qui mènent de l'échelle de Yeni-Djami à la mosquée du sultan Bayezid, vous arrivez au bazar d'Égypte, ou bazar des Drogues, grande halle que traverse d'une porte à l'autre une ruelle destinée à la circulation des marchandises et des acheteurs. Une odeur pénétrante, composée des aromes de tous ces produits exotiques, vous monte aux narines et vous enivre. — Là sont exposés par tas ou dans des sacs ouverts, le henné, le santal, l'antimoine, les poudres colorantes, les dattes, la cannelle, le benjoin, les pistaches, l'ambre gris, le mastic, le gingembre, la noix muscade, l'opium, le hachich, sous la garde de marchands aux jambes croisées, à l'attitude nonchalante, et qui semblent comme engourdis par la lourdeur de cette atmosphère saturée de parfums. « Ces montagnes de drogues aromatiques, » qui vous remettent en mémoire les comparaisons du Sir-Hasirim, ne sauraient vous arrêter bien longtemps.

Vous continuez votre route à travers le martelage assourdissant des chaudronniers et les grasses exhalaisons des gargotes qui étalent sur leur devanture des jattes pleines de ratatouilles turques peu appétissantes pour un estomac parisien, et vous atteignez le grand Bazar, dont l'aspect extérieur n'a rien de monumental : ce sont de hautes murailles grisâtres que surmontent de petits dômes de plomb semblables à des verrues, et auxquelles s'accrochent une foule de bouges et d'échoppes occupés par d'infimes industries.

Le grand Bazar, pour lui conserver le nom que les Francs lui donnent, couvre un immense espace de terrain, et forme comme une ville dans la ville, avec ses rues, ses ruelles, ses passages, ses carrefours, ses places, ses fontaines, inextricable labyrinthe où l'on a de la peine à se retrouver, même après plusieurs visites. Ce vaste espace est voûté, et le jour y tombe de ces petites coupoles dont j'ai parlé tout à l'heure, et qui mamelonnent le toit plat de l'édifice, jour doux, vague et louche, plus favorable au marchand qu'à l'acheteur. Je ne voudrais pas détruire l'idée de magnificence orientale que soulève ce mot : Bezestin de Constantinople, mais je ne saurais mieux comparer le bazar turc qu'au Temple de Paris, auquel il ressemble beaucoup comme disposition.

J'entrai par une arcade sans caractère architectural, et je me trouvai dans une ruelle particulièrement affectée aux parfumeurs : c'est là que se débitent les essences de bergamote et de jasmin, les flacons d'atar-gull dans des étuis de velours bordé à paillettes, l'eau de rose, les pâtes épilatoires, les pastilles du sérail gaufrées de caractères turcs, les sachets de musc, les chapelets de jade, d'ambre, de coco, d'ivoire, de noyaux de fruit, de bois de rose et de santal, les miroirs persans encadrés de fines peintures, les peignes carrés aux larges dents, tout l'arsenal de la coquetterie turque ; devant ces boutiques stationnent de nombreux groupes de femmes que leurs feredgés vert-pomme, rose-mauve ou bleu-de-ciel, leurs yachmaks opaques et soigneusement fermés, leurs bottines de maroquin jaune chaussées d'une galoche de même couleur, signent musulmanes en toutes lettres ; souvent elles tiennent à la main de beaux enfants habillés de vestes rouges ou vertes, passementées d'or, de pantalons à la mameluk en taffetas cerise, jonquille ou de toute autre couleur vive, qui brillent comme des fleurs dans l'ombre fraîche et transparente ; des négresses, enveloppées de l'habbarah à quadrilles bleus et blancs du Caire, se tiennent derrière elles et complètent l'effet pittoresque. Quelquefois aussi un eunuque noir, reconnaissable à son buste court, à ses longues jambes, à sa tête imberbe, grasse et flasque, enfoncée dans les épaules, surveille d'un air morose la petite troupe confiée à ses soins, et agite, pour faire ouvrir la foule, le courbach de cuir d'hippopotame, marque distinctive de son autorité. Le marchand, appuyé sur le coude, répond d'un air flegmatique aux mille questions des jeunes femmes qui fourragent les marchandises et mettent son étalage sens dessus dessous, questionnant à tort et à travers, demandant les prix et se récriant avec de petits éclats de rires incrédules.

Derrière ces étalages, il y a des arrière-boutiques auxquelles on monte par deux ou trois degrés, et où des objets plus précieux sont serrés dans des coffres et des armoires qui ne s'ouvrent que pour les acheteurs sérieux. Là se trouvent les belles écharpes rayées de Tunis, les tapis et les châles de Perse, dont la broderie imite à s'y tromper les palmes du cachemire, les miroirs de nacre de perle et de burgau, les tabourets incrustés et découpés pour poser les plateaux de sorbets, les pupitres à lire le Coran, les brûle-parfums en filigrane d'or ou d'argent, en cuivre émaillé et guilloché, les petites mains d'ivoire ou d'écaille pour se gratter le dos, les cloches de narghiléh en acier du Korassan, les tasses de Chine ou du Japon, tout le curieux bric-à-brac de l'Orient.

La principale rue du Bazar est surmontée d'arcades aux pierres alternativement noires et blanches, et la voûte offre des arabesques en grisaille à demi effacées dans le goût turc-rococo, qui se rapproche, plus qu'on ne le pense, du genre d'ornementation en usage sous Louis XV. Elle aboutit à un carrefour où s'élève une fontaine historiée et peinturlurée, dont l'eau sert aux ablutions, car les Turcs n'oublient jamais leurs devoirs religieux, et ils s'interrompent tranquillement au milieu d'un marché, laissant l'acheteur en suspens, pour s'agenouiller sur leurs tapis, orientés vers la Mecque, et faire leur prière avec autant de dévotion que s'ils étaient sous le dôme de Sainte Sophie ou du sultan Achmet.

Une des boutiques les plus fréquentées des étrangers est celle de Ludovic, un marchand arménien qui parle français et vous laisse, avec une patience parfaite, mettre sens dessus dessous son curieux magasin. J'y ai fait de longues stations, savourant un excellent café moka dans de petites tasses de Chine, contenues par des coquetiers de filigrane d'argent à la vieille mode turque. Rembrandt aurait trouvé là de quoi enrichir son musée d'antiques : vieilles armes, anciennes étoffes, orfévreries bizarres, poteries singulières, ustensiles hétéroclites et d'usage inconnu. Le vestiaire et le mobilier étrange qu'il fait scintiller à travers l'ombre de ses mystérieuses peintures est entassé dans les coins du magasin de Ludovic, où l'Orient pittoresque semble avoir laissé sa défroque, forcé qu'il est de revêtir l'absurde costume de la réforme, fausse livrée de civilisation endossée par un corps barbare. — Sur une petite table basse sont étalés des kandjars, des yatagans, des poignards aux fourreaux d'argent repoussé, aux gaînes de velours, de chagrin, de cuir d'Yemen, de bois, de cuivre, aux manches de jade, d'agate, d'ivoire, constellés de grenats, de turquoises, de corail, longs, étroits, larges, courbes, ondulés, de toutes les formes, de tous les temps, de tous les pays, depuis le damas du pacha, incrusté de versets du Koran en lettres d'or, jusqu'au grossier couteau du chamelier. Que de Zeibecs et d'Arnautes, que de beys et d'effendis, que d'omrahs et de rayahs ont dégarni leurs ceintures pour former ce précieux et baroque arsenal qui rendrait Decamps fou de joie !

Aux murailles pendent accrochées sous leur casque, avec un scintillement de fer, des cottes de mailles circassiennes, rayonnent des boucliers d'écailles de tortue, d'hippopotame, d'acier damasquiné, tout mamelonnés de bosses de cuivre ; se froissent des carquois mongols, s'appuient de longs fusils niellés, incrustés, à la fois armes et joyaux ; s'entrechoquent des masses d'armes tout à fait semblables à celles des chevaliers du moyen âge, et que l'imagerie turque ne manque jamais de mettre aux poings des Persans comme ridicule distinctif.

Dans les armoires papillotent les soies de Brousse, frissonnantes comme l'eau au clair de lune sous leur semis d'argent, les pantoufles et les blagues à tabac du Liban, avec leur légère trame d'or, leurs dessins et leurs losanges de couleur, les fines chemises de soie crêpée aux raies opaques et transparentes, les mouchoirs brodés de paillon doré, les cachemires de l'Inde et de la Perse, les pelisses vert-émir doublées de martre ou de zibeline, les vestes aux soutaches plus compliquées que les arabesques du plafond de la salle des Ambassadeurs à l'Alhambra, les dolmans roides d'or, les brocarts diamantés d'orfrois éblouissants, les machlas du Caire taillés sur le patron des dalmatiques byzantines, tout le luxe fabuleux, toute la richesse chimérique de ces pays de soleil que nous entrevoyons comme les mirages d'un rêve du fond de notre froide Europe. Ludovic vous permet de regarder, de déployer, de manier, de faire jouer sous la lumière ces merveilles orientales ; vous fouillez dans la garde-robe des *Mille et une Nuits* ; vous pouvez essayer, si cela vous plaît, la veste du prince Caramalzaman et déplier la robe authentique de la princesse Boudroulboudour.

Aux chapelets d'ambre, d'ébène, de corail, de santal ; aux cassolettes d'or émaillé, aux écritoires, aux coffrets et aux miroirs persans dont les peintures représentent des scènes du Mahabarata ; aux éventails de plumes de paon ou de faisan argus ; aux cloches de Hookas ciselées et niellées d'argent, à toutes ces ravissantes turqueries se mêlent inopinément des porcelaines de Sèvres et de Saxe, des faïences de Vincennes, des émaux de Limoges arrivés là on ne sait d'où. Mais rien n'est impossible au bric-à-brac, et la boutique de mademoiselle Delaunay se trouve transportée au Bezestin de Constantinople. — J'ai même vu là, entre deux nobles heaumes du Kurdistan à gorgerins de mailles, tout pareils à ceux des croisés de Godefroi de Bouillon, un de ces casques prussiens à pointe en paratonnerre, invention romantique et moyen âge du roi Louis, si agréablement raillée par Henri Heine dans son *Conte d'hiver.*

Quelle que soit la chose que vous désiriez, vous la trouverez chez Ludovic, fût-ce la marmite des janissaires, la hache d'armes de Mahomet II, ou la selle d'Al Borack.

Chaque rue du Bazar est affectée à une spécialité. Voici les vendeurs de babouches, de pantoufles et de bottines ; rien n'est plus curieux que ces étalages encombrés de chaussures extravagantes à bouts retroussés en toits chinois, à quartiers rabattus, en cuir, en maroquin, en velours, en brocart, piquées, pailletées, passementées, relevées de houppes de cygnes et de soie floche, impossibles pour des pieds européens. Il y en a qui sont cambrées et relevées du bec comme des gondoles vénitiennes ; d'autres désespéreraient Rhodope et Cendrillon par leur mignonne petitesse, et ont plutôt l'air d'étuis à bijoux que de pantoufles vraisemblables ; le jaune, le rouge, le vert disparaissent sous les cannetilles d'or et d'argent. Les souliers des enfants sont l'objet des plus charmants caprices de forme et d'ornementation. Pour la rue, les femmes se servent de bottes de maroquin jaune dont j'ai déjà eu l'occasion de parler ; car toutes ces jolies merveilles, faites pour les nattes de l'Inde et les tapis de Perse, resteraient bien vite engluées dans les boues de Constantinople.

Voilà les marchands de caftans, de gandouras et de robes de chambre en soie de Brousse. Ces costumes coûtent un prix très-modique, quoique les couleurs en soient d'un ton charmant et les tissus d'une souplesse extrême. Je regrette fort de n'avoir point acheté un grand dolman cerise fait de filets paille, à longues manches pendantes, qui m'aurait donné à Paris un air de mamamouchi très-respectable, et dans lequel j'eusse paru aussi beau que M. Jourdain pendant la cérémonie. Mais les douanes sont peu indulgentes pour ces innocentes fantaisies de voyageur. — Ces marchands vendent aussi des étoffes de Brousse, moitié soie et moitié fil, pour robes, gilets et pantalons à la mode européenne, très-fraîches, très-légères et très-coquettes. Cette industrie est nouvelle et vit par la protection d'Abdul-Medjid.

Les drapiers étalent des draps anglais aux couleurs criardes dont les lisières sont chamarrées de grosses lettres d'or et d'armoiries en paillon de cuivre, pour flatter le goût oriental. On y reconnaît la perfection bête de la mécanique et la fausseté de ton naturelle de la Grande-Bretagne. J'avoue que de pareilles dissonances me font grincer les dents, et que j'envoie de bon cœur à tous les diables l'industrie, le commerce et la civilisation qui produisent des rouges si hostiles, des bleus si acariâtres, des jaunes si insolents, et troublent pour je ne sais quel gain la sereine harmonie de ton de l'Orient.

Quand je pense que je rencontrerai sans doute ces horribles étoffes découpées en vestes, en gilets et en caftans, dans une mosquée, dans une rue, dans un paysage, dont elles détruisent tout l'effet par leurs couleurs insociables, une secrète fureur bouillonne en moi, et je souhaite que la mer engloutisse les vaisseaux qui portent ces abominations, que le feu détruise les fabriques où elles se trament et que la Great-Britain s'évapore dans son brouillard. J'en dirai autant des exécrables cotonnades de Rouen, de Roubaix et de Mulhouse, qui commencent à répandre en Orient leurs affreux petits bouquets, leurs atroces guirlandes et leurs sales mouchetures, semblables à des punaises écrasées. Si j'en parle avec tant d'amertume, c'est que j'ai eu la douleur profonde, et dont je ne me consolerai jamais, de voir trois petites filles turques, de huit à dix ans, belles comme des houris, et même beaucoup plus belles, car les houris n'existent pas, qui portaient sur une robe de rouennerie un caftan de drap anglais. Les rayons du soleil, quoique attirés par leurs charmants visages, n'osaient pas éclairer ces monstruosités modernes, et rebroussaient d'épouvante.

Heureusement, l'on est distrait de ces idées pénibles par l'étalage des vêtements d'enfants : ce ne sont que mignonnes vestes brodées d'or et d'argent, gentils pantalons bouffants de soie, petits caftans à soutaches, tarbouches puérils ornés de croissants ; un Orient en miniature, le plus joli et le plus coquet du monde.

Puis viennent, dans une ruelle spéciale, les trayeurs d'or, ceux qui font ces fils argentés et dorés dont on brode les blagues, les pantoufles, les mouchoirs, les gilets, les dolmans, les vestes ; derrière les vitres des montres étincellent sur leurs bobines ces fils brillants qui, plus tard, seront des fleurs, des feuillages, des arabesques. Là se font aussi ces cordonnets, ces nœuds si gracieux, si coquettement enchevêtrés et que notre passementerie ne saurait imiter. Les Turcs les fabriquent à la main en se servant de l'orteil de leur pied nu comme point d'attache.

Il y a là des joailliers dont les pierreries sont enfermées dans des coffres qu'ils ne quittent pas de l'œil, ou sous des vitrines placées hors de la portée des filous ; dans ces obscures boutiques, assez semblables à des échoppes de savetier, abondent des richesses incroyables. Les diamants de Visapour et de Golconde apportés par les caravanes ; les rubis du Giamschid, les saphirs d'Ormus, les perles d'Ophyr, les topazes du Brésil, les opales de Bohême, les turquoises de Macédoine, sans compter les grenats, les chrysoberils, les aigues-marines, les azerodrachs, les agates, les aventurines, les lapis-lazulis, sont entassés là par monceaux, car les Turcs ont beaucoup de pierreries, non-seulement comme luxe, mais comme valeurs. Ne connaissant pas les raffinements de la finance moderne, ils ne tirent aucun intérêt de leurs capitaux, ce qui, du reste, leur est rigoureusement interdit par le Coran, hostile à l'usure, comme l'Évangile, ainsi qu'on vient de le voir à l'occasion de l'emprunt turc, repoussé par le vieux parti national et religieux. Un diamant facile à cacher, à emporter, résume en lui une grande somme sous un petit volume. Au point de vue oriental, c'est un placement sûr, quoiqu'il ne rapporte rien ; mais allez donc persuader à l'avarice arabe ou turque de se dessaisir du pot de grès qui renferme son trésor, et cela sous prétexte de trois ou quatre pour cent, quand bien même la chose serait permise par Mahomet !

Ces pierres sont en général des cabochons, car les Orientaux ne taillent ni le diamant ni le rubis, soit qu'ils ne connaissent pas la poudre à égriser, soit qu'ils craignent de diminuer le nombre des carats en abattant les angles des pierres. Les montures sont assez lourdes et d'un goût génois ou rococo. L'art si fin, si élégant et si pur des Arabes a laissé peu de traces chez les Turcs. Ces joyaux consistent principalement en colliers, boucles d'oreilles, ornements de tête, étoiles, fleurs, croissants, bracelets, anneaux de jambe, manches de sabre et de poignard ; mais ils ne se révèlent dans tout leur éclat qu'au fond des harems, sur la tête et la poitrine des odalisques, sous les yeux du maître, accroupi dans un angle du divan, et tout ce luxe est, pour l'étranger, comme s'il n'existait pas. Quoique l'opulence des phrases précédentes, constellées de noms de pierreries, ait pu vous faire penser au trésor d'Haroun-al-Raschid et à la cave d'Aboulcasem, n'imaginez rien d'éblouissant et de jetant à droite et à gauche de folles bluettes de lumière. Les Turcs n'entendent pas l'étalage comme Fossin, Lemonnier, Marlet ou Bapst ; et les diamants bruts, jetés à poignées dans de petites sébiles de bois, ont l'apparence de grains de verre ; et pourtant on pourrait aisément dépenser un million dans une de ces boutiques de deux sous.

Le bazar des armes peut être considéré comme le cœur même de l'Islam. Aucune des idées nouvelles n'a franchi son seuil ; le vieux parti turc y siége gravement accroupi, professant pour les chiens de chrétiens un mépris aussi profond qu'au temps de Mahomet II. Le temps n'a pas marché pour ces dignes Osmanlis, qui regrettent les janissaires et l'ancienne barbarie, — peut-être avec raison. Là se retrouvent les grands turbans évasés, les dolimans bordés de fourrure, les larges pantalons à la mameluk, les hautes ceintures et le pur costume classique, tel qu'on le voit dans la collection d'Elbicei-Atika, dans la tragédie de *Bajazet* ou la cérémonie du *Bourgeois gentilhomme.* Vous revoyez là ces physionomies impassibles comme la fatalité, ces yeux sereinement fixes, ces nez d'aigle se recourbant sur une longue barbe blanche, ces joues brunes, tannées pas l'abus des bains de vapeur, ces corps à robuste charpente que délabrent les voluptés du harem et les extases de l'opium, cet aspect du Turc pur sang qui tend à disparaître, et qu'il faudra bientôt aller chercher au fond de l'Asie.

A midi, le bazar des armes se ferme dédaigneusement, et ces marchands millionnaires se retirent dans leurs kiosques sur la rive du Bosphore, et regardent d'un air courroucé passer les bateaux à vapeur, ces diaboliques inventions franques.

Les richesses entassées dans ce bazar sont incalculables : là se gardent ces lames de damas, historiées de lettres arabes, avec lesquelles le sultan Saladin coupait des oreillers de plume au vol, en présence de Richard Cœur-de-Lion, tranchant une enclume de sa grande épée à deux mains, et qui portent sur le dos autant de crans qu'elles ont abattu de têtes ; ces kandjars, dont l'acier terne et bleuâtre perce les cuirasses comme des feuilles de papier, et qui ont pour manche un écrin de pierreries ; ces vieux fusils à rouet et à mèche, merveilles de ciselure et d'incrustation ; ces haches d'armes qui ont peut-être servi à Timour, à Gengiskan, à Scanderbeg, pour marteler les casques et les crânes, tout l'arsenal féroce et pittoresque de l'antique Islam. Là rayonnent, scintillent et papillotent, sous un rayon de soleil tombé de la haute voûte, les selles et les housses brodées d'argent et d'or, constellées de soleils de pierreries, de lunes de diamants, d'étoiles de saphirs ; les chanfreins, les mors et les étriers de vermeil, féeriques caparaçons, dont le luxe oriental revêt les nobles coursiers du Nedj, les dignes descendants des Dahis, des Rabrâ, des Haffar et des Naâmah, et autres illustrations équestres de l'ancien turf islamite.

Chose remarquable pour l'insouciance musulmane, ce bazar est considéré comme si précieux, qu'il n'est pas permis d'y fumer ; — ce mot dit tout, car le Turc fataliste allumerait sa pipe sur une poudrière.

Pour donner un repoussoir à ces magnificences, parlons un peu du bazar des Poux. C'est la morgue, le charnier, l'équarrissoir où vont finir toutes ces belles choses, après avoir subi les diverses phases de la décadence. Le caftan qui a brillé sur les épaules du vizir ou du pacha achève sa carrière sur le dos d'un hammal ou d'un calfat ; la veste, où se moulaient les charmes opulents d'une Géorgienne du harem, enveloppe, souillée et flétrie, la carcasse momifiée d'une vieille mendiante. — C'est un incroyable fouillis de loques, de guenilles, de haillons, où tout ce qui n'est pas trou est tache ; tout cela pendille flasquement, sinistrement, à des clous rouillés, avec cette vague apparence humaine que conservent les habits longtemps portés, et grouille, remué vaguement par la vermine. Autrefois la peste se cachait sous les plis fripés de ces indescriptibles défroques maculées de la sanie des bubons, et s'y tenait tapie comme une araignée noire au fond de sa toile poussiéreuse, dans quelque angle immonde.

Le Rastro de Madrid, le Temple de Paris, l'ancienne Alsace de Londres, ne sont rien à côté de ce Montfaucon de la friperie orientale, qualifié par le nom significatif que je ne répéterai pas et que j'ai dit là-haut.

J'espère qu'on me pardonnera cette description fourmillante en faveur des pierreries, des brocarts, des flacons d'essence de roses de mon commencement ; — d'ailleurs, le voyageur est comme le médecin, il peut tout dire.

XI
LES DERVICHES TOURNEURS

Les derviches tourneurs ou mevélawites sont des espèces de moines mahométans qui vivent en communauté dans des monastères appelés *tekkés*. Le mot derviche signifie pauvre, ce qui n'empêche pas les derviches de posséder de grands biens dus aux legs et aux dons des fidèles. La désignation, vraie autrefois, s'est conservée, quoiqu'elle soit maintenant une antinomie.

Les muftis et les ulémas ne voient pas de très-bon œil les derviches, soit à cause de quelque dissidence secrète de doctrine, soit à cause de l'influence qu'ils ont sur le bas peuple, ou seulement à cause du mépris qu'a toujours professé le haut clergé pour les ordres mendiants ; quant à moi, qui ne suis pas assez fort en théologie turque pour débrouiller la chose, je me bornerai à considérer les derviches du côté purement plastique et à décrire leurs bizarres exercices.

Contrairement aux autres mahométans, qui empêchent les giaours d'assister en curieux aux cérémonies du culte, et les chasseraient outrageusement des mosquées s'ils essayaient de s'y introduire aux heures de prière, les derviches laissent pénétrer les Européens dans leurs tekkés, à la seule condition de déposer leur chaussure à la porte, et d'entrer pieds nus ou en pantoufles ; ils chantent leurs litanies et accomplissent leurs évolutions sans que la présence des chiens de chrétiens paraisse les déranger aucunement ; on dirait même qu'ils sont flattés d'avoir des spectateurs.

Le tekké de Péra est situé sur une place encombrée de tombes, de pieux de marbre à turbans et de cyprès séculaires, espèce d'annexe ou de succursale du petit Champ-des-Morts, où se trouve le tombeau du comte de Bonneval, le fameux renégat.

La façade, fort simple, se compose d'une porte surmontée d'un cartouche, historiée d'une inscription turque, d'un mur percé de fenêtres à grillages, laissant apercevoir des sépultures de derviches, car en Turquie les vivants coudoient toujours les morts, et d'une fontaine encastrée et treillissée, garnie de spatules de fer pendues à des chaînes, pour que les pauvres puissent boire commodément, et qu'entourent des groupes de hammals, altérés par la pénible montée de Galata. Tout cela n'a rien de monumental, mais ne manque pas de caractère ; les grands mélèzes du jardin, la coupole et le minaret blanc de la mosquée qu'on aperçoit dans le bleu du ciel, par-dessus la muraille, rappellent à propos l'Orient.

L'intérieur ressemble à toute autre habitation mahométane ; pas de ces longs cloîtres en arcade, de ces corridors interminables sur lesquels s'ouvrent des cellules, pieux cachots de reclus volontaires, de ces cours silencieuses où l'herbe pousse et où grésille une fontaine dans une vasque verdie. Rien de l'aspect froid, triste et sépulcral du couvent comme il est compris dans les pays catholiques ; mais de gais logements peints de couleurs riantes, éclairés du soleil, et au fond une merveilleuse échappée de vue du Bosphore, un magnifique panorama baigné d'air et de lumière : Scutari, Kadi-Keuï s'étalant sur la rive d'Asie, l'Olympe de Bythinie tout glacé de neige, les îles des Princes, taches d'azur sur la moire de la mer ; Seraï-Burnou, avec ses palais, ses kiosques, ses jardins ; Sultan-Achmet, flanqué de ses six minarets ; Sainte-Sophie, rayée de rose et de blanc comme une voile d'Yemen, et la forêt pavoisée des navires de toutes nations, spectacle toujours changeant, toujours nouveau, et dont on ne se lasse jamais !

La salle où s'exécutent les valses religieuses des tourneurs occupe le fond de cette cour. L'aspect extérieur ne rappelle la destination de l'édifice que par des chiffres enlacés et des suras du Koran tracées avec cette certitude de main que possèdent à un si haut degré les calligraphes turcs. Ces caractères contournés et fleuris jouent le rôle le plus heureux dans l'ornementation orientale ; ce sont des arabesques autant que des lettres.

L'intérieur rappelle à la fois la salle de danse et de spectacle ; un parquet parfaitement uni et ciré, qu'entoure une balustrade circulaire à hauteur d'appui, en occupe le centre ; de sveltes colonnes supportent une galerie de même forme, contenant des places pour les spectateurs de distinction, la loge du sultan et les tribunes destinées aux femmes. Cette partie, qu'on appelle le sérail, est défendue contre les regards profanes par des treillages très-serrés comme ceux qu'on voit aux fenêtres des harems. L'orchestre fait face au mirah, orné de tablettes bariolées de versets du Koran et de cartouches de sultans ou de vizirs bienfaiteurs du tekké. Tout cela est peint en blanc et en bleu et d'une propreté extrême : on dirait plutôt une classe disposée pour les élèves de Cellarius que le lieu d'exercice d'une secte fanatique.

Je m'assis, les jambes croisées, au milieu de Turcs et de Francs, également déchaux, tout près de la balustrade inférieure, au premier rang, de manière à ne rien perdre du spectacle. — Après une attente assez prolongée, les derviches arrivèrent lentement, deux par deux ; le chef de la communauté s'accroupit sur un tapis recouvert de peaux de gazelle, au-dessous du mirah, entre deux acolytes : c'était un petit vieillard au teint plombé et fatigué, la peau plissée de mille rides et le menton hérissé d'une barbe rare et grisonnante ; ses yeux, brillants par éclairs fugitifs dans sa face éteinte, au centre d'une large auréole de bistre, donnaient seuls un peu de vie à sa physionomie de l'autre monde.

Les derviches défilèrent devant lui, en le saluant à la manière orientale avec les marques du plus profond respect, comme on fait pour un sultan ou pour un saint ; c'était à la fois une politesse, un témoignage d'obéissance et une évolution religieuse ; les mouvements étaient lents, rhythmés, hiératiques, et, le rite accompli, chaque derviche allait prendre place en face du mirah.

La coiffure de ces moines musulmans consiste en un bonnet de feutre épais d'un pouce, d'un ton roussâtre ou brun, et que je ne saurais mieux comparer, pour la forme, qu'à un pot à fleurs renversé, dans lequel on aurait entré la tête ; un gilet et une veste d'étoffe blanche, une immense jupe plissée, de même couleur et semblable à la fustanelle grecque, des caleçons étroits et blancs aussi, descendant jusqu'à la cheville, composent ce costume, qui n'a rien de monacal dans nos idées et ne manque pas d'une certaine élégance. Pour le moment, on ne pouvait que l'entrevoir, car les derviches étaient affublés d'espèces de manteaux ou de surtouts verts, bleus, raisin-de-Corinthe, cannelle, ou de toute autre nuance, qui ne faisaient pas partie de l'uniforme, et qu'ils devaient quitter au moment de commencer leurs valses, pour les reprendre ensuite lorsqu'ils retomberaient haletants, ruisselants de sueur, brisés d'extase et de fatigue.

Les prières commencèrent, et avec elles les génuflexions, les prosternations, les simagrées ordinaires du culte musulman, si bizarres pour nous, et qui seraient aisément risibles sans la conviction et la gravité que les fidèles y mettent. Ces alternatives d'élévation et d'abaissement font penser aux poulets qui se précipitent avidement le bec contre terre et se relèvent après avoir saisi le grain ou le vermisseau qu'ils convoitent.

Ces oraisons sont assez longues, ou du moins le désir de voir les danses les fait paraître telles, surtout pour un curieux européen, qui n'espère pas s'aller reposer après sa mort sous l'ombrage de l'arbre Tuba, dans le paradis-sérail de Mahomet, et de s'y mirer pendant des éternités, aux yeux noirs des houris, toujours vierges ; néanmoins, ce bourdonnement pieux, par sa persistance monotone, finit par agir fortement sur l'organisme même des incrédules, et l'on conçoit qu'il impressionne les âmes croyantes et les *entraîne* merveilleusement pour ces exercices étranges, au-dessus de la puissance humaine, et qui ne peuvent s'expliquer que par une sorte de catalepsie religieuse assez semblable à l'insensibilité extra-naturelle des martyrs au milieu des plus atroces supplices.

Lorsqu'on eut psalmodié assez de versets du Koran, hoché suffisamment la tête et fait un nombre satisfaisant de prosternations, les derviches se levèrent, jetèrent leurs manteaux et refirent une procession circulaire autour de la salle. Chaque couple passa devant le chef, qui se tenait debout, et, après le salut échangé, faisait sur lui un geste de bénédiction ou de passe magnétique ; cette espèce de consécration s'exécute avec une étiquette singulière. Le dernier derviche béni en prend un autre dans le couple suivant et paraît le présenter à l'iman, cérémonie qui se répète de groupe en groupe jusqu'à l'épuisement de la bande.

Un changement remarquable s'était opéré déjà dans les physionomies des derviches ainsi préparés à l'extase. En entrant, ils avaient l'air morne, abattu, somnolent ; ils penchaient la tête sous leurs lourds bonnets ; maintenant leurs visages s'éclairaient, leurs yeux brillaient, leurs attitudes se relevaient et se raffermissaient, les talons de leurs pieds nus interrogeaient le parquet avec un mouvement de trépidation nerveuse.

Aux psalmodies du Koran nasillées en ton de fausset s'était joint un accompagnement de flûtes et de tarboukas. — Les tarboukas marquaient le rhythme et faisaient la basse, les flûtes exécutaient à l'unisson un chant d'une tonalité élevée et d'une douceur infinie.

Le motif du thème, ramené invariablement après quelques ondulations, finissait par s'emparer de l'âme avec une impérieuse sympathie, comme une femme dont la beauté se révèle à la longue et semble augmenter à mesure qu'on la contemple. Cet air, d'un charme bizarre, me faisait naître au cœur des nostalgies de pays inconnus, des tristesses et des joies inexplicables, des envies folles de m'abandonner aux ondulations enivrantes du rhythme. Des souvenirs d'existences antérieures me revenaient en foule, des physionomies *connues* et que cependant je n'avais jamais rencontrées dans ce monde me souriaient avec une expression indéfinissable de reproche et d'amour ; toutes sortes d'images et de tableaux de rêves oubliés depuis longtemps s'ébauchaient lumineusement dans la vapeur d'un lointain bleuâtre ; je commençais à balancer ma tête d'une épaule à l'autre, cédant à la puissance d'incantation et d'évocation de cette musique si contraire à nos habitudes et pourtant d'un effet si pénétrant. — Je regrette beaucoup que Félicien David ou Ernest Reyer, si habiles tous deux à saisir les rhythmes bizarres de la musique orientale, ne se soient pas trouvés là pour noter cette mélodie d'une suavité vraiment céleste.

Immobiles au milieu de l'enceinte, les derviches semblaient s'enivrer de cette musique si délicatement barbare et si mélodieusement sauvage, dont le thème primitif remonte peut-être aux premiers âges du monde ; enfin, l'un d'eux ouvrit les bras, les éleva et les déploya horizontalement dans une pose de Christ crucifié, puis il commença à tourner lentement sur lui-même, déplaçant lentement ses pieds nus, qui ne faisaient aucun bruit sur le parquet. Sa jupe, comme un oiseau qui veut prendre son vol, se mit à palpiter et à battre de l'aile. Sa vitesse devenait plus grande ; le souple tissu, soulevé par l'air qui s'y engouffrait, s'étala en roue, s'évasa en cloche comme un tourbillon de blancheur dont le derviche était le centre.

Au premier s'en était joint un second, puis un troisième, puis toute la bande avait suivi, gagnée par un vertige irrésistible.

Ils valsaient, les bras étendus en croix, la tête inclinée sur les épaules, les yeux demi-clos, la bouche entr'ouverte comme des nageurs confiants qui se laissent emporter par le fleuve de l'extase ; leurs mouvements, réguliers, onduleux, avaient une souplesse extraordinaire ; nul effort sensible, nulle fatigue apparente ; le plus intrépide valseur allemand serait tombé mort de suffocation ; eux continuaient de tourner sur eux-mêmes comme poussés par la suite de leur impulsion, de même qu'une toupie qui pivote immobile au moment de la plus grande rapidité, et semble s'endormir au bruit de son ronflement.

Chose surprenante, ils étaient là une vingtaine, peut-être davantage, pirouettant au milieu de leurs jupes épanouies comme le calice de ces gigantesques fleurs de Java, sans se heurter jamais, sans se désorbiter de leur tourbillon, sans perdre un seul instant la mesure marquée par les tarboukas.

L'iman se promenait parmi les groupes, frappant quelquefois des mains, soit pour indiquer à l'orchestre de presser ou de ralentir le rhythme, soit pour encourager les valseurs et les applaudir de leur zèle pieux. Sa mine impassible formait un contraste étrange avec toutes ces figures illuminées, convulsées ; ce morne et froid vieillard traversait d'un pas de fantôme ces évolutions frénétiques, comme si le doute eût atteint son âme desséchée, ou que depuis longtemps les ivresses de la prière et les vertiges des incantations sacrées n'eussent plus prise sur lui, comme ces teriakis et ces hachachins blasés sur l'effet de leur drogue et obligés d'élever la dose jusqu'à l'empoisonnement.

Les valses s'arrêtèrent un instant ; les derviches se reformèrent couple par couple et firent deux ou trois fois processionnellement le tour de la salle. Cette évolution, faite à pas lents, leur donne le temps de reprendre haleine et de se recueillir.

Ce que j'avais vu n'était, en quelque sorte, que le prélude de la symphonie, le début du poëme, l'entraînement à la valse.

Les tarboukas se mirent à gronder sur une mesure plus pressée, le chant des flûtes devint plus vif, et les derviches reprirent leur danse avec un redoublement d'activité.

Cependant cette activité n'a rien de désordonné ni de fiévreusement démoniaque comme les convulsions épileptiques des aïssaouas ; le rhythme la règle et la contient toujours. La rotation devient plus véloce, le nombre de tours exécutés dans une minute augmente, mais la valse hiératique reste silencieuse et calme comme un toton qui s'assoupit au plus fort de sa rapidité. Les derviches élèvent ou laissent retomber légèrement leurs bras selon le degré de fatigue ou d'extase qu'ils éprouvent ; on dirait des baigneurs qui perdent pied et étalent leurs mains sur l'eau pour s'abandonner au courant ; quelquefois leur tête se renverse, montrant des yeux blancs, des traits illuminés, des lèvres entr'ouvertes par un sourire indicible et que trempe une légère écume, ou retombe sur la poitrine comme accablée de volupté, faisant ployer la barbe contre l'étoffe blanche du gilet, mais, le plus souvent, reste couchée sur l'avant-bras comme sur l'oreiller d'un rêve divin.

Un pauvre vieux, porteur d'un masque socratique assez laid au repos, valsait avec une vigueur et une persistance incroyables pour son âge, et sa figure commune prenait, sous l'excitation magique du tournoiement, une singulière beauté ; l'âme, pour ainsi dire, lui venait à la peau, et, comme un marteau intérieur, repoussait et corrigeait par dedans les imperfections de ses traits. — Un autre, de vingt-cinq ou trente ans, figure noble, régulière et douce, terminée par une barbe d'un blond roux, faisait songer involontairement au jeune Nazaréen, — le plus beau des hommes, — avec ses bras élevés au-dessus de sa tête, et que les clous d'une croix invisible semblaient retenir dans la même position. Je n'ai jamais vu une plus belle expression ascétique. Ni l'Ange de Fiesole, ni le divin Moralès, ni Hemmeling, ni fra Bartholomeo, ni Murillo, ni Zurbaran, n'ont jamais peint dans leurs tableaux religieux une tête plus éperdue d'amour divin, plus noyée d'effluves mystiques, plus reflétée de lueurs célestes, plus ivre d'hallucinations paradisiaques ; si dans l'extra-monde les âmes conservent l'apparence du visage humain, elles doivent assurément ressembler à ce jeune derviche tourneur.

Cette expression se répétait à des degrés moindres sur les physionomies extatiques des autres valseurs. Que voyaient-ils dans ces visions qui les berçaient ? les forêts d'émeraude à fruits de rubis, les montagnes d'ambre et de myrrhe, les kiosques de diamants et les tentes de perles du paradis de Mahomet ? leurs bouches souriantes recevaient sans doute les baisers parfumés de musc et de benjoin des houris blanches, vertes et rouges : leurs yeux fixes contemplaient les splendeurs d'Allah scintillant avec un éclat à faire paraître le soleil noir, sur un embrasement d'aveuglante lumière ; la terre, à laquelle ils ne tenaient que par un bout de leurs orteils, avait disparu comme un papier brouillard qu'on jette sur un brasier, et ils flottaient éperdument dans l'éternité et l'infini, ces deux formes de Dieu.

Les tarboukas ronflaient, et la flûte pressait son chant d'un diapason impossible et ténu comme un cheveu de cristal ; les derviches disparaissaient dans leur propre éblouissement ; les jupes s'enflaient, se gonflaient, s'arrondissaient, s'étalaient, répandant une fraîcheur délicieuse dans l'air embrasé, et m'éventaient comme le vol d'un essaim d'esprits célestes ou de grands oiseaux mystiques s'abattant sur la terre.

Parfois un derviche s'arrêtait. Sa fustanelle continuait à palpiter quelques instants ; puis, n'étant plus soutenue par le tourbillon, s'affaissait lentement, et les plis évasés s'affaissaient et reprenaient leurs plis perpendiculaires comme ceux d'une draperie grecque antique. Alors le tourneur se précipitait à genoux, la face contre terre, et un frère servant venait le recouvrir d'un de ces manteaux dont j'ai parlé tout à l'heure ; de même qu'un jockey enveloppe de couvertures le pur sang qui vient de courir. L'iman s'approchait du derviche ainsi prosterné et figé dans une immobilité complète, murmurait quelques paroles sacramentelles et passait à un autre. Au bout de quelque temps, tous étaient tombés, terrassés par l'extase. Bientôt ils se relevèrent, firent encore une fois deux à deux leur promenade circulaire, et sortirent de la salle dans le même ordre qu'ils étaient entrés ; et moi j'allai reprendre mes souliers à la porte, parmi un tas de bottes et de savates, ébloui de ce spectacle vertigineux, et jusqu'au soir je vis tournoyer devant mes yeux de larges jupes blanches étalées, et j'entendis bourdonner à mes oreilles le thème implacablement suave de la petite flûte, sautillant sur la basse mugissante des tarboukas.

XII
LES DERVICHES HURLEURS

Quand on a vu les derviches tourneurs de Péra, on doit une visite aux derviches hurleurs de Scutari ; aussi je pris un caïque à Top'Hané, et deux paires de rames, maniées par de vigoureux Arnautes, m'emportèrent vers la rive d'Asie, malgré la violence du courant. Les eaux bouillonnantes se brisaient sous le soleil en millions de paillettes d'argent, rasées par des essaims d'oiseaux blancs et noirs, désignés sous le nom poétique d'*âmes en peine*, à cause de leur inquiétude perpétuelle ; on les voit filer sur le Bosphore par vols de deux ou trois cents, les pattes dans l'eau, les ailes dans l'air, avec une rapidité extraordinaire, comme s'ils poursuivaient une proie invisible, ce qui a les fait appeler aussi *chasse-vent*. — J'ignore leur étiquette ornithologique, mais ces deux sobriquets populaires me suffisent abondamment. Quand ils passent près des barques, on dirait des feuilles sèches emportées par un tourbillon d'automne, et ils éveillent toutes sortes d'idées rêveuses et mélancoliques.

Le débarcadère de Scutari se présente sous l'aspect le plus pittoresque. Une sorte de plancher flottant, composé de grosses poutres où se posent les goëlands et les albatros, forme un de ces premiers plans dont les graveurs anglais savent tirer si bon parti ; un café, entouré de bancs peuplés de fumeurs, s'avance dans l'eau sur un petit môle côtoyé de felouques, de caïques, de canots et d'embarcations de tout genre, à l'ancre ou amarrés, des figuiers et autres végétations d'un vert vivace ombragent un petit jardin attenant au café, qu'ils font ressortir par leurs tons vigoureux.

Les murailles blanches de la mosquée de Buyuk-Djami apparaissent au second plan. Cette mosquée produit un très-bon effet, avec sa coupole, son minaret, ses terrasses mamelonnées de petits dômes de plomb, ses arcades arabes, ses escaliers sur lesquels dorment des soldats et des hammals et ses masses de maçonnerie entremêlées de touffes de verdure.

Une fontaine toute bordée d'arabesques, de rinceaux et de fleurs, toute bariolée d'inscriptions turques sculptées en relief dans le marbre, surmontée d'un de ces charmants toits en auvent dont le *bon goût* moderne a décoiffé la fontaine de Top'Hané, occupe gracieusement le centre de la petite place en forme de quai à laquelle aboutit la principale rue de Scutari.

Au pied de cette fontaine, dont les robinets taris ne versent plus d'eau, s'abritent des essaims de femmes en feredgés blancs, roses, verts ou lilas, assises, debout, accroupies dans des poses d'une gracieuse nonchalance, berçant de beaux enfants entre leurs bras, et surveillant les jeux des plus grands d'un long regard de leur œil noir.

Des loueurs de chevaux avec leurs bêtes, des saïs tenant en bride les montures de leurs maîtres, des talikas, espèces de fiacres turcs, des arabas à la vieille mode, attelés de buffles noirs ou de bœufs d'un gris argenté, des chiens roux dormant en tas au soleil, animent le tableau de leurs groupes variés et de leurs oppositions de formes et de couleurs.

Au fond s'étend la ville de Scutari avec ses maisons peintes en rouges, ses minarets blancs se détachant sur le noir rideau de cyprès de son Champ-des-Morts. La grande rue de Scutari, qui s'élève graduellement jusqu'au sommet de la colline, a la physionomie beaucoup plus franchement turque qu'aucune de celles de Constantinople. On sent qu'on est sur la terre d'Asie, sur le sol véritable de l'Islam. Nulle idée européenne n'a franchi ce bras de mer étroit que quelques coups de rames suffisent à traverser. — Les anciens costumes, turbans évasés, longues pelisses, caftans de couleurs claires, se rencontrent bien plus fréquemment à Scutari qu'à Constantinople. La réforme ne semble pas y avoir pénétré.

La rue est bordée de marchands de tabac étalant sur une planchette leurs blondes meules de latakyé surmontées d'un citron, de gargotiers faisant rôtir le kébab à des broches perpendiculaires, de pâtissiers enfournant le baklava, de bouchers suspendant à des chaînettes des quartiers de viande au milieu d'un tourbillon de mouches, d'écrivains traçant des suppliques dans une échoppe placardée de tableaux calligraphiques, de cawadjis apportant à leurs pratiques le narghilé à la carafe limpide, au long tuyau de cuir flexible.

Quelquefois, la rue s'interrompt pour faire place à un petit cimetière qui s'intercale familièrement entre une boutique de confiserie et un vendeur de râpes de maïs. — Plus loin, une vingtaine de maisons manquent, et sont remplacées par un tas de cendres au milieu desquelles s'élèvent les cheminées de briques qui seules ont pu résister à la violence du feu.

Des arabas remplis de femmes assises les jambes croisées, montent ou descendent la rue, au pas modéré de grands bœufs bleuâtres, conduits par un saïs, qui souvent tient la corne de la bête sous la main. Les chiens, endormis au milieu de la voie publique, se dérangent à peine, au risque de se faire broyer sous l'ongle des lourds fissipèdes ou l'orbe des roues massives. Heureusement la marche de ces chars primitifs est lente, et les Turcs ne sont jamais pressés.

De ces arabas dorés et peints, et recouverts d'une toile ajustée sur des cerceaux, partent des éclats de voix et des rires joyeux ; l'œil furtif en s'y plongeant peut entrevoir des visages moins sévèrement voilés et qui peuvent se croire à l'abri des regards profanes. Sur le devant, de petites filles d'une dizaine d'années, non masquées encore par le yachmack impitoyable, trahissent, par leur beauté précoce, l'incognito de leurs mères accroupies un peu en arrière. De ces longs yeux noirs en amande, de ces sourcils marqués comme à l'encre de Chine, de ces nez légèrement aquilins, de ces ovales réguliers, de ces bouches empourprées de grenade, il n'est pas difficile, en les accentuant un peu, de conclure au type si mystérieusement dérobé de la Vénus turque.

Voici un convoi qui passe : un cercueil, couvert d'une draperie verte, appuyé sur les épaules de six hommes marchant d'un pas rapide, se dirige en toute hâte au grand Champ-des-Morts de Scutari ; il trouvera là, sous l'ombre des hauts cyprès, dans la terre maternelle d'Asie, un repos que les Francs d'Europe ne troubleront pas.

Des pâtres, traînant un mouton monstrueux, d'une obésité phénoménale, grossie encore par ses longues laines, se croisent avec le convoi, qui court comme si le diable l'emportait ; des soldats à cheval passent d'un air indolent et fier ; des chameaux, ayant en tête un petit âne, défilent en balançant leur col d'autruche, agitant leurs babines velues, en partance pour quelque lointaine caravane, et, à travers cette foule mouvante et bigarrée, j'arrive avec mes compagnons dans le haut Scutari, au tekké des derviches hurleurs.

Il est trop tôt. L'heure turque, se comptant à partir du lever du soleil, ne coïncide pas avec l'heure française, et demande des supputations perpétuelles, causes de nombreuses erreurs, surtout dans les premiers temps. En attendant, nous allons prendre du café, fumer un chibouck et boire des verres d'eau sur les bancs extérieurs d'un café situé à l'entrée du cimetière. Nous sommes servis par un petit garçon aux yeux vifs, à la mine intelligente, qui se multiplie et suffit aux demandes souvent opposées des consommateurs. Il apporte souvent du feu d'une main et de l'autre de l'eau, comme les petits génies des initiations antiques voltigeant sur le fond brun des vases étrusques.

Ayant épuisé toutes les ressources que peut offrir le café turc à un désœuvrement forcé, nous entrâmes dans la cour du tekké, ornée d'une fontaine en forme de tombeau, rappelant ces cercueils à dos d'âne recouverts de cachemire, qu'on aperçoit, à travers les grillages, dans les Turbés (chapelles funèbres) des sultans. Un marchand de gâteaux faits avec de la fécule de riz, et qu'on mange arrosés de quelques gouttes d'eau de cerise ou d'eau de rose, nous fournit un moyen d'apaiser ou plutôt de tromper notre appétit, éveillé par l'air de la mer, l'attente et l'espace de temps écoulé depuis un déjeuner frugal, mais détestable, fait le matin à Constantinople. Ce marchand trimbalait ses gâteaux sur un plateau de fer-blanc très-propre, posé devant lui en forme d'éventaire, et sa marchandise, qu'eût sans doute critiquée Brillat-Savarin ou Carême, avait au moins le mérite de n'être pas chère. Pour quelques menues pièces de monnaie, on pouvait s'en rassasier.

Près de la porte du tekké se tenait assis un personnage fort étrange, enveloppé d'un grossier sayon de poil de chameau montrant la corde, la tête ceinte d'un bout de chiffon tortillé en manière de turban. Je n'oublierai jamais ce masque court, camard, élargi, qui semblait s'être écrasé sous la pression d'une main puissante, comme ces grotesques de caoutchouc qu'on fait changer d'expression en appuyant le pouce dessus ; de grosses lèvres bleuâtres, épaisses comme celles d'un nègre ; des yeux de crapaud, ronds, fixes, saillants ; un nez sans cartilage, une barbe courte, rare et frisée ; un teint de cuir fauve, glacé de tons rances et plus culotté de ton qu'un Espagnoleto, formaient un ensemble bizarrement hideux, tenant plus du cauchemar que de la réalité. Si, au lieu de ses haillons sordides ce monstre eût porté un surcot mi-parti, on eût pu le prendre pour un de ces fous de cour qu'on voit dans les anciens tableaux d'apparat, un perroquet sur le poing ou tenant un lévrier en laisse.

C'était un fou, en effet. Les Turcs les laissent vaguer et les vénèrent comme des saints. Ils pensent que Dieu habite ces cervelles que la pensée a laissées vides, et ils leur pardonnent tout comme aux petits enfants, parce qu'ils ne savent ce qu'ils font.

Celui-là avait pris en affection la cour du tekké, et il restait là sur son bloc de pierre toute la journée, dodelinant de la tête, marmottant la formule de l'Islam, roulant un chapelet entre ses doigts et suivant de son œil idiot quelque vague hallucination qui le faisait sourire. Abruti dans un kief dont il n'était distrait que par un fourmillement trop importun de vermine, qu'il apaisait à la manière du mendiant de Murillo, il semblait jouir de la béatitude la plus parfaite. Une pipe au bouquin usé, au tuyau d'érable, au lulé noirci par un long usage, était appuyée au mur près de lui, et de temps à autre il aspirait quelques gorgées de fumée avec une satisfaction enfantine et profonde.

Quelques dévots à mine fanatique embrassaient pieusement ce dégoûtant personnage, qui se laissait faire comme une difforme idole indoue ou japonaise ; puis, quittant leurs babouches, pénétraient dans la salle intérieure du tekké. — Quant à nous, l'on ne nous permit d'entrer que lorsque les prières préparatoires eurent été dites ; nous entendions du dehors ces psalmodies graves et d'un beau caractère religieux rappelant le plain-chant grégorien, auquel l'accent guttural particulier aux hommes de l'Orient donnait un cachet plus sauvage.

Nous ajoutâmes nos chaussures au tas de babouches entassées à la porte, et nous prîmes place derrière une balustrade de bois avec quelques autres personnes, parmi lesquelles se trouvaient deux capucins en costume, froc de bure et la corde aux reins. Je ne remarquai pas qu'ils fussent vus de mauvais œil par la partie mahométane de l'assemblée, tolérance louable, surtout dans un conventicule de fanatiques.

La salle des derviches hurleurs de Scutari n'est pas de forme circulaire comme celle des derviches tourneurs de Péra. C'est un parallélogramme dénué de tout caractère architectural ; aux murailles nues sont suspendues une quinzaine d'énormes tambours de basque et quelques écriteaux parafés de versets du Koran. Du côté du mirah, au-dessus du tapis où s'asseyent l'iman et ses acolytes, le mur présente un genre de décoration féroce, qui fait songer à l'atelier d'un tortionnaire ou d'un inquisiteur ; ce sont des espèces de dards terminés par un cœur de plomb, d'où pendent des chaînettes, des lardoires affilées, des masses d'armes, des tenailles, des pinces et toutes sortes d'instruments de formes inquiétantes et barbares, d'un usage incompréhensible, mais effrayant, qui vous font venir la chair de poule comme la trousse déployée d'un chirurgien avant une opération. C'est avec ces atroces outils que les derviches hurleurs se flagellent, se tailladent et se perforent, lorsqu'ils sont parvenus au plus haut degré de fureur religieuse, et que les cris ne suffisent plus pour exprimer leur délire saintement orgiaque.

L'iman était un grand vieillard osseux, sec, à figure sillonnée et ravinée, très-digne et très-majestueux. A côté de lui se tenait un beau jeune homme au turban blanc retenu par une bandelette d'or transversale, à pelisse vert-émir, comme en portent les descendants du prophète ou les hadjis qui ont fait le pèlerinage de la Mecque ; son profil, pur, triste et doux, offrait plutôt le type arabe que le type turc, et son teint, d'un ton olivâtre uni, semblait confirmer cette origine.

En face étaient rangés les derviches dans la pose sacramentelle, répétant à l'unisson une espèce de litanie entonnée par un gros homme à poitrine d'Hercule, à col de taureau, doué de poumons de fer et d'une voix de stentor. A chaque verset, ils se balançaient la tête d'avant en arrière et d'arrière en avant, avec ce mouvement de magot ou de poussah qui finit par donner un vertige sympathique quand on le regarde longtemps.

Quelquefois un des spectateurs musulmans, étourdi par cette oscillation irrésistible, quittait sa place en chancelant, se mêlait aux derviches, se prosternait et commençait à s'agiter comme un ours en cage.

Le chant s'élevait de plus en plus ; le dandinement se précipitait, les visages commençaient à devenir livides et les poitrines haletantes. Le coryphée accentuait les paroles saintes avec un redoublement d'énergie, et nous attendions, pleins d'anxiété et de terreur, les scènes qui allaient suivre.

Quelques derviches, entraînés à point, s'étaient levés et continuaient leurs soubresauts, au risque de se fendre la tête contre les murs et de se luxer les vertèbres du col par ces furieuses saccades.

Bientôt tout le monde fut debout. C'est le moment où l'on décroche les tambours de basque, mais cette fois on ne le fit pas, les *sujets* étaient assez excités, et d'ailleurs, à cause du jeûne du Ramadan, on ne voulait pas les pousser trop. Les derviches formèrent une chaîne en se mettant les bras sur les épaules, et commencèrent à justifier leur nom en tirant du fond de leur poitrine un hurlement rauque et prolongé : Allah-hou ! qui ne semble pas appartenir à la voix humaine.

Toute la bande, rendue solidaire de mouvement, recule d'un pas, se jette en avant avec un élan simultané et hurle d'un ton sourd, enroué, qui ressemble au grommellement d'une ménagerie de mauvaise humeur, quand les lions, les tigres, les panthères et les hyènes trouvent que l'heure de la nourriture se fait bien attendre.

Puis l'inspiration arrive peu à peu, les yeux brillent comme des prunelles de bêtes fauves au fond d'une caverne ; une écume épileptique mousse aux commissures des lèvres, les visages se décomposent et luisent lividement sous la sueur ; toute la file se couche et se relève sous un souffle invisible comme des épis sous un vent d'orage, et toujours, à chaque élan, le terrible Allah-hou ! se répète avec une énergie croissante.

Comment des hurlements pareils, répétés pendant plus d'une heure, ne font-ils pas éclater la cage osseuse de la poitrine et jaillir le sang des vaisseaux rompus ? c'est ce que je ne saurais m'expliquer.

L'un des derviches, placé au milieu de la file, avait une tête tout à fait caractéristique ; vous avez vu, sans nul doute, pendu au mur de quelque atelier, le masque en plâtre de Géricault avec ses tempes creuses, ses orbites profondes, ses pommettes sculptées en relief, son nez d'aigle pincé par la Mort, sa barbe poissée et collée des sueurs de l'agonie ; eh bien ! étendez sur ce moulage funèbre un vieux parchemin jaune, et vous aurez l'image la plus exacte du derviche hurleur de Scutari, émacié et comme disséqué par l'*entraînement* du fanatisme. Cette sauvage et vigoureuse maigreur me faisait penser à ces vers farouches dans lesquels Chanfara, le poëte-coureur, dessine son abrupte physionomie. Le derviche eût pu dire comme lui : « Je me mets en course le matin n'ayant pris qu'une bouchée, comme un loup aux fesses maigres, au poil gris, qu'une solitude conduit à une autre ; lorsque la plante calleuse de mes pieds frappe une terre dure semée de cailloux, elle en tire des étincelles, elle les fait voler en éclats ; tout maigre que je suis, j'aime à faire mon lit de la terre, et j'étends sur sa face un dos que tiennent à distance des vertèbres arides ; j'ai pour oreiller un bras décharné dont les jointures saillantes semblent des osselets lancés par un joueur et tombés de champ. »

Les hurlements étaient devenus des rugissements ; le derviche dont je viens d'esquisser le portrait balançait sa tête flagellée de longs cheveux noirs, et tirait de sa poitrine de squelette des rauquements de tigre, des grommellements de lion, des glapissements de loup blessé saignant dans la neige, des cris pleins de rage et de désir, des râles de voluptés inconnues, et quelquefois des soupirs d'une tristesse mortelle, protestations du corps broyé sous la meule de l'âme.

Excitée par l'ardeur fiévreuse de cet enragé dévot, toute la troupe, ramassant un reste de force, se jetait en arrière d'un seul bloc, puis se lançait en avant comme une ligne de soldats ivres, en hurlant un suprême Allah-hou ! sans rapport avec les sons connus et tel qu'on peut supposer le beuglement d'un mammouth ou d'un mastodonte dans les prêles colossales des marais antédiluviens ; le plancher tremblait sous le piétinement rhythmique de la bande hurlante, et les murailles semblaient prêtes à se fendre comme les remparts de Jéricho à ces clameurs horribles.

Les deux capucins riaient imbécilement dans leur barbe, trouvant tout cela absurde, sans songer qu'eux-mêmes étaient des espèces de derviches catholiques, se mortifiant d'une autre manière pour se rapprocher d'un dieu différent ; les derviches cherchaient Allah et l'appelaient de leurs hurlements, comme les capucins cherchent Jéhovah dans la prière, le jeûne et les exercices ascétiques. — J'avoue que cette inintelligence me mit de mauvaise humeur, moi qui comprends le prêtre d'Athys, le fakir indou, le trappiste et le derviche se tordant sous l'immense pression de l'éternité et de l'infini, et tâchant d'apaiser le dieu inconnu par l'immolation de leur chair et les libations de leur sang. Ce derviche qui faisait rire les capucins me paraissait à moi aussi beau, avec sa figure hallucinée, que le moine de Zurbaran, livide d'extase et ne laissant briller dans son ombre qu'une bouche qui prie et deux mains éternellement jointes.

L'exaltation était au comble ; les hurlements se succédaient sans intervalle ; une fauve odeur de ménagerie se dégageait de tous ces corps en sueur. A travers la poussière soulevée par les pieds de ces forcenés, grimaçaient vaguement, comme à travers un brouillard roussâtre, des masques convulsés, épileptiques, illuminés d'yeux blancs et de sourires étranges.

L'iman se tenait debout devant le mirah, encourageant la frénésie grandissante du geste et de la voix. Un jeune garçon se détacha du groupe et s'avança vers le vieillard ; je vis alors à quoi servait la terrible ferraille suspendue au mur ; des acolytes décrochèrent de son clou une lardoire excessivement aiguë et la remirent à l'iman, qui traversa de part en part les joues du jeune dévot avec ce fer effilé, sans que celui-ci donnât la moindre marque de douleur. L'opération faite, le pénitent retourna à sa place et continua son dodelinement frénétique. Rien n'était plus bizarre que cette tête à la broche ; on eût dit une de ces charges de pantomime où Arlequin passe sa batte à travers le corps de Pierrot ; — seulement ici la charge était réelle.

Deux autres fanatiques se lancèrent au milieu de la salle, nus jusqu'à la ceinture ; on leur remit deux de ces dards aigus terminés par un cœur de plomb et des chaînettes de fer, et, les brandissant de chaque main, ils se mirent à exécuter une sorte de danse des poignards désordonnée, violente, pleine de soubresauts imprévus et de cabrioles galvaniques. Seulement, au lieu d'éviter les pointes des dards, ils se précipitaient dessus avec fureur afin de se piquer et de se blesser ; ils roulèrent bientôt à terre, épuisés, pantelants, ruisselants de sang, de sueur et d'écume comme des chevaux labourés par l'éperon et tombant de fatigue près du but.

Une jolie petite fille de sept ou huit ans, pâle comme la Mignon de Goethe, et roulant des yeux d'un noir nostalgique, qui s'était tenue près de la porte pendant toute la cérémonie, s'avança toute seule vers l'iman. Le vieillard l'accueillit d'une façon amicale et paternelle. La petite fille s'étendit sur une peau de mouton déroulée à terre, et l'iman, les pieds chaussés de larges babouches et soutenus par ses deux assistants, monta sur ce frêle corps et s'y tint debout pendant quelques secondes. Puis il descendit de ce piédestal vivant, et la petite fille se releva toute joyeuse.

Des femmes apportèrent de petits enfants de trois ou quatre ans qui furent couchés successivement sur la peau de mouton et délicatement foulés aux pieds par l'iman. Les uns prenaient bien la chose, les autres criaient comme des geais plumés vifs. On voyait les yeux leur sortir de la tête, et leurs petites côtes ployer sous cette pression énorme pour eux ; les mères, les yeux brillants de foi, les reprenaient dans leurs bras et les apaisaient par quelques caresses ; aux enfants succédèrent des jeunes gens, des hommes faits, des militaires, et même un officier supérieur, qui se soumirent à la salutaire imposition des pieds, car, dans les idées musulmanes, cette pression guérit de toutes les maladies.

En sortant du tekké, nous revîmes le jeune garçon dont l'iman avait traversé les joues avec une lardoire. Il avait retiré l'instrument de torture, et deux légères cicatrices violettes déjà refermées indiquaient seules le passage du fer.

XIII
LE CIMETIÈRE DE SCUTARI

Je ne sais pourquoi les cimetières turcs ne m'inspirent pas la même tristesse que les cimetières chrétiens. Une visite au Père-Lachaise me plonge dans une mélancolie funèbre pour plusieurs jours, et j'ai passé des heures entières au Champ-des-Morts de Péra et de Scutari sans éprouver d'autre sentiment qu'une vague et douce rêverie ; est-ce à la beauté du ciel, à l'éclat de la lumière, au charme romantique du site que se doit attribuer cette indifférence, ou bien aux préjugés de religion, agissant à votre insu et vous faisant mépriser des sépultures d'*infidèles* avec lesquels on n'a aucune solidarité dans l'autre monde ? C'est ce que je n'ai pu bien démêler, quoique j'y aie souvent réfléchi ; cela tient peut-être à des raisons purement plastiques.

Le catholicisme a entouré la mort d'une sombre poésie d'épouvante inconnue au paganisme et au mahométisme ; il a revêtu ses tombeaux de formes lugubres, cadavéreuses, combinées pour causer la terreur, tandis que les urnes antiques s'entourent de gais bas-reliefs où de gracieux Génies jouent parmi les feuillages, et que les cippes musulmans, diaprés d'azur et d'or, semblent, sous l'ombre de beaux arbres, plutôt les kiosques de l'éternel repos que la demeure d'un cadavre. — Là-bas j'ai souvent fumé ma pipe sur une tombe, action qui me semblerait irrévérente ici, et pourtant une mince lame de marbre me séparait seule du corps inhumé à fleur de terre.

Plus d'une fois j'ai traversé le cimetière de Péra, par les clairs de lune les plus fantastiques, à l'heure où les blanches colonnes funèbres se dressent dans l'ombre, comme les nonnes de Sainte-Rosalie au troisième acte de *Robert le Diable*, sans que mon cœur battît une pulsation de plus ; prouesse que je n'exécuterais au cimetière Montmartre qu'avec une invincible horreur, des moiteurs glacées dans le dos et des tressaillements nerveux au moindre bruit, quoique j'aie affronté cent fois, en ma vie de voyageur, des sujets d'épouvante bien autrement réels ; mais, en Orient, la mort se mêle si familièrement à la vie, qu'on n'en a plus aucun effroi. Des défunts sur lesquels on prend son café, avec qui l'on fume son chibouck, ne peuvent devenir des spectres. Aussi, en sortant de la ménagerie des derviches hurleurs, acceptai-je avec plaisir, pour me reposer de ce spectacle hideux, la proposition d'une promenade au Champ-des-Morts de Scutari, le mieux situé, le plus vaste et le plus peuplé de l'Orient.

C'est un immense bois de cyprès couvrant un terrain montueux, coupé de larges allées et tout hérissé de cippes sur un espace de plus d'une lieue. — On ne se fait pas une idée, dans les pays du Nord, en voyant ces maigres quenouilles qu'on y appelle des cyprès, du degré de beauté et de développement qu'acquiert, sous de plus chaudes latitudes, cet arbre ami des tombeaux, mais qui n'éveille en Orient aucune pensée mélancolique et orne les jardins aussi bien que les cimetières.

Avec l'âge, le tronc du cyprès se divise en nervures rugueuses semblables aux agrégations de colonnettes gothiques des cathédrales ; son écorce effritée s'argente de nuances grises, ses branches s'insèrent d'une façon inattendue, et font des coudes curieusement difformes, sans détruire cependant le dessin pyramidal et la direction ascensionnelle du feuillage, massé tantôt par groupes épais, tantôt par touffes clair-semées. Ses racines tortueuses et déchaussées agrippent la terre au rebord des routes, comme des serres de vautour posé sur une proie, et quelquefois ressemblent à des serpents à moitié rentrés dans leur trou.

Sa verdure solide et sombre ne se décolore pas aux âpres feux du soleil et garde toujours assez de vigueur pour trancher sur le bleu intense du ciel. — Nul arbre n'a l'attitude plus majestueuse, plus grave et plus sérieuse en même temps. Son uniformité apparente se varie d'accidents appréciés du peintre, mais qui ne dérangent pas l'ordonnance générale. Il s'associe admirablement à l'architecture des villas italiennes et mêle à propos sa pointe noire aux colonnes blanches des minarets ; ses draperies brunes forment au sommet des collines un fond sur lequel se détachent les maisons de bois colorié des villes turques par touches vermeilles et papillotantes.

J'avais déjà pris en Espagne, dans le Géneralife et l'Alhambra, un amour du cyprès que mon séjour à Constantinople n'a fait qu'augmenter en le satisfaisant. Deux cyprès surtout ont ineffaçablement gravé leur silhouette dans ma mémoire, et le nom de Grenade ne peut être prononcé sans que je les voie jaillir aussitôt au-dessus des murailles rouges de l'ancien palais des rois maures, dont ils sont à coup sûr contemporains. Avec quel plaisir je les apercevais,

Noirs soupirs de feuillage élancés vers les cieux,

lorsque je revenais de mes excursions dans les Alpujarras, en compagnie du chasseur d'aigles Romero ou du cosario Lanza, monté sur une mule aux harnais couverts de fanfreluches et de grelots ! Mais retournons aux cyprès de Scutari, dignes de poser pour Marilhat, Decamps et Jadin.

A côté de chaque tombe on plante un cyprès ; tout arbre debout représente un mort couché, et, comme dans cette terre saturée d'engrais humain la végétation jouit d'une grande activité, et que tous les jours de nouvelles fosses se creusent, la forêt funèbre s'accroît vite en hauteur et en largeur. Les Turcs ne connaissent pas ce système de concessions temporaires et de reprises de terrain qui fait ressembler les cimetières de Paris à des bois en coupes réglées. L'économie de la mort n'est pas si bien entendue par ces honnêtes barbares :

chaque mort, pauvre ou riche, une fois étendu sur sa dernière couche, y dort jusqu'à ce que les trompettes du jugement dernier le réveillent, et du moins la main des hommes ne l'y trouble pas.

Près de la cité vivante, la nécropole s'étend d'une façon indéfinie, se recrutant d'habitants paisibles et qui n'émigrent jamais. Les inépuisables carrières de Marmara fournissent à chacun de ces citoyens muets un poteau de marbre qui dit son nom et sa demeure, et, quoiqu'un cercueil tienne bien peu de place et que les rangs soient pressés, la ville morte couvre plus d'étendue que l'autre : des millions de trépassés gisent là depuis la conquête de Byzance par Mahomet II. Si le temps, qui détruit tout, même le néant, ne renversait les stèles tumulaires et ne les décoiffait de leurs turbans, et si la poussière des années, ces fossoyeuses invisibles, ne recouvrait lentement les débris des tombes brisées, un statisticien patient pourrait, en additionnant ces colonnes funèbres, obtenir le chiffre de la population de Constantinople, à compter de 1453, date de la chute de l'empire grec. Sans l'intervention de la nature, qui tend partout à reprendre ses formes primitives, l'empire turc ne serait bientôt plus qu'un vaste cimetière d'où les morts chasseraient les vivants.

Je suivis d'abord la grande allée, bordée de deux immenses rideaux d'un vert sombre de l'effet le plus féeriquement funèbre ; des marbriers, tranquillement accroupis, sculptaient des tombeaux sur le bord du chemin ; des arabas passaient remplis de femmes se rendant à Hyder-Pacha ; des filles de joie musulmanes, aux sourcils rejoints par un trait d'encre de Chine, et dont le fard transparaissait sous un yachmack de mousseline claire, flânaient, agaçant des Jean-Jean turcs d'œillades lascives et de rires sonores. Bientôt je quittai la route battue, et, laissant mes compagnons, je me dirigeai au hasard à travers tombes pour étudier de près l'attitude orientale de la mort. J'ai déjà dit, à propos du Petit-Champ de Péra, que les tombeaux turcs se composent d'une espèce de terme de marbre terminé par une boule simulant vaguement un visage humain et coiffé d'un turban dont les plis et la forme indiquent la qualité du défunt, — maintenant le turban est remplacé par un fez colorié ; — une pierre ornée d'une tige de lotus ou d'un cep de vigne, avec pampres et grappes sculptés en relief et peints, désigne les femmes. Au pied de ce cippe, qui ne varie guère que par le plus ou moins de richesse de la dorure et des couleurs, s'allonge ordinairement une dalle creusée à son milieu d'un petit bassin de quelques pouces de profondeur où les parents et les amis du mort déposent des fleurs et versent du lait ou des parfums.

Il arrive un jour que les fleurs se fanent et ne sont plus renouvelées, car il n'est pas de douleur éternelle, et la vie serait impossible sans l'oubli. L'eau de pluie remplace l'eau de rose ; les petits oiseaux viennent boire les larmes du ciel à l'endroit où tombaient les larmes du cœur. Les colombes trempent leurs ailes dans cette baignoire de marbre, se sèchent en roucoulant au soleil sur le cippe voisin, et le mort, trompé, croit entendre un soupir fidèle. Rien n'est plus frais et plus gracieux que cette vie ailée gazouillant sur des tombes. Quelquefois un *Turbé* aux arcades moresques s'élève monumentalement entre les sépultures plus humbles et sert de kiosque sépulcral à un pacha entouré de sa famille.

Les Turcs, qui sont graves, lents, majestueux pour toutes les actions de la vie, ne se hâtent que pour la mort. Le corps, aussitôt qu'il a subi les ablutions lustrales, est emporté vers le cimetière au pas de course, orienté du côté de la Mecque, et recouvert promptement de quelques poignées de poussière ; cela tient à une idée superstitieuse. Les musulmans croient que le cadavre souffre tant qu'il n'est pas rendu à la terre, d'où il est sorti. — L'iman interroge, sur les principaux articles de foi du Koran, le défunt, dont le silence est pris pour un acquiescement ; les assistants répondent *Amin*, et le cortége se disperse laissant le mort seul avec l'éternité.

Alors Monkir et Nekir, deux anges funèbres dont les yeux de turquoise brillent dans un visage d'ébène, l'interrogent sur sa vie vertueuse ou perverse, et, d'après ses réponses, lui assignent la place que son âme doit occuper, enfer ou paradis. — Seulement l'enfer musulman n'est qu'un purgatoire, car, après avoir expié ses fautes par des tourments plus ou moins longs et plus ou moins atroces, tout croyant finit par jouir des embrassements des houris et de l'ineffable vue d'Allah.

A la tête de la fosse, on laisse une espèce de trou ou de conduit aboutissant à l'oreille du cadavre pour qu'il puisse entendre les gémissements, les éjulations et les nénies de sa famille et de ses amis. Cette ouverture, trop souvent élargie par les chiens et les chacals, est comme le soupirail du sépulcre, comme le judas par lequel ce monde-ci peut regarder dans l'autre.

En marchant sans direction déterminée, j'étais arrivé à une portion du cimetière plus ancienne et par conséquent plus abandonnée. Les colonnes funèbres, presque toutes hors d'aplomb, penchaient à droite ou à gauche. Beaucoup s'étaient couchées comme lasses d'être restées si longtemps debout, et jugeant inutile d'indiquer une fosse effacée dont personne ne se souvenait plus. La terre, tassée par l'effondrement des cercueils ou emportée par la pluie, gardait moins soigneusement les secrets de la tombe. Presque à chaque pas mon pied heurtait un fragment de mâchoire, une vertèbre, un bout de côte, une tête de fémur ; à travers un gazon court et rare, je voyais quelquefois briller, blanche comme l'ivoire, sphérique et polie comme un œuf d'autruche, une protubérance singulière. C'était un crâne affleurant le sol. Dans des fosses bouleversées, des mains pieuses avaient remis à peu près en ordre de menus ossements déterrés ; d'autres fragments de squelette roulaient comme des cailloux sur le bord des sentiers déserts.

Je me sentis pris d'une curiosité étrange, horrible : celle de regarder par ces trous dont j'ai parlé tout à l'heure pour surprendre le mystère de la tombe et voir la mort dans son intérieur. Je me penchai par cette lucarne ouverte sur le néant, et je pus surprendre, tout à mon aise, la poussière humaine en déshabillé. J'apercevais le crâne, jaune, livide, grimaçant, avec ses mandibules disloquées et ses orbites creuses, la maigre cage de la poitrine oblitérée de sable ou d'humus noir, sur laquelle retombait nonchalamment l'os du bras. Le reste se perdait dans l'ombre et dans la terre : ces dormeurs semblaient fort tranquilles, et, loin de m'effrayer comme je m'y attendais, ce spectacle me rassura. Il n'y avait plus là réellement que du phosphate de chaux, et, l'âme évaporée, la nature reprenait petit à petit ses éléments pour de nouvelles combinaisons.

Si jadis j'ai rêvé la *Comédie de la mort* au cimetière du Père-Lachaise, je n'en aurais pas écrit une strophe au cimetière de Scutari. — A l'ombre de ces cyprès tranquilles, un crâne humain ne me faisait pas plus d'effet qu'une pierre, et le paisible fatalisme de l'Orient s'emparait de moi malgré ma chrétienne terreur de la mort et mes catholiques études du sépulcre. Aucune de ces poussières interrogées ne me répondit. Partout le silence, le repos, l'oubli et le sommeil sans rêve au sein de Cybèle, la sainte mère. — J'eus beau mettre mon oreille contre toutes ces bières entr'ouvertes, je n'y entendais d'autre bruit que celui du ver filant sa toile ; nul de ces endormis, couchés sur le côté, ne s'était retourné, se sentant mal à l'aise ; et je continuai ma promenade, enjambant les marbres, marchant sur les débris humains, calme, serein, presque souriant, et pensant sans trop d'effroi au jour où le pied du passant ferait rouler ainsi ma tête creuse et sonore comme une coupe vide.

Les rayons du soleil se glissant à travers les noires pyramides des cyprès voltigeaient comme des feux follets sur la blancheur des tombes ; les colombes roucoulaient, et, dans le bleu du ciel, les milans décrivaient leurs cercles.

Quelques femmes, assises au centre d'un petit tapis, en compagnie d'une négresse ou d'un enfant, rêvaient mélancoliquement ou se reposaient, bercées par les mirages d'un tendre souvenir. L'air était d'une douceur charmante, et je sentais la vie m'inonder par tous les pores au milieu de cette forêt sombre dont le sol est fait de poussière jadis vivante.

J'avais rejoint mes amis, et nous traversions une portion toute moderne du cimetière. Je vis là des tombeaux récents, entourés de grilles et de jardinets à l'imitation de ceux du Père-Lachaise. La mort aussi a ses modes, et il n'y avait là que des gens comme il faut, enterrés au dernier goût. Pour ma part, je préfère la borne de marbre de Marmara avec le turban sculpté et le verset du Koran en lettres d'or.

La route débouchant du cimetière aboutissait à une grande plaine nommée Hyder-Pacha, espèce de champ de manœuvre qui s'étend entre Scutari et les énormes casernes voisines de Kadi-Keuï ; un mur de soutènement, fait de vieilles tombes brisées, régnait de chaque côté du chemin et formait une terrasse élevée de trois ou quatre pieds qui présentait le plus gai coup d'œil ; on eût dit une immense plate-bande de fleurs animées.

Deux ou trois rangées de femmes, accroupies sur des nattes ou des tapis, y faisaient contraster les couleurs de leurs feredgés roses, bleu-de-ciel, vert-pomme, lilas, élégamment drapés autour d'elles. Au devant des groupes, les vestes rouges, les pantalons jonquille, les gilets de brocart des enfants, scintillaient dans un fourmillement lumineux de paillettes et de broderies d'or.

Le feredgé et le yachmack, dans les premiers temps, font sur le voyageur l'effet du domino au bal de l'Opéra. D'abord on n'y démêle rien ; on éprouve une sorte d'éblouissement devant ces ombres anonymes qui tourbillonnent devant vous en apparence pareilles les unes aux autres. — Vous ne reconnaissez personne ; mais bientôt l'œil s'habitue à cette uniformité, trouve des différences, apprécie les formes sous le satin qui les voile. Quelque grâce mal déguisée trahit la jeunesse ; l'âge mûr est vendu par quelque symptôme quadragénaire. Un souffle propice ou fatal soulève la barbe de dentelles ; le masque laisse transpercer le visage, le fantôme noir se change en femme. Il en est de même en Orient : cette ample draperie de mérinos, qui ressemble à une robe de chambre ou à un manteau de bain, finit par perdre son mystère ; le yachmack prend des transparences inattendues, et, malgré toutes les enveloppes dont l'affuble la jalousie musulmane, une femme turque, quand on ne la regarde pas trop formellement, finit par être aussi *visible* qu'une femme française.

Le feredgé qui cache ses formes peut aussi les accuser : ses plis serrés à propos dessinent ce qu'ils devraient voiler ; en l'entr'ouvrant sous prétexte de le rajuster, une coquette turque (il y en a) montre quelquefois, par l'échancrure de sa veste de velours brodé d'or, une gorge opulente à peine nuagée d'une chemise de gaze, une poitrine de marbre qui ne doit rien aux mensonges du corset ; celles qui ont de jolies mains savent très-bien allonger leurs doigts en fuseau et teints de henné hors du manteau qui les entoure. Il y a de certaines façons de rendre opaque ou transparente la mousseline du yachmack en doublant les plis ou en les laissant simples ; on peut faire monter plus ou moins haut ce masque blanc importun d'abord, resserrer ou agrandir à volonté l'espace qui le sépare de la coiffe. Entre ces deux bandes blanches brillent, comme des diamants noirs, comme des astres de jais, les yeux les plus admirables du monde, avivés encore par le k'hol, et qui semblent concentrer en eux toute l'expression du visage estompé à demi.

En marchant à pas lents au milieu de la chaussée, je pus passer en revue tout à loisir cette galerie de beautés turques comme j'aurais inspecté une rangée de loges à l'Opéra ou au Théâtre-Italien. Mon fez rouge, ma redingote boutonnée, ma barbe et mon teint basané, me faisaient d'ailleurs aisément confondre parmi la foule, et je n'avais pas l'air trop scandaleusement parisien.

Sur le *turf* d'Hyder-Pacha défilaient gravement des arabas, des talikas et même des coupés et des broughams remplis de femmes très-richement parées et dont les diamants scintillaient au soleil, à peines amortis par les brumes blanches des mousselines, comme des étoiles derrière un nuage léger ; des cawas à pied et à cheval accompagnaient quelques-unes de ces voitures, où des odalisques du harem impérial promenaient indolemment leur ennui.

Çà et là de petits groupes de cinq ou six femmes se reposaient à l'abri de quelque ombrage, sous la garde d'un eunuque noir, auprès de l'araba qui les avait amenées, et semblaient poser pour un tableau de Decamps ou de Diaz. Les grands bœufs grisâtres ruminaient paisiblement et agitaient, pour s'émoucher, les houppes de laine rouge suspendues aux baguettes courbes plantées dans leur joug et rattachées à leur queue par une ficelle ; avec leur air grave et leur frontail constellé de plaques d'acier, ces belles bêtes avaient l'air de prêtres de Mithra ou de Zoroastre.

Les vendeurs d'eau de neige, de sorbets, de raisin et de cerises couraient d'un groupe à l'autre, proposant leur marchandise aux Grecs et aux Arméniens, et contribuaient à l'animation du tableau. Il y avait aussi des marchands de *carpous* de Smyrne découpés en tranches et de pastèques à la chair rose.

Des cavaliers, montés sur de beaux chevaux, se livraient à la fantasia à quelque distance des équipages, sans doute en l'honneur d'une belle invisible ; les pur sang du Nedji, de l'Hedjaz et du Kurdistan secouaient orgueilleusement leurs longues crinières soyeuses et faisaient étinceler leurs housses ornées de pierreries, se sentant admirés, et quelquefois, quand un cavalier avait le dos tourné, une tête charmante se penchait à la fenêtre d'un talika.

Le soleil déclinait, et je repris, tout rêveur et plein de vagues désirs, le chemin de Scutari, où mon caïdji m'attendait patiemment, entre une tasse de café trouble et un chibouck de Latakyé comme il en avait le droit, étant chrétien grec non soumis aux rigueurs du Ramadan.

XIV
KARAGHEUZ

J'ai peur vraiment, à parler toujours de cimetières, d'avoir l'air d'écrire les *impressions de voyage d'un croque-mort* ; mais ce n'est pas ma faute : mon intention n'a aujourd'hui rien de lugubre. Je voulais vous mener voir Karagheuz, le polichinelle turc ; et, pour arriver à sa baraque, il faut traverser le grand Champ-des-Morts de Péra : qu'y faire ? Ce n'est pourtant pas un personnage mélancolique que cette ombre chinoise logée entre deux tombes.

Quand on a suivi jusqu'au bout la longue rue de Péra, on arrive à une fontaine ombragée par un bouquet de platanes, près de laquelle stationnent des loueurs de chevaux qui vous offrent leurs bêtes en criant : *Tchelebi*, *signor*, *monsou*, selon qu'ils sont plus ou moins polyglottes ; des talikas et des arabas attendant la pratique ; des vendeurs de sorbets, d'eau jaunâtre, de mûres blanches, de concombres, de gâteaux et de confiseries grossières, toujours entourés d'une nombreuse clientèle.

Des groupes de femmes assises au bord de la route élargie en place vague fixent hardiment sur vous leurs grands yeux noirs, et s'amusent à voir fourmiller cette foule bigarrée de Turcs, de Grecs, d'Arméniens, de Persans, de Bulgares, d'Européens, qui vont et viennent à pied, à cheval, à mule, à âne, en voiture de toute forme et de tout pays.

Le coup de canon qui indique le coucher du soleil et termine le jeûne vient de retentir. Les cafés se remplissent, et des nuages de fumée de tabac s'élèvent de toutes parts ; les tarboukas ronflent, les plaques métalliques des tambours de basque frissonnent, les rebecs grincent, les flûtes piaulent, et les voix nasillardes des chanteurs ambulants glapissent et détonnent sur tous les tons possibles, formant un joyeux charivari.

Sur l'esplanade de la caserne d'artillerie, les élégants font parader leurs chevaux, et les eunuques noirs, aux joues bouffies et glabres, aux jambes démesurées, lancent à fond de train leurs superbes montures. Ils se défient à la course en poussant de petits cris grêles, et galopent sans se soucier le moins du monde des chiens jaunes et roux dormant dans la poussière avec un fatalisme imperturbable.

Plus loin, des enfants jouent au chat, perchés sur les tombes plates des arméniens et des chrétiens grecs, privées de tout emblème religieux, comme si la terre musulmane tolérait seulement ces morts d'une croyance différente ; ces gamins philosophiques ne semblent en aucune manière songer qu'ils foulent un sol pétri de poussière humaine ; ils déploient une ardeur de vie, un éclat de gaieté qu'on aurait de la peine à comprendre en France, mais qui paraissent tout naturels en Turquie.

Le petit Champ-des-Morts représente le boulevard des Italiens, le grand Champ remplace le bois de Boulogne : c'est une espèce de *turf* où les fashionables européens et les tchelebis turcs vont montrer leurs chevaux anglais ou barbes ; quelques calèches, quelques américaines, quelques coupés, venus de Paris ou de Vienne en bateau à vapeur y voiturent les riches familles pérotes. Ils seraient plus nombreux si l'exécrable pavé et l'étroitesse des rues le permettaient ; mais le tableau n'en est pas moins animé, et ces produits de la carrosserie civilisée contrastent suffisamment avec les formes lourdes, les dorures surannées et les peinturlurages des arabas, bien préférables au point de vue de l'artiste.

Peut-être les morts couchés sous le cyprès préfèrent-ils ce tumulte vivace au froid silence, à la morne solitude, à l'abandon glacial qui les isolent ailleurs ; ils restent mêlés à leurs contemporains, à leurs amis, à leurs descendants, et ne sont pas relégués en dehors de la circulation comme des objets sinistres ou des épouvantails ; la cité vivante ne les rejette pas de son sein avec horreur et dégoût ; cette familiarité, qui semble impie au premier abord, est au fond plus tendre que notre réserve superstitieuse.

En attendant l'heure de la représentation de Karagheuz, j'entrai dans un petit café dont les fenêtres du fond, largement ouvertes, encadraient une vue admirable. Par delà les cyprès du cimetière, on apercevait le Bosphore et la rive d'Asie. A travers l'atmosphère rosée du crépuscule, Scutari se dessinait en clair sur son fond de verdure sombre, et les minarets de Buyuk-Djami et de la Mosquée du sultan Selim se couronnaient de leurs tiares d'illuminations ; la pointe de Chalcédoine s'avançait, chargée de ses casernes monumentales, et la Tour de Léandre sortait de l'eau bleue, étincelante de blancheur, portant au front une lumière comme une paillette d'or à un turban de mousseline.

Accoudé sur le rebord de la fenêtre à laquelle le divan était adossé, je fumais nonchalamment mon chibouck, déjà renouvelé plusieurs fois, lorsque mon ami constantinopolitain, retenu par quelque affaire, vint me rejoindre. Nous traversâmes le cimetière, et, dans l'ombre d'un grand rideau de cyprès, nous découvrîmes une ligne de petites maisons de bois formant une espèce de rue dont un côté est composé de tombes.

A la porte d'une de ces maisons tremblotait une lueur jaunâtre venant d'une veilleuse posée dans un verre, moyen naïf d'éclairage fort usité à Constantinople. — C'était là. — Nous entrâmes après avoir jeté quelques piastres à un vieux Turc accroupi près d'un coffre qui représentait à la fois la caisse et le contrôle.

La représentation avait lieu dans un jardin planté de quelques arbres ; des tabourets bas pour les naturels, des chaises de paille pour les giaours, remplaçaient les banquettes et les stalles ; l'assistance était nombreuse ; des pipes et des narghilés s'élevaient des spirales bleuâtres qui se rejoignaient en brouillard odorant au-dessus de la tête des fumeurs, et les fourneaux des pipes, appuyés contre terre, scintillaient comme des vers luisants. Le ciel bleu de la nuit, piqué d'étoiles, servait de plafond, et la lune jouait le rôle de lustre ; des garçons couraient portant des tasses de café et des verres d'eau, accompagnement obligé de tout plaisir turc. L'on nous fit asseoir au premier rang, tout à fait en face du théâtre de Karagheuz, à côté de jeunes gaillards coiffés de tarbouchs dont les longues houppes de soie bleue descendaient jusqu'au milieu du dos comme des queues chinoises, et qui riaient bruyamment par anticipation en attendant la pièce.

Le théâtre de Karagheuz est d'une simplicité encore plus primitive que la baraque de Polichinelle : un angle de mur où l'on tend une tapisserie opaque, dans laquelle se découpe un carré de toile blanche éclairé par derrière, suffit à l'établir ; un lampion l'illumine, un tambour de basque lui sert d'orchestre ; rien n'est moins compliqué. L'impresario se tient dans le triangle formé par l'équerre du mur et la tapisserie, entouré des figurines qu'il fait parler et mouvoir.

Le champ lumineux sur lequel devaient se projeter les silhouettes des petits acteurs brillait au milieu de l'obscurité comme un centre où convergeaient tous les regards impatients. Bientôt une ombre s'interposa entre la toile et la flamme du lampion. Une découpure transparente et coloriée vint s'appliquer contre la gaze. C'était un faisan de la Chine perché sur un arbuste ; le tambour de basque bruit et ronfla, une voix gutturale et stridente chantant une mélopée bizarre et d'un rhythme insaisissable pour des oreilles européennes s'éleva dans le silence ; car, à l'apparition de l'oiseau, le bourdonnement des conversations et la vague rumeur qui résulte d'une réunion d'hommes, même tranquilles, s'étaient subitement apaisés. C'était le lever du rideau et l'ouverture.

Le faisan s'évanouit et fit place à une espèce de décoration représentant l'extérieur d'un jardin fermé par des treillages et des grilles au-dessus desquelles verdissaient des arbres assez semblables, pour la naïveté de la forme, à ceux des joujoux de Nuremberg taillés copeau à copeau dans un bâton de sapin.

Un rauque éclat de rire se fit entendre annonçant l'entrée de Karagheuz, et une figurine grotesque, haute de six à huit pouces, vint se planter sous les murailles du jardin avec des gestes extravagants.

Karagheuz mérite une description particulière. Son masque, forcément toujours vu en silhouette, comme son état d'ombre chinoise l'exige, offre une caricature assez bien réussie du type turc. Son nez en bec de perroquet se recourbe sur une barbe noire, courte, frisée, projetée en avant par un menton de galoche. Un épais sourcil trace une raie d'encre au-dessus de son œil vu de face dans sa tête de profil, avec une hardiesse de dessin toute byzantine ; sa physionomie présente un mélange de bêtise, de luxure et d'astuce, car il est à la fois Prud'homme, Priape et Robert Macaire ; un turban à l'ancienne mode coiffe son crâne rasé qu'il quitte à toute minute, moyen comique qui ne manque jamais son effet ; une veste, un gilet de couleurs bigarrées, des pantalons larges, complètent son costume. Ses bras et ses jambes sont mobiles.

Karagheuz diffère des fantoccini de Séraphin en ce que, au lieu de se détacher en noir opaque sur le papier huilé, il est peint de couleurs transparentes, comme les figures de la lanterne magique. Je n'en saurais donner une idée plus juste que celle d'un personnage de vitrail qu'on détacherait de la verrière avec l'armature de plomb qui le circonscrit et le dessine. Sur des traits noirs qui forment les lignes et les ombres, et sont faits de carton, de fer-blanc ou de toute autre matière résistante, s'appliquent des pellicules translucides teintes en vert, en bleu, en jaune, en rouge, selon la couleur du vêtement ou de l'objet qu'on représente. Les fantoches javanais se rapprochent donc beaucoup plus de Karagheuz que les ombres chinoises. Mais en voici assez sur la structure et le coloriage du polichinelle turc. Cette explication une fois faite servira pour tous les autres acteurs, construits d'après les mêmes principes.

Tout comme un prince de tragédie, Karagheuz a un confident nommé Hadji-aïvat, mi-parti de Mascarille et de Bertrand, auxiliaire douteux qui lui donne la réplique et se moque de lui en le servant : Karagheuz ne peut se concevoir sans Hadji-aïvat, pas plus qu'Oreste sans Pylade, Euryale sans Nisus, Castor sans Pollux, et leur dualité friponne et querelleuse traverse tout ce burlesque répertoire ; Hadji-aïvat a le corps délié comme l'esprit, et contraste par sa gracilité avec la robuste carrure de Karagheuz.

Le jardin décrit tout à l'heure renferme une beauté mystérieuse, une houri de Mahomet qui excite au plus haut degré les désirs libidineux de Karagheuz. Il voudrait pénétrer dans ce paradis défendu par des gardiens farouches, et invente, pour y réussir, toutes sortes de ruses successivement déjouées : tantôt c'est un eunuque qui le menace de son sabre, tantôt un chien aux dents aiguës, aux abois turbulents, qui se jette après ses jambes et lui pille les mollets ; Hadji-aïvat, non moins libertin que son maître, tâche de se substituer à Karagheuz et de se glisser à sa place auprès de cette belle. Il complique la situation par toutes sortes de balourdises perfides, causes d'altercations et de luttes comiques entre lui et son patron. Cette canaille n'a même pas la vertu de Mascarille, qui ne fait pas la cour aux maîtresses de Lélie.

Un nouveau personnage se présente. C'est un jeune homme, un fils de famille, vêtu de la redingote et coiffé du tarbouch, comme un jeune Turc d'ambassade. Il tient à la main un pot de basilic, symbole de l'état de son âme, déclaration d'amour visible et permanente ; Karagheuz avise ce naïf amoureux et s'attache à lui ; il lui soutire de l'argent en lui promettant de le faire parvenir jusqu'à celle qu'il aime, et le promène comme un valet de Molière, un Valère ou un Éraste bien idiot et bien crédule ; son espoir est d'entrer à la suite de l'effendi dans ce paradis défendu par des noirs à la cravache flamboyante, et de lui souffler scélératement sa belle.

Des Persans, attirés par la réputation de cette beauté, viennent aussi faire pied de grue devant les grilles du jardin. Ils sont montés sur des chevaux tigrés et caparaçonnés de harnais bizarres. De hauts bonnets de peau d'Astracan s'élèvent sur leurs têtes, et ils tiennent à la main leurs haches d'armes inséparables. Karagheuz tâche de se concilier les nouveaux venus, et leur conte toutes sortes de bourdes plus absurdes les unes que les autres, mais proportionnées à la stupidité que les Turcs supposent aux Persans. Hadji-aïvat les capte aussi de son côté, et cette concurrence produit une dispute qui se termine par une prodigieuse volée de coups de pied et de coups de poing que Karagheuz administre à son confident. Pendant cette rixe, l'amoureux se glisse dans le harem, dont la porte se referme sur le nez des Persans ébahis, qui, se ravisant, tombent de concert sur Karagheuz et Hadji-aïvat, et forment une mêlée générale accueillie par les rires inextinguibles de l'auditoire.

Je ne rends ici que la partie purement mimique de la pièce ; je ne sais de turc que les mots insérés par Molière dans la cérémonie du *Bourgeois gentilhomme*, et ce n'est pas d'ailleurs une de ces langues transparentes comme l'italien, l'espagnol et le portugais, derrière lesquelles la pensée se devine, bien qu'on ne les connaisse pas ; mais il paraît que le dialogue était des plus burlesques, à en juger par l'hilarité et les éclats de rire des assistants capables de le comprendre.

La langue turque se prête à une foule d'équivoques et de calembours les plus drôlatiques et les plus bizarres. Il suffit d'une lettre ou d'un accent pour changer le sens d'un mot. Par exemple, *Asem* veut dire Persan ; *asemi* signifie jobard. Au lieu de *Asem baba*, monsieur le Persan, Karagheuz ne manque jamais de dire *asemi baba*, ce qui excite des rires homériques, le Persan jouant, dans les parades turques, le même rôle que l'Anglais dans les vaudevilles et le Français dans les pièces anglaises. Ces pauvres Persans servent de plastron à toutes les plaisanteries et à toutes les mystifications : on parodie leur style et leur prononciation emphatique, leur attitude gauchement roide, leur costume étrange et la masse d'armes qu'ils portent toujours au poing, comme des héros du Schah-Nameh, même dans les situations qui nécessitent le moins cet appareil guerrier. Probablement qu'en Perse le personnage ridicule est un Turc, juste compensation de cette aménité de peuple à peuple.

Mon ami polyglotte me traduisait çà et là quelques-uns des passages saillants ; mais il est impossible de donner dans notre langue la moindre idée de ces plaisanteries énormes, de ces gaudrioles hyperboliques, qui nécessiteraient, pour être rendues, le dictionnaire de Rabelais, de Beroalde, d'Eutrapel, flanqué du catéchisme poissard de Vadé. — Cependant le Karagheuz du grand Champ-des-Morts a subi la censure, ou pour mieux dire la castration : il dit des obscénités, mais il n'en fait plus ; la morale l'a désarmé ; c'est un polichinelle sans bâton, un satyre sans cornes, un dieu de Lampsaque à l'état d'Abeilard, et, au lieu d'agir, il met en récits de Théramène ses lubriques exploits. C'est plus classique ; mais, franchement, c'est plus ennuyeux, et l'originalité du type y perd beaucoup.

Le dialogue est entremêlé de morceaux de poésie et d'ariettes dans le genre des couplets de vaudeville, miaulés sur des airs extravagants et soutenus d'un féroce accompagnement de tambour de basque.

Le *Mariage de Karagheuz* est une pièce à spectacle. Karagheuz a vu une jeune fille charmante, et comme il est d'une nature très-inflammable, il a conçu pour elle une passion des plus vives. — Notons, en passant, que les figurines de femme ont la face découverte, contrairement à l'usage turc. — L'idéal de Karagheuz est en vérité une assez jolie ombre chinoise aux yeux teints de surmeh, à la bouche rouge, aux joues plaquées de fard, au costume de sultane d'opéra-comique, et qui se trémousse fort coquettement. Le mariage conclu, Karagheuz envoie les présents de noces : quatre arabas, quatre talikas, quatre chevaux de main, quatre chameaux, quatre vaches, quatre chèvres, quatre chiens, quatre chats, quatre cages pleines d'oiseaux ; puis viennent des hammals chargés de divans, de pipes, de narghilés, de tabourets, de guéridons, de tapis, de lanternes, d'écrins à bijoux, de coffres à vêtements, de vaisselle et poteries intimes. Ce défilé, instructif pour l'étranger, qu'il initie aux détails du ménage turc, s'exécute sur une marche tartare d'un rhythme carré dont la persistance finit par être agréable et vous loge invinciblement le motif dans la tête. Toute cette magnificence ne sauve pas Karagheuz d'une infortune conjugale prématurée. La jeune fille, tout à l'heure si fluette, s'arrondit visiblement par l'effet d'une fécondité précoce dans laquelle son mari n'a rien à revendiquer ; le pauvre Karagheuz se trouve père le jour même de ses noces, phénomène qui l'étonne singulièrement et auquel il finit par se résigner comme un mari parisien.

Cette parade m'amusa beaucoup, car elle ne nécessite pas, comme la première, l'intelligence du dialogue, et elle me fit le plaisir que le ballet cause à l'Opéra aux étrangers qui ne comprennent pas notre langue.

Les chevaux, les chameaux, les chiens, tous les accessoires du défilé étaient découpés avec la plus réjouissante naïveté de formes, et rappelaient le goût primitif des vignettes d'Épinal ; les Turcs, à qui leur religion défend de retracer par le dessin ou la peinture aucun objet qui ait eu vie, en sont restés, sous ce rapport, à la plus gothique barbarie, et les marionnettes de Karagheuz, seules représentations tolérées de la figure humaine, se ressentent de cette inexpérience ; cependant ces figurines, comme tout ce qui est primitif, ont un caractère que leur ôterait une plus savante exécution.

Je regagnai Péra par une partie déserte du cimetière, en suivant une allée bordée de cyprès énormes. La lune laissait filtrer entre leurs masses sombres ses rayons argentés, et détachait sur un fond de l'opacité la plus noire des tombes blanches qui se dressaient sur le bord du chemin, comme des spectres dans leur linceul. Un silence profond régnait sous cette forêt funèbre, troublé de temps à autre par l'aboiement lointain d'un chien ; il me semblait que j'entendais battre mon cœur, seul vivant au milieu de cette population morte, lorsque tout à coup une voix retentit à mon oreille, comme une trompette du jugement dernier, et me dit en français cette phrase qui ne justifiait pas le tressaillement qu'elle me causa : « Monsieur, voulez-vous m'acheter mes derniers gâteaux ? »

Cette offre inopportune de pâtisserie, au fond d'un cimetière, à minuit, l'heure romantique, l'heure des apparitions, avait quelque chose de grotesque et de formidable qui me fit rire et qui me fit peur ; était-ce l'ombre d'un mitron compatriote mort à Constantinople et sorti de la terre pour m'offrir l'ombre d'une brioche ? Cela n'était guère probable. Aussi marché-je du côté d'où partait la voix.

Un gaillard très-solide, très-réel, fort moustachu et bien musclé, tenait devant lui une petite table chargée de croquettes et attendait une pratique invraisemblable dans ce carrefour solitaire. Il parlait français parce qu'il avait servi quelques années comme Turco en Algérie, et, dégoûté des armes, se livrait à ce débonnaire commerce de pâtisserie nocturne.

Je lui achetai son fonds de boutique pour une trentaine de paras, me réservant d'en faire hommage aux chiens attardés que je rencontrerais, et je continuai ma route.

Le lendemain, pour continuer mes études sur le polichinelle turc, mon ami me proposa de descendre à Top'Hané, où, dans l'arrière-cour d'un café, se donnaient des représentations de Karagheuz non censurées, avec toute la liberté bouffonne et lubrique que comporte le type.

La cour était remplie de monde. Les enfants, et surtout les petites filles de huit à neuf ans, abondaient. Il y en avait de délicieuses qui rappelaient, dans leur sexe encore indécis, ces jolies têtes de la *Sortie de l'École* de Decamps, si gracieusement bizarres et si fantasquement charmantes. De leurs beaux yeux étonnés et ravis, épanouis comme des fleurs noires, elles regardaient Karagheuz se livrant à ses saturnales d'impuretés et souillant tout de ses monstrueux caprices. Chaque prouesse érotique arrachait à ces petits anges naïvement corrompus des éclats de rire argentins et des battements de mains à n'en pas finir ; la pruderie moderne ne souffrirait pas qu'on essayât de rendre compte de ces folles atellanes, où les scènes lascives d'Aristophane se combinent avec les songes drôlatiques de Rabelais ; figurez-vous l'antique dieu des jardins habillé en Turc et lâché à travers les harems, les bazars, les marchés d'esclaves, les cafés, dans les mille imbroglios de la vie orientale, et tourbillonnant au milieu de ses victimes, impudent, cynique et joyeusement féroce. On ne saurait pousser plus loin l'extravagance ithyphallique et le dévergondage d'imagination obscène.

Le Karagheuz se transporte souvent dans les sérails et y donne des représentations que les femmes suivent cachées derrière des tribunes grillées. — Comment accorder ce spectacle si libre avec des mœurs si sévères ? N'est-ce pas parce qu'il faut toujours quelque rondelle fusible à la chaudière trop poussée, et que la morale la plus exacte doit laisser un échappement à la corruption humaine ? D'ailleurs, ces fantaisies déréglées ne sont pas dangereuses et s'évanouissent comme des ombres quand on éteint le lampion de la baraque.

En voyant Karagheuz, je pensais à le rattacher, par la filiation de Polichinelle, de Pulcinella, de Punch, de Pickelhëring, d'Old-Vice, à Maccus, la marionnette osque, et même aux automates du Névrospate Pothein ; mais tout cet échafaudage d'érudition devint inutile lorsqu'on m'eut dit que Karagheuz était tout bonnement la caricature d'un vizir de Saladin, connu par ses déportements et sa lubricité, origine qui fait Karagheuz contemporain des croisades, antiquité suffisante pour la noblesse d'une ombre chinoise.

XV
LE SULTAN A LA MOSQUÉE. — DINER TURC

Il est d'usage que le padischa aille, chaque vendredi, en grande pompe, à une mosquée, faire publiquement ses prières. — Le vendredi, comme chacun sait, est, pour les musulmans ce que le dimanche est pour les chrétiens et le samedi pour les juifs : un jour plus spécialement consacré aux pratiques religieuses, sans toutefois emporter une idée de repos obligatoire.

Chaque semaine le commandeur des croyants visite une mosquée différente : Sainte-Sophie, la Solimanieh, l'Osmanieh, Sultan Bayezid, Yeni-Djami, la mosquée des Tulipes ou toute autre, suivant l'itinéraire tracé et connu d'avance ; outre que la prière dans un édifice du culte est de rigueur ce jour-là d'après les préceptes du Koran, et que le padischa, comme chef de la religion, ne peut s'en dispenser, il y a encore, dans cet exercice de piété officiel, une raison politique : c'est de constater aux yeux des populations la vie du sultan, retiré toute la semaine au fond des mystérieuses solitudes du sérail ou des palais d'été semés sur les rives du Bosphore. En traversant la ville à cheval, visible pour tous, il signe devant son peuple et les ambassades étrangères un certificat d'existence, précaution qui n'est pas inutile, car on pourrait cacher sa mort naturelle ou violente pour des intrigues de palais. La maladie, même grave, n'interrompt pas cette promenade, car Mahmoud Ier, fils de Mustapha, mourut entre les deux portes du sérail, au retour d'une de ces excursions du vendredi, où il s'était traîné, pouvant à peine se soutenir sur sa selle, et fardé pour cacher sa pâleur.

Les drogmans des hôtels savent toujours la veille ou le matin de bonne heure la mosquée où le sultan doit faire ses dévotions, et j'appris par celui de l'hôtel de Byzance que le sultan devait aller du palais de Schiragan à la Medjidieh, située tout à côté. Comme la course est assez longue de Dervish-Sokak à Schiragan, et que l'heure turque est assez difficilement compréhensible pour les étrangers, lorsque j'arrivai tout en sueur et à demi cuit par un torride soleil de juillet, le cortége avait défilé et le sultan récitait ses prières dans l'intérieur de la mosquée ; mais il me restait la ressource d'attendre qu'il eût fini et de le voir sortir et s'en retourner, ce qui revenait exactement au même, sauf une station d'une heure en compagnie d'Anglais, d'Américains, d'Allemands et de Russes venus là pour le même motif.

La Medjidieh tient au palais de Schiragan, dont la façade donne sur le Bosphore, et qui, de ce côté, ne montre que de grands murs surmontés par les cheminées des cuisines peintes en vert et dissimulées sous une forme de colonne. Elle est toute moderne, et son architecture à volutes et à chicorées d'un rococo génois n'offre rien de remarquable, quoique par son étincelante blancheur elle fasse assez bien sur le bleu foncé du ciel.

La porte de la mosquée était ouverte, et l'on entrevoyait les vizirs, les pachas et les hauts officiers coiffés de tarbouchs, tout plastronnés d'or, élargis par de grosses épaulettes, exécutant, malgré leur obésité, les pantomimes assez compliquées de la prière orientale ; ils s'agenouillaient et se relevaient pesamment avec une piété qui paraissait sincère, car les idées philosophiques ont fait beaucoup moins de progrès qu'on ne veut bien le dire à Constantinople ; même les Turcs élevés à l'européenne, au retour de Londres ou de Paris, ne sont pas moins attachés au Koran, et il suffit de gratter légèrement leur vernis de civilisation pour retrouver le fidèle croyant.

Des esclaves noirs et des saïs tenaient en bride ou promenaient les chevaux, couverts de housses magnifiques, qui avaient apporté le sultan et sa suite ; c'étaient de très-belles bêtes, robustes, solides de formes, n'ayant pas l'élégance nerveuse du cheval arabe, mais qu'on dit d'une grande résistance à la fatigue ; les fins coursiers du désert plieraient sous le poids de ces massifs cavaliers turcs, pour la plupart d'un embonpoint excessif, surtout dans les hauts grades ; ces chevaux sont de race barbe et offrent un type particulier. Celui du sultan se reconnaissait aux pierreries qui étoilaient sa schabraque, et au chiffre impérial dont l'arabesque compliquée brodait chaque pointe du velours presque disparu sous les ornements.

Des lignes de soldats étaient rangées le long des murs, attendant la sortie de Sa Hautesse ; ils portaient le tarbouch rouge, et leur uniforme, se rapprochant de celui de nos troupes de ligne en petite tenue, consistait en une veste ronde de drap bleu et un pantalon de grosse toile blanche ; ce costume, qui est à peu près celui des Jean-Jean, produit un contraste assez singulier avec ces têtes caractéristiques et basanées à qui le turban des janissaires siérait beaucoup mieux.

Sur le parvis de la mosquée était étendue une bande de cachemire noir assez étroite pour le passage du sultan ; elle conduisait de la porte, en suivant les marches de l'escalier, à un montoir de marbre, comme il s'en trouve à l'entrée des palais et près des escales de caïques. Il me semble, sans l'affirmer toutefois, que ce tapis de couleur noire est particulièrement affecté au sultan comme grand khan de Tartarie, dont cette nuance est l'insigne.

Les génuflexions, les prosternations et les psalmodies se prolongeaient à l'intérieur du sanctuaire, et le soleil du midi, raccourcissant toujours l'ombre, faisait briller le cailloutis de la place ; les murailles blanches renvoyaient d'aveuglantes réverbérations, d'autant plus incommodes pour les trois ou quatre dames qui se trouvaient là, que l'étiquette interdit d'ouvrir un parasol en présence du sultan, et même devant les palais où il habite ; en Orient, le parasol a toujours été un emblème du pouvoir suprême. Le maître est à l'ombre, tandis que les esclaves rôtissent au soleil. La rigueur s'est relâchée sur ce point comme sur toutes choses, et l'on ne courrait pas aujourd'hui, à enfreindre cet usage, les risques auxquels on se serait exposé autrefois ; mais les étrangers de bon goût se conforment à l'usage. A quoi bon choquer les habitudes du pays que l'on visite, habitudes qui ont leurs raisons d'être et souvent ne sont pas au fond plus ridicules que les nôtres ?

Un mouvement se fit à l'intérieur de la Mosquée ; les officiers rajustèrent leur chaussure à la porte ; les saïs amenèrent le cheval du sultan contre le montoir, et bientôt, entre une haie de vizirs, de pachas et de beys saluant à l'orientale, — salut que je préfère de beaucoup pour sa grâce respectueuse au salut européen, — parut Sa Hautesse le sultan Abdul-Medjid, se détachant en clair sur le fond sombre de la porte, dont le chambranle lui faisait comme un cadre. Son costume, très-simple, se composait d'une espèce de paletot sac en drap bleu foncé, d'un pantalon de moire blanche, de bottes vernies et d'un fez où l'aigrette impériale de plumes de héron était fixée par un bouton d'énormes diamants ; par l'interstice de son paletot on voyait briller quelques dorures sur sa poitrine ; je regrette fort, pour ma part, l'ancienne magnificence asiatique ; j'aimais les sultans impassibles comme des idoles dans des châsses de pierreries, espèces de paons du pouvoir épanouis au milieu d'une auréole de soleils. Dans les pays d'autorité absolue, le souverain ne saurait se séparer assez de l'humanité par des formes imposantes, solennelles, hiératiques, par un luxe éblouissant, chimérique et fabuleux ; comme Dieu à Moïse, il ne doit apparaître à ses peuples qu'à travers un buisson ardent de diamants en phosphorescence. — Cependant, malgré la simplicité austère de ses habits, la qualité d'Abdul-Medjid ne pouvait être un mystère pour personne. Une satiété suprême se lisait sur sa figure pâle ; la conscience d'un pouvoir irrésistible donnait à ses traits, assez peu réguliers d'ailleurs, une tranquillité de marbre. Ses yeux fixes, immuables, à la fois perçants et mornes, voyant tout et ne regardant rien, ne ressemblaient pas à des yeux d'homme ; une barbe courte, peu épaisse et brune, entourait ce masque triste, impérieux et doux.

En quelques pas faits avec une extrême lenteur, et plutôt glissés que marchés, — des pas de dieu ou de fantôme ne se mouvant pas par des procédés humains, — Abdul-Medjid franchit l'espace qui séparait la porte de la mosquée du bloc de marbre, en suivant la bande d'étoffe noire sur laquelle personne autre que lui ne posait le pied, et se laissa couler plutôt qu'il ne monta sur la housse de son cheval, immobile comme un cheval sculpté. Les gros officiers se hissèrent un peu plus difficultueusement au haut de leurs bêtes respectives, et le cortége se mit en mouvement pour regagner le palais au cri de Vive le sultan ! poussé en turc par les soldats avec un véritable enthousiasme.

En pressant un peu le pas, je pus devancer le cortége et m'aller poster plus loin, de manière à voir encore Sa Hautesse. Je donnais le bras à une jeune dame italienne qui m'avait prié de l'accompagner, et qui se penchait avidement à travers la haie pour contempler les traits du sultan ; car un homme qui a seize cents concubines est un phénomène qui intéresse au plus haut degré la curiosité des femmes ; Abdul-Medjid, dont le cheval s'avançait moelleusement, inclinant sa belle tête avec des ondulations de col de cygne et comme ayant la conscience du fardeau qu'il portait, Abdul-Medjid remarqua l'étrangère et fixa quelques secondes sur elle ses yeux d'aigle en tournant imperceptiblement sa face impassible, ce qui est la manière de saluer du sultan, chose qu'il fait du reste très-rarement.

Pendant ce défilé, la musique jouait une marche arrangée sur des motifs turcs par le frère de Donizetti, chef de la musique impériale, et entremêlée d'assez de tambours de basque et de flûtes de derviche pour satisfaire les oreilles mahométanes sans choquer cependant les oreilles catholiques ; cette marche a de l'entrain et ne manque pas de caractère.

Puis tout rentra dans le palais, dont la porte ouverte laissait entrevoir une vaste cour d'architecture moderne, les battants retombèrent, et il ne resta plus dans la rue que quelques curieux, se dispersant de différents côtés ; des paysans bulgares au sayon grossier, au bonnet de fourrure, et de vieilles mendiantes momifiées accroupies dans leurs haillons, sur le plat de leurs cuisses, le long des murailles incandescentes de chaleur.

Le silence de midi régnait autour de ce palais mystérieux, qui, derrière ses fenêtres treillissées, renferme tant d'ennuis et de langueurs, et je ne pouvais m'empêcher de penser à tous ces trésors de beauté perdus pour le regard humain, à tous ces types merveilleux de la Grèce, de la Circassie, de la Géorgie, de l'Inde et de l'Afrique, qui s'évanouissent sans avoir été reproduits par le marbre ou la toile, sans que l'art les ait éternisés et légués à l'amoureuse admiration des siècles : Vénus qui n'auront jamais leur Praxitèle, Violantes dénuées de Titien, Fornarines que ne verra pas Raphaël.

Quel heureux billet tiré à la loterie humaine que celui de padischa ! — Qu'est-ce que don Juan, avec son *mille e tré*, à côté du sultan ? un subalterne coureur d'aventures, plus trompé encore qu'il ne trompe, éparpillant ses misérables caprices sur quelques maîtresses déjà souillées aux trois quarts, séduites d'avance, qui ont eu des maris, des amants, dont tout le monde connaît le visage, les bras et les épaules ; à qui des fats ont serré la main en dansant, et dont l'oreille a entendu chuchoter cent fois la litanie des madrigaux imbéciles. Le beau sire, qui se promène au clair de lune sous les balcons, et fait le pied de grue, la guitare au dos, en compagnie de Leporello, à moitié endormi !

Parlez-moi du sultan, qui n'accueille que les lis les plus purs, que les roses les plus immaculées du jardin de beauté, et dont l'œil ne s'arrête que sur des formes parfaites que n'ont salies aucun regard mortel, et qui passeront inconnues du berceau à la tombe, gardées par des monstres sans sexe au fond des magnifiques solitudes, où nulle audace ne se risquerait à pénétrer, dans un mystère qui rend impossible même le plus vague désir.

J'avais changé de logement, celui que j'occupais à Dervish-Sokak étant un peu triste et n'ayant de vue que sur une ruelle étroite comme toutes celles de Constantinople. J'étais allé habiter à l'hôtel de France, où, d'un grand salon à huit fenêtres, garni d'un long divan, l'on apercevait le petit Champ-des-Morts, les toits et les minarets de Cassim-Pacha et les hauteurs de San-Dimitri, perspective charmante qui semblerait légèrement lugubre à Paris, mais qu'on trouve avec raison fort gaie à Constantinople ; et, dans cet hôtel, j'avais fait connaissance d'un jeune homme à qui ses études médicales et la perfection avec laquelle il parlait les langues de l'Orient donnaient une grande facilité pour pénétrer dans les maisons turques et en connaître les mœurs intimes : il était abonné de la *Presse*, grand admirateur de M. de Girardin, et mon nom, connu de lui littérairement, le faisait s'intéresser à mes excursions et à mes recherches de voyageur ; je lui dus la bonne fortune d'une invitation à dîner chez un ancien pacha du Kurdistan de ses amis.

Nous partîmes tous les deux vers six heures du soir pour arriver à Beschick-Tash, où demeurait le pacha, à l'heure du coucher du soleil, car l'on était en Ramadan, et le jeûne ne se rompt que lorsque l'astre du jour a fait disparaître son disque derrière les collines d'Eyoub. A l'échelle de Top'Hané, nous frétâmes un caïque à deux paires de rames, et après une nage vigoureuse d'une demi-heure contre un courant assez rapide, nos caïdjis nous débarquèrent au pied de ce café bâti sur l'eau comme un nid d'alcyon, ou comme une vigie de pêcheur, dont j'ai déjà fait un léger croquis, et qui était plein de Turcs, attendant, la montre en main et le chibouck tout chargé, la minute précise où ils pourraient approcher de leurs lèvres le bienheureux bouquin d'ambre et aspirer l'odorante fumée.

Après avoir traversé quelques rues bordées de marchands de lulés (fourneaux de pipe), de confiseries, de concombres, de rapes de maïs et autres denrées orientales, et encombrées d'une foule compacte, nous commençâmes à gravir la ruelle déserte, formée par les murailles crépies de rose de grands jardins, en haut de laquelle était perchée la maison de l'ex-pacha du Kurdistan.

Une porte qui se refermait nous laissa voir un élégant coupé rentrant dans sa remise. C'était la femme du pacha revenant de la promenade, car, contrairement à l'idée qu'on en a, les dames turques, loin de rester claquemurées dans les harems, sortent quand elles veulent, à la condition de rester voilées, et leurs maris ne les accompagnent jamais.

Une porte basse, précédée d'un perron de trois marches, nous fut ouverte par un domestique habillé à l'européenne, sauf la calotte rouge de rigueur, et, après avoir quitté nos chaussures pour des babouches que nous avions pris soin d'apporter avec nous, l'on nous fit monter au premier étage, où se trouvait le selamlick (appartement des hommes), toujours séparé de l'odalick (appartement des femmes) dans la distribution des maisons turques, riches ou pauvres, grandes ou petites.

Nous trouvâmes l'ex-pacha dans une pièce fort simple, au plafond de bois peint en gris et relevé de filets bleus, n'ayant pour tous meubles que deux armoires parallèles, une natte en paille de Manille et un divan recouvert de perse, à l'extrémité duquel se tenait le maître du logis, faisant rouler sous ses doigts les grains d'un chapelet en bois de sandal.

Le coin du divan est la place d'honneur que le maître de la maison ne quitte jamais, à moins qu'il ne soit visité par une personne d'un rang supérieur au sien.

Que cette simplicité ne surprenne pas. Le selamlick est, en quelque sorte, un appartement extérieur, une sorte de parloir, une antichambre que les étrangers ne dépassent pas et qui est réservé à la vie publique. Tout le luxe est réservé pour le harem. C'est là que se déploient les tapis d'Ispahan et de Smyrne, que s'entassent les carreaux de brocart, que s'allongent les moelleux divans de soie, que brillent les petites tables incrustées de nacre, que fument les brûle-parfums en filigrane d'or et d'argent, que miroitent les glaces à biseau de Venise, que s'épanouissent les fleurs rares dans des cornets de Chine, et que carillonnent capricieusement les pendules à musique ; c'est là que s'élancent aux plafonds les inextricables arabesques ; que pendent, comme des stalactites, les cheminées de marbre de Marmara, et que grésillent sur leurs vasques blanches les filets d'eau parfumée. Dans cet asile mystérieux se passe la vie réelle, la vie de plaisir et d'intimité, où nul parent, nul ami ne pénètre.

L'ex-pacha du Kurdistan portait le fez, la redingote boutonnée droit du Nizam, et un pantalon de coutil blanc large. Sa tête, maigre, fine, un peu fatiguée, terminée par une barbe où déjà se glissaient quelques nuances argentées, avait un grand cachet de distinction, et si une expression anglaise pouvait s'appliquer à un Turc, je dirais que ce pacha avait l'air d'un parfait gentleman.

Mon ami lui traduisait mes compliments, auxquels il répondit d'une manière fort gracieuse ; puis il me fit signe de m'asseoir auprès de lui. Ma facilité à croiser les jambes à l'orientale, mouvement fort difficile pour des Français, le fit sourire et lui donna bonne opinion de moi.

Le jour baissait ; — les dernières teintes orangées du couchant s'éteignirent au bord du ciel, et le bienheureux coup de canon retentit joyeusement dans l'air ; le jeûne était rompu, et des domestiques parurent apportant des pipes, des verres d'eau et quelques menues confiseries ; cette légère collation sert à constater que les fidèles peuvent légalement prendre de la nourriture.

Puis ils posèrent à côté du divan un grand disque de cuivre jaune soigneusement fourbi et reluisant comme un bouclier d'or, sur lequel étaient disposés différents mets dans des jattes de porcelaine. Ces disques, supportés par un pied bas, servent de table en Turquie, et trois ou quatre convives peuvent y prendre place. Le linge de corps et de table est un luxe inconnu en Orient. L'on mange sans nappe, mais on vous donne, pour essuyer vos doigts, de petits carrés de mousseline, brochés d'or, assez semblables aux serviettes à thé en usage dans nos soirées à l'anglaise, précaution qui n'est pas inutile, car on ne se sert, à ces repas, que de la fourchette du père Adam. Le maître du logis, plein de politesse et de prévenances, voulait, prévoyant mon embarras, me faire donner, comme dit Castil Blaze :

La cuillère d'argent qui servait à manger ;

mais je le remerciai, désirant me conformer en tout aux règles de la gastronomie turque.

Au point de vue des Brillat-Savarin, des Cussy, des Grimod de la Reynière, des Carême, l'art culinaire turc doit sembler tout à fait barbare et patriarcal ; ce sont des rapprochements de substances tout à fait insolites, des mélanges extravagants pour des palais parisiens, mais qui pourtant ne manquent pas de recherche et ne se font pas au hasard. Les plats, dont on prend avec les doigts quelques bouchées, sont en grand nombre et se succèdent rapidement. Ils consistent en morceaux de mouton, en poulets démembrés, en poissons à l'huile, en concombres crus, farcis, arrangés de toutes les manières ; en petits salsifis visqueux, pareils à des racines de guimauve et très-estimés pour leurs qualités stomachiques ; en boulettes de riz enveloppées de feuilles de vigne ; en purée de citrouille au sucre ; en crêpes au miel ; le tout aspergé d'eau de rose, assaisonné de menthe, d'herbes aromatiques et couronné par le pilaw sacramentel, mets national comme le puchero espagnol, comme le couscoussou arabe, comme la choucroute allemande, comme le plum-pudding anglais, qui figure obligatoirement à tous les repas dans le palais et dans la chaumière. Pour boisson, l'on buvait de l'eau, du sherbet et du jus de cerise qu'on puisait dans un compotier avec une cuiller d'écaille à manche d'ivoire.

Le festin terminé, l'on emporta le plateau de cuivre, l'on donna à laver, cérémonie indispensable lorsqu'on a dîné sans autre argenterie que les dix doigts ; l'on servit du café, et le chibouckdji présenta à chaque convive une belle pipe au gros bouquin d'ambre, au tuyau de cerisier lisse comme du satin, au lulé chaperonné d'une belle touffe blonde de tabac de Macédoine enlevée d'un seul coup et reposant sur un rond de métal posé à terre, pour préserver la natte des charbons et des cendres qui pourraient tomber du fourneau.

La conversation s'engagea aussi animée qu'elle peut l'être quand on ne parle que par trucheman. L'ex-pacha, qui paraissait assez au courant de la politique européenne, me fit une foule de questions sur le coup d'État du 2 décembre, qu'il approuvait fort, l'idée abstraite de la République entrant avec peine dans une tête façonnée au despotisme oriental ; — il me demanda si le président (l'empire n'était pas encore proclamé) possédait beaucoup de canons et commandait à un grand nombre de troupes, quel uniforme il portait, s'il montait bien à cheval et s'il allait faire la guerre comme son oncle Bounaberdi, si je le connaissais, si je lui avais parlé, et autres interrogations de ce goût, que je satisfis de mon mieux. Le frère de l'ex-pacha, assis près de lui, et qui savait quelques mots de français, paraissait suivre la conversation avec intérêt.

Les domestiques emportèrent les pipes ; — l'ex-pacha se leva pour aller faire sa prière sur un coin de tapis, dans une pièce à côté, et il revint au bout de quelques minutes, calme et grave, après avoir satisfait à ses devoirs religieux en bon musulman ; nous échangeâmes encore quelques phrases, et lorsque je pris congé, le maître du logis me dit que je pouvais revenir quand cela me ferait plaisir et que je serais toujours le bienvenu, ce qui, dans une bouche turque, n'est pas une vaine formule.

En nous en allant, nous causâmes quelques instants avec le secrétaire, installé dans une pièce du rez-de-chaussée. — C'était un jeune homme très-doux, très-poli, Arménien probablement, et qui parlait fort bien le français. Il me fit des questions sur Paris, qu'il désirait beaucoup voir, et en devisant, il vit à mon doigt une cornaline gravée, contenant mon nom en persan fleuri, et à cause de la beauté des caractères taillés par un des plus habiles artistes de Téhéran, il en prit une empreinte en les frottant de noir et en appliquant dessus un morceau de papier, de façon à obtenir les lettres en clair.

Nous retrouvâmes nos caïdjis qui nous attendaient à Beschick-Tash ; ils nous eurent bientôt remis à Top'Hané, où nous nous arrêtâmes à un petit café fréquenté par des Circassiens, grands politiqueurs qui tiennent là une espèce d'arbre de Cracovie. — Mon compagnon me traduisit leurs discours, et je fus assez étonné de voir ces hommes à bonnets bordés de fourrure, à jupon de poil de chèvre serré par une ceinture de métal, aux jambes entourées de linge retenu par des cordelettes, parler des affaires de Paris et de Londres, apprécier les ministres et les diplomates en parfaite connaissance de cause.

Pendant qu'ils politiquaient ainsi, un petit derviche vint chanter d'une voix nasillarde et sur une tonalité impossible une cantilène bizarre et mélancolique, dans le but d'obtenir quelque aumône, et me reporta vers l'Orient, que j'avais oublié en entendant ces Circassiens qui parlaient comme des abonnés du *Constitutionnel* ou du *Journal des Débats*.

XVI
LES FEMMES

La première question que l'on adresse à tout voyageur qui revient d'Orient est celle-ci : — « Et les femmes ? » — Chacun y répond avec un sourire plus ou moins mystérieux selon son degré de fatuité, de manière à faire sous-entendre un respectable nombre de bonnes fortunes. Quoi qu'il en coûte à mon amour-propre, j'avouerai humblement que je n'ai pas la moindre indiscrétion de ce genre à commettre, et je serai forcé, à mon grand regret, de priver ma relation du récit de toute aventure amoureuse et romanesque. Cela eût pourtant été très-utile pour varier mes descriptions de cimetières, de tekkés, de mosquées, de palais et de kiosques : rien n'orne mieux un voyage d'Orient qu'une vieille qui, au détour d'une ruelle déserte, vous fait signe de marcher derrière elle et vous introduit par une porte secrète dans un appartement paré de toutes les recherches du luxe asiatique, où vous attend, assise sur des carreaux de brocart, une sultane ruisselante d'or et de pierreries, dont le sourire vous fait des promesses voluptueuses bientôt réalisées. Ordinairement l'intrigue se dénoue par l'arrivée soudaine du maître, qui vous laisse à peine le temps de fuir par une issue dérobée, à moins que la chose ne se termine plus tragiquement par une lutte à main armée et la chute, au fond du Bosphore, d'un sac où s'agite vaguement une forme humaine.

Ce lieu commun oriental, convenablement brodé, intéresse toujours le lecteur, et surtout la lectrice. — Sans doute, il n'est pas sans exemple qu'un giaour beau, jeune, riche, sachant à fond la langue du pays, et possédant une petite maison accommodée aux mœurs turques, n'arrive, en courant les plus grands périls et en exposant la vie de la femme, à nouer une intrigue d'amour avec une musulmane ; mais cela est extrêmement rare, et pour plusieurs raisons : d'abord, quoi qu'en dise Molière, les verrous et les grilles, obstacles assez matériellement efficaces ; ensuite la différence de religion et le mépris sincère de tout croyant pour les infidèles, motifs auxquels il faut joindre la difficulté ou plutôt l'impossibilité de ces relations préalables qui déterminent l'amour. De plus, en France, il y a une conspiration tacite contre le mari ; tout le monde favorise le couple amoureux, au moins de son silence, et personne ne songe à s'ériger en vengeur de la morale publique. En Turquie, ce n'est pas la même chose : un cawas, un hammal, un homme du peuple qui voit dans la rue une musulmane parler à un Franc ou seulement lui faire des signes d'intelligence, tombe dessus à coups de pied, à coups de poing, à coups de bâton, brutalité qui ne trouve que des approbateurs, même parmi les femmes. Personne n'entend raillerie sur la fidélité conjugale ; la jalousie toute corporelle des Turcs les préserve presque assurément des accidents matrimoniaux, si fréquents chez nous, — quoique la plaisanterie des cornes soit aussi connue à la baraque de Karagheuz qu'au Théâtre-Français, et que le mot *kerata* (cornard) revienne à tout propos dans les disputes comiques.

Il est vrai que les femmes turques sortent librement, vont se promener aux eaux douces d'Asie et d'Europe, défilent en voiture à Hyder-Pacha, ou sur la place du Sultan-Bayezid ; s'assoient au bord des terre-pleins du Champ-des-Morts de Péra et de Scutari, passent les journées entières au bain ou en visite chez leurs amies, assistent aux comédies de Kadi-Keuï, aux tours de force des jongleurs de Psammathia, causent sous les arcades des mosquées, s'arrêtent aux boutiques du Bezestin, parcourent le Bosphore en caïque ou en bateau à vapeur ; mais elles ont toujours avec elles soit deux ou trois compagnes, soit une négresse ou une vieille faisant office de duègne, et, si elles sont riches, un eunuque souvent jaloux pour son compte ; lorsqu'elles sont seules, ce qui est rare, un enfant leur sert de porte-respect, et, à défaut d'enfant, les mœurs publiques les surveillent et les protégent peut-être même plus qu'elles ne le voudraient. La liberté d'aller et de venir dont elles jouissent n'est qu'apparente.

Les étrangers ont pu croire à quelques bonnes fortunes, parce qu'ils ont confondu les Arméniennes avec les Turques, dont elles portent le costume, sauf les bottes jaunes, et imitent assez bien les allures pour tromper quelqu'un qui n'est pas du pays ; il suffit, pour cela, d'une vieille entremetteuse qui s'entende avec une jolie intrigante, d'un jeune homme crédule et d'un rendez-vous pris dans une maison isolée ; la vanité fait le reste, et l'aventure se dénoue toujours par l'extorsion de quelque somme plus ou moins forte, détail omis par le giaour dupé, qui voit dans toute coureuse au moins une favorite du pacha, s'il ne rêve même d'aller sur les brisées du Grand-Seigneur. Mais, en réalité, la vie turque n'en est pas moins murée hermétiquement, et il est très-difficile de savoir ce qui se passe derrière ces fenêtres finement treillissées, où sont pratiqués des œils-de-bœuf comme aux toiles de théâtre, pour regarder du dedans au dehors.

Il ne faut pas penser à se procurer des renseignements auprès des naturels du pays. Comme dit Alfred de Musset au début de *Namouna* :

Un silence parfait règne dans cette histoire.

Parler à un Turc de ses femmes est commettre la plus grossière inconvenance ; on ne doit jamais faire la moindre allusion, même détournée, à ce sujet délicat. — Ainsi se trouvent bannies de la conversation ces phrases banales : « Comment se porte madame ? » et autres du même goût ; l'Osmanli le plus farouchement barbu rougirait comme une jeune fille s'il entendait une pareille énormité. — La femme de l'ambassadeur de France, ayant voulu faire présent à Reschid-Pacha de quelques belles soieries de Lyon pour son harem, les lui remit en disant : « Voici des étoffes dont vous saurez, mieux que personne, trouver l'emploi. » — Exprimer plus nettement l'intention du cadeau eût été une incongruité, même aux yeux de Reschid, habitué aux mœurs françaises, et le tact exquis de la marquise lui fit choisir une forme gracieusement vague qui ne pouvait blesser en rien la susceptibilité orientale.

On comprend, d'après des idées pareilles, qu'on serait mal venu à demander à un Turc des détails sur la vie intime du harem, sur le caractère et les mœurs des femmes musulmanes ; l'eussiez-vous connu familièrement à Paris, eût-il pris deux cents tasses de café et fumé autant de pipes sur le même divan que vous, il balbutiera, répondra d'une manière évasive, ou se fâchera tout rouge et vous évitera par la suite ; la civilisation, sous ce rapport, n'a pas fait un pas. Les seuls moyens à employer, c'est de prier quelque dame européenne bien recommandée et admise en visite dans un harem, de vous raconter fidèlement ce qu'elle aura vu. Pour un homme, il doit renoncer à connaître autre chose de la beauté turque que le domino ou ce qu'il aura pu saisir par surprise sous la bâche des arabas, derrière la fenêtre des talikas, à l'ombre des cyprès dans le cimetière, lorsque la chaleur et la solitude conseillent d'écarter un peu le voile.

Encore, si l'on approche trop et qu'il y ait par là quelque Turc, on s'attire des compliments de ce goût : « Chien de chrétien ! mécréant ! giaour ! que les oiseaux du ciel te souillent le menton, que la peste habite chez toi ! Que ta femme reste stérile ! » Malédiction biblique et musulmane de la plus grande gravité. Cependant cette colère est plutôt feinte que réelle, et se joue principalement pour la galerie. — Une femme, même turque, n'est jamais fâchée qu'on la regarde, et le secret de sa beauté lui pèse toujours un peu.

Aux eaux douces d'Asie, en me tenant immobile contre un arbre ou adossé à la fontaine comme quelqu'un qui s'endort dans quelque vague rêverie, j'ai pu voir plus d'un charmant profil qu'estompait à peine une vapeur de gaze, plus d'une gorge pure et blanche comme un marbre de Paros s'arrondissant sous le pli d'un feredgé entr'ouvert, tandis que l'eunuque se promenait à quelques pas ou regardait passer les bateaux à vapeur sur le Bosphore, rassuré par mon air distrait et morne.

D'ailleurs, les Turcs n'en voient pas plus que les giaours ; ils ne pénètrent jamais au delà du Selamlick, dans la maison de leurs plus intimes amis, et ils ne connaissent que leurs propres femmes. — Quand un harem en visite un autre, les pantoufles des étrangères, placées sur le seuil, interdisent l'entrée de l'odalick même au maître du logis, qui se trouve ainsi mis à la porte de chez lui. Une immense population féminine, anonyme et inconnue, circule dans cette ville mystérieuse, changée en bal de l'Opéra perpétuel, où les dominos n'ont pas la permission de se démasquer. Le père et le frère ont seuls le droit de voir à découvert le visage de leurs filles et de leurs sœurs ; on se voile pour les parents moins proches ; ainsi un Turc pourrait n'avoir vu dans sa vie que cinq ou six figures de femmes musulmanes. Les harems nombreux sont l'apanage des vizirs, des pachas, des beys et autres personnes riches, car ils coûtent excessivement cher, chaque femme devenue mère devant avoir sa maison séparée et ses esclaves à elle ; les Turcs de condition ordinaire n'ont guère qu'une femme légitime, bien qu'ils puissent en épouser quatre, et une ou deux concubines achetées. Le surplus du sexe reste pour eux à l'état de fantôme et de chimère ; il est vrai qu'ils se peuvent dédommager en regardant les Grecques, les Juives, les Arméniennes, les Pérotes et les rares voyageuses qui viennent visiter Constantinople.

Si leurs jouissances positives sont mieux assurées que les nôtres, ils n'ont aucun plaisir d'imagination. Comment s'enflammer pour des beautés à peine entrevues, avec qui toute relation suivie est impossible, et dont les formes même de la vie nous séparent invinciblement ? Tout cela n'empêche pas, sans doute, que quelque jeune Osmanli ne s'éprenne d'une khanoun (dame) ou d'une odalisque à la suite d'un hasard heureux ou d'une rencontre fortuite, et que celle-ci ne le lui rende, malgré tous les obstacles ; mais l'exception prouve la règle.

Un Turc, pour se marier, a recours à quelque femme d'âge mûr, faisant le métier d'entremetteuse, profession honorable à Constantinople. La vieille, qui fréquente les bains, lui décrit minutieusement un certain nombre d'Asmé, de Rouchen, de Nourmahal, de Pembé-Haré, de Leila, de Mihri-Mahr, et autre beautés vierges et nubiles, en ayant soin d'orner de plus de métaphores orientales le portrait de la jeune fille qu'elle favorise. L'effendi devient amoureux sur description, sème de bouquets d'hyacinthes la route où doit passer l'idole voilée de son cœur, et après quelques œillades échangées, la demande à son père, lui assure une dot proportionnée à sa passion et à sa fortune, et voit enfin tomber, pour la première fois, dans la chambre nuptiale, le yachmack importun qui dérobait des traits ordinairement purs et réguliers. Ces mariages par procuration ne donnent pas lieu à plus de méprises et de déception que les nôtres.

Je pourrais copier ici, dans les voyageurs qui m'ont précédé, une foule de détails sur la Validé, sur les Hassakis, les sultanes, les odalisques et l'aménagement intérieur du sérail ; les livres d'où je tirerais ces notions sont aux mains de tout le monde, et il est inutile de les transcrire. Passons à quelque chose de plus précis, et donnons un intérieur turc d'après le récit d'une dame invitée à dîner chez la femme de l'ex-pacha du Kurdistan dont j'ai déjà parlé.

Cette femme avait fait partie du sérail avant d'épouser le pacha. Lorsqu'elles ont atteint l'âge de trente ans, le sultan donne la liberté à certaines de ses esclaves, qui trouvent à se marier très-avantageusement, à cause des relations qu'elles conservent dans le palais et du crédit qu'on leur suppose. Elles ont d'ailleurs reçu une très-bonne éducation ; elles savent lire, écrire, faire des vers, danser, jouer des instruments, et se distinguent par ces grandes manières qu'on ne prend qu'à la cour ; elles possèdent aussi, à un haut degré, l'intelligence des intrigues et des cabales, et souvent apprennent, par leurs amies restées au harem, des secrets politiques dont leurs maris profitent, soit pour obtenir une faveur, soit pour éviter une disgrâce. Épouser une fille du sérail est donc un très-bon calcul pour un ambitieux ou un homme prudent.

L'appartement dans lequel la femme du pacha reçut son invitée était aussi élégant que riche, et contrastait avec la sévère nudité du selamlick, que j'ai décrit dans le chapitre précédent. Une rangée de fenêtres en occupait les trois pans extérieurs, de façon à admettre le plus d'air et de lumière possible ; — une serre donne l'idée la plus juste de ces chambres, où l'on garde aussi des fleurs précieuses. — Un magnifique tapis de Smyrne couvrait moelleusement le plancher ; des arabesques et des entrelacs peints et dorés décoraient le plafond ; un long divan de satin jaune et bleu régnait sur deux faces de la muraille ; un autre petit divan très-bas s'étalait dans un entre-deux de croisées d'où l'on découvrait en plein l'admirable perspective du Bosphore ; des carreaux de damas bleu jonchaient çà et là le tapis.

Dans un angle scintillait, placée sur un plateau de même matière, une grande aiguière de verre de Bohême, couleur d'émeraude, ramagée de dessins d'or ; dans l'autre était placé un coffre de cuir gaufré, historié, piqué et doré, d'un goût charmant, et rappelant, pour l'invention des ornements, ces coffres du Maroc que Delacroix ne manque jamais d'introduire dans ses tableaux de vie africaine. Malheureusement, ce luxe oriental était entremêlé d'une commode en acajou sur le marbre de laquelle pyramidait une pendule recouverte de son globe entre deux vases de fleurs artificielles sous verre, ni plus ni moins que sur la cheminée d'un honnête rentier du Marais. Ces dissonances qui affligent l'artiste se retrouvent dans toutes les maisons turques qui ont des prétentions au bon goût. — Une pièce plus simplement décorée, attenant à la première, servait de salle à manger, et communiquait avec l'escalier de l'office.

La khanoun était somptueusement parée, comme le sont chez elles les dames turques, surtout lorsqu'elles attendent quelque visite. Ses cheveux noirs, divisés en une infinité de petites nattes, lui tombaient sur les épaules et le long des joues. Le sommet de sa tête étincelait comme coiffé d'un casque de diamants formé par les quadruples chaînettes d'une rivière et par des pierres d'une eau admirable cousues sur une petite calotte en satin bleu-de-ciel qu'elles recouvraient presque entièrement. — Cette splendide parure allait bien à son caractère de beauté sévère et noble, à ses yeux noirs brillants, à son mince nez aquilin, à sa bouche rouge, à son ovale allongé, à toute sa physionomie de grande dame hautaine et affable.

Son cou un peu long était entouré d'un collier de grosses perles, et sa chemise de soie entr'ouverte laissait voir une naissance de gorge mignonne et bien formée qui n'empruntait pas le secours du corset, instrument de gêne inconnu en Orient ; elle portait une robe de soie grenat foncé ouverte sur le devant comme une pelisse d'homme, fendue sur les côtés à hauteur du genou, et par derrière formant la queue comme une robe de cour. Cette robe était bordée d'un ruban blanc bouillonné en étoiles de distance en distance ; un châle de Perse serrait le haut de larges pantalons de taffetas blanc, dont les plis recouvraient de petites babouches de maroquin jaune qui ne montraient que leur pointe recourbée en sabot chinois.

Elle fit placer l'étrangère auprès d'elle sur le petit divan avec beaucoup de grâce, après lui avoir toutefois présenté une chaise pour s'asseoir à l'européenne si le siége turc lui semblait incommode, et elle examina curieusement sa toilette, sans affectation marquée cependant, comme une personne bien élevée peut le faire quand un objet nouveau se présente à elle. La conversation, entre gens qui ne parlent pas la même langue et en sont réduits à la pantomime, ne saurait être bien variée : la Turque demanda à l'Européenne si elle avait eu des enfants, et lui fit comprendre qu'elle était elle-même privée à son grand regret de ce bonheur.

Quand l'heure du repas fut arrivée, l'on passa dans la chambre voisine, également entourée de divans, et l'on apporta le guéridon de cuivre poli chargé de mets à peu près semblables à ceux dont j'ai déjà donné la description, sauf que les plats de viande y étaient en moindre proportion et les sucreries plus nombreuses et plus variées. — Une esclave favorite de la khanoun prenait part au repas à côté de sa maîtresse.

C'était une belle fille de dix-sept ou dix-huit ans, robuste, vivace, superbement épanouie, mais de beaucoup inférieure, comme race, à l'ex-odalisque du sérail ; elle avait de grands yeux noirs surmontés de larges sourcils, une bouche pourprée, des joues rondes, un éclat de santé un peu rustique sur tout le visage, les bras blancs et charnus, la gorge forte et une opulence de contours que son costume dégagé permettait d'apprécier librement. Elle était coiffée d'un petit bonnet grec dont ses cheveux bruns s'échappaient en deux grosses tresses, et vêtue d'une veste de ce jaune-pistache que nos teinturiers ne peuvent attraper, d'un ton très-clair et très-doux. Cette veste, tailladée sur les côtés et par derrière, de façon à former des espèces de basques comme les pardessus des Parisiennes, avait des manches courtes qui en laissaient échapper d'autres en gaze de soie, et accusait, en marquant la taille, une croupe qui ne devait rien aux mensonges de la crinoline ; de vastes pantalons bouffants en mousseline opaque complétaient cet habillement aussi leste que gracieux.

Une mulâtresse couleur de bronze neuf, un bout de draperie blanche tournée autour du front, négligemment roulée dans un habbarah blanc qui faisait admirablement ressortir le ton sombre de sa peau, se tenait debout et pieds nus contre la porte, prenant les plats des mains du domestique qui les montait de la cuisine située à l'étage inférieur.

Après le dîner, la cadine se leva et passa dans le salon, où elle promena de divan en divan sa gracieuse nonchalance. Elle fuma ensuite une cigarette au lieu du narghilé traditionnel ; la cigarette est maintenant à la mode en Orient, et l'on fume autant de papelitos à Constantinople qu'à Séville ; c'est un amusement pour l'oisiveté des femmes turques de rouler les blonds cheveux du latakyé dans la mince papillote de *papel de hilo*.

Le maître du logis vint rendre visite à sa femme et à la dame d'Europe ; mais, en l'entendant venir, la jeune esclave s'enfuit avec une extrême précipitation, car, appartenant en propre à la khanoun, et déjà fiancée, elle ne pouvait paraître à visage découvert devant l'ex-pacha de Kurdistan, qui, du reste, n'avait qu'une femme, comme beaucoup de Turcs.

Au bout de quelques minutes, le pacha se retira pour faire ses dévotions dans la pièce voisine, et la khanoun rappela son esclave.

L'heure de prendre congé était arrivée ; l'étrangère se levait pour sortir ; son hôtesse lui fit signe de rester encore un peu et dit quelques mots à l'oreille de la jeune esclave, qui se mit à fouiller les tiroirs de la commode avec beaucoup d'activité, jusqu'à ce qu'elle eût trouvé un petit objet enfermé dans un étui que la femme du pacha remit à la visiteuse comme gracieux souvenir de la bonne soirée passée ensemble.

Cet étui de carton lilas glacé d'argent contenait un petit flacon de cristal sur lequel se lisait la légende suivante : « Extrait pour le mouchoir. — Paris. — Miel. » Et sur le revers : « Extrait double, qualité garantie de miel. — L.-T. Piver, 103, rue Saint-Martin, Paris. »

XVII
LA RUPTURE DU JEUNE

J'ai prononcé bien souvent le mot « caïque, » et il serait difficile de faire autrement lorsque l'on parle de Constantinople ; mais je m'aperçois que je n'ai donné aucune description de la chose, qui cependant en vaut la peine ; car le caïque est assurément la plus gracieuse embarcation qui ait jamais sillonné l'eau bleue de la mer. A côté du caïque turc, la gondole vénitienne, si élégante pourtant, n'est qu'un grossier bahut, et les barcarols sont d'ignobles drôles comparés aux caïdjis.

Le caïque est une barque de quinze à vingt pieds de long sur trois de large, taillée comme un patin, se terminant à chaque extrémité de manière à pouvoir marcher dans les deux sens ; le bordage est fait de deux longues planches sculptées à l'intérieur d'une frise représentant des feuillages, des fleurs, des fruits, des nœuds de rubans, des carquois en sautoir et autres menus ornements ; deux ou trois planches, découpées à jour et formant arc-boutant, divisent la barque et en soutiennent les flancs contre la pression de l'eau ; un bec de fer arme la proue.

Toute cette installation est en bois de hêtre ciré ou verni, et relevé parfois de quelques filets de dorure, d'une propreté et d'une élégance extrêmes. Les caïdjis, qui manient chacun une paire de rames renflées près de la poignée pour faire contre-poids, s'assoient sur une petite banquette transversale garnie d'une peau de mouton, afin qu'ils ne glissent pas en tirant l'aviron, et leurs pieds s'appuient contre un tasseau de bois.

Les passagers s'accroupissent au fond de la barque, du côté de la poupe, de manière à faire lever un peu le nez à la proue, ce qui rend la nage plus facile : on pousse même la précaution jusqu'à graisser l'extérieur de la barque, pour que l'eau n'y adhère pas. Un tapis plus ou moins précieux garnit l'arrière du caïque, où il est nécessaire de garder la plus complète immobilité, car le moindre mouvement un peu brusque ferait chavirer l'embarcation, ou tout au moins se heurter les poignets des caïdjis, qui rament une main sur l'autre. Le caïque est sensible comme une balance, et il incline à droite ou à gauche au moindre oubli de l'équilibre ; la gravité des Turcs, qui ne bougent non plus que des idoles, s'accommode merveilleusement de cette contrainte, pénible d'abord aux pétulants giaours, mais dont on prend bientôt l'habitude.

On peut tenir quatre, en se faisant face, dans un caïque à deux rames. Malgré l'ardeur du soleil, ces barques n'ont pas de tendelet, ce qui retarderait la marche et serait contraire à l'étiquette turque, le tendelet étant réservé aux caïques du sultan ; mais l'on emporte un parasol, sauf à le fermer lorsqu'on passe trop près des résidences impériales. Une pareille embarcation suit un cheval lancé au grand trot sur la rive, et quelquefois même le dépasse.

Chaque caïque porte auprès de la proue une estampille indiquant l'échelle où il stationne : Top'Hané, Galata, le Kiosque-Vert, Yeni-Djami, Beschick-Tash, etc.

Les caïdjis sont de superbes gaillards arnautes ou armatoles, pour la plupart, d'une beauté mâle et d'une vigueur herculéenne. L'air et le soleil, qui ont bruni leur peau, leur donnent la couleur de belles statuettes de bronze dont ils ont déjà la forme. Leur costume consiste en large caleçons de toile d'une blancheur éblouissante, et en une chemise de gaze rayée à manches fendues, qui leur laisse les mouvements libres ; un fez rouge, dont la houppe bleue ou noire pend d'un demi-pied, serre leur tête aux tempes rasées ; une ceinture de laine rayée jaune et rouge fait plusieurs tours au-dessus de leurs reins et leur assure le buste.

Ils ne portent que la moustache, pour ne pas s'échauffer par un poil inutile ; leurs pieds et leurs jambes sont nus, et leur chemise ouverte découvre des pectoraux puissants cuivrés par un hâle robuste. A chaque coup de rame, leurs biceps grossissent et remontent comme des boulets sur leurs bras athlétiques. Les ablutions obligatoires maintiennent dans une propreté scrupuleuse ces beaux corps assainis par l'exercice, le grand air et une sobriété inconnue aux gens du Nord. Les caïdjis, malgré leur rude travail, ne mangent guère que du pain, des concombres, des rapes de maïs, des fruits, et ne boivent que de l'eau pure ou du café, et ceux qui professent l'islamisme rament du matin au soir sans avaler une gorgée d'eau ou de fumée pendant les trente jours de jeûne du Ramadan.

Ce n'est pas faire un calcul exagéré que d'évaluer à trois ou quatre mille le nombre des caïdjis qui desservent les différentes échelles de Constantinople et du Bosphore jusqu'à la hauteur de Thérapia ou de Buyuk-Déré. La disposition de la ville, séparée de ses faubourgs par la Corne-d'Or, le Bosphore et la mer de Marmara, nécessite de perpétuels trajets aquatiques ; il faut à tout moment prendre un caïque pour aller de Top'Hané à Seraï-Bournou, de Beschick-Tash à Scutari, de Psammathia à Kadi-Keuï, de Kassim-Pacha au Phanar, et d'un côté à l'autre de la Corne-d'Or, quand on se trouve trop éloigné d'un des trois ponts de bateaux qui traversent le port.

Rien n'est plus amusant, lorsqu'on arrive à l'une des escales, que de voir les caïdjis accourir et se disputer votre personne, comme autrefois les conducteurs de coucous s'arrachaient les voyageurs, en s'injuriant les uns les autres avec une volubilité étourdissante, et en vous offrant leur barque au rabais. — Au tumulte se mêlent quelquefois les aboiements des chiens effrayés, sur lesquels on piétine dans la chaleur du débat. — Enfin, poussé, heurté, coudoyé, tiraillé, vous restez la proie d'un ou deux gaillards gigantesques qui vous traînent triomphalement vers leur barque à travers les groupes grommelants de leurs confrères désappointés.

Entrer dans un caïque sans le faire tourner la quille en l'air est une opération assez délicate. Un bon vieux Turc, à barbe blanche, à teint rissolé par le soleil, maintient la barque avec un bâton armé d'un clou, et on lui jette un para pour sa complaisance.

Ce n'est pas toujours une chose facile que de se dépêtrer de la flottille ameutée autour de chaque débarcadère, et il faut l'incomparable adresse des caïdjis pour y réussir sans abordage et sans accident. Pour prendre terre, chaque caïque se retourne de manière à faire toucher sa poupe au rivage, et cette évolution pourrait amener des chocs dangereux, si les caïdjis n'avaient pas, comme les gondoliers de Venise, des cris convenus pour s'avertir. Quand on débarque, on laisse le prix de la course au fond du bateau, sur le tapis, en piastres ou en bechliks, selon la longueur du trajet et la somme convenue.

Ce serait un bel état que celui de caïdji à Constantinople, sans la concurrence des bateaux à vapeur qui commencent à circuler sur le Bosphore comme les watermen sur la Tamise. — Du pont de Galata, au delà duquel ils ne peuvent pénétrer, partent à toute heure du jour une foule de bateaux à vapeur turcs, anglais, autrichiens, dont la fumée se mêle aux brumes argentées de la Corne-d'Or, et qui déposent les voyageurs par centaines à Bebek, Arnaout Keuï, Anadoli-Hissar, Thérapia, Buyuk-Déré, sur la rive d'Europe ; à Scutari, à Kadi-Keuï, aux îles des Princes, sur la rive d'Asie ; traversées qu'on était autrefois obligé de faire en caïque, et qui coûtaient beaucoup de temps et d'argent, vu la longueur du trajet, et présentaient quelque péril à cause de la violence des courants et du vent, sujet à fraîchir d'un moment à l'autre au débouché de la mer Noire.

Les caïdjis cherchent vainement à lutter de vitesse avec les bateaux à vapeur. Leurs muscles de chair se roidissent inutilement contre les muscles d'acier des pistons. Il ne leur restera bientôt plus que les petits trajets intermédiaires, et les vieux Turcs rétrogrades qui pleurent à l'Elbicei-Atika, en voyant la défroque des Janissaires, les emploieront seuls pour se rendre à leurs maisons d'été, par haine des diaboliques inventions des giaours. — Il y a aussi des caïques omnibus, lourdes embarcations chargées d'une trentaine de personnes, et manœuvrées par quatre ou six rameurs qui, à chaque coup de rames, se lèvent, montent sur une marche de bois, et se laissent retomber en arrière de toute leur pesanteur pour enlever l'énorme aviron. Ces mouvements automatiques, répétés de minute en minute, produisent l'effet le plus bizarre ; ce sont les soldats, les hammals, les pauvres diables, les juifs, les vieilles femmes, qui emploient ce moyen de transport économique, mais lent, que les bateaux à vapeur feront disparaître quand ils voudront, en créant des troisièmes places à prix réduits.

Je n'ai donc été nullement surpris en apprenant la nouvelle d'une émeute de caïdjis ; c'était un résultat facile à prévoir en voyant fumer, près de Galata, les nombreuses cheminées des pyroscaphes, et blanchir sous les aubes des roues les eaux qui jusqu'alors n'avaient été fouettées que par la rame échancrée en croissant. Déjà, pendant mon séjour, les bateliers, accroupis mélancoliquement sur leurs escales désertes, regardaient filer d'un œil sombre les bateaux à vapeur encombrés de passagers et remontant les rapides comme des dorades.

L'on était arrivé à l'époque patiemment attendue de la rupture du jeûne, qui se solennise par des réjouissances publiques. Le Bosphore, la Corne-d'Or et le bassin de la mer de Marmara présentent alors l'aspect le plus vivant et le plus gai : tous les navires en rade sont pavoisés de flammes multicolores ; les pavillons hissés flottent au vent ; l'étendard turc, taillé en queue d'aronde, montre trois croissants d'argent sur un écu de sinople en champ de gueules ; la France déroule sa tranche tricolore ; l'Autriche arbore sa bannière rayée de rouge et de blanc et chargée d'un écusson ; la Russie a sa croix d'azur en sautoir sur un fond d'argent ; l'Angleterre, sa croix de Saint-Georges ; l'Amérique, son ciel semé d'étoiles ; la Grèce, sa croix bleue portant à son centre l'échiquier blanc et noir de Bavière ; Maroc arbore son pennon rouge ; Tripoli sème des demi-lunes sur la couleur favorite du prophète ; Tunis se zèbre de vert, de bleu et de rouge, comme une ceinture de soie, et le soleil joue et papillote gaiement sur toutes ces banderoles dont le reflet s'allonge et serpente sur l'eau limpide ; des salves à toutes volées saluent le caïque du sultan, qui passe resplendissant de dorure et de pourpre, emporté par l'élan de trente vigoureux rameurs, pendant que des matelots, debout sur les vergues, poussent des hurrahs, et que les albatros effrayés tourbillonnent dans la fumée cotonneuse.

Je prends un caïque à Top'Hané et je me fais promener d'un vaisseau à l'autre, examinant la coupe des différents navires, et m'arrêtant de préférence à des embarcations venues de Trébizonde, de Moudania, d'Ismick, de Lampsaki, dont les poupes élevées en château, les proues en poitrine de cygne et les mâts aux longues antennes ne doivent pas beaucoup différer des vaisseaux qui composaient la flotte des Grecs au temps de la guerre de Troie. Les clippers américains, tant vantés, sont loin d'avoir cette élégance de galbe, et il ne faudrait pas beaucoup d'imagination pour se figurer le blond Achille Péliade assis sur une de ces hautes poupes, que baigne d'ailleurs la mer, où se dégorge le Simoïs.

En flânant, ma barque rase l'îlot de rochers sur lequel s'élève ce que les Francs appellent, on ne sait trop pourquoi, la tour de Léandre, et les Turcs, Kiss-Koulessi, la tour de la Vierge. Il n'est pas besoin de dire que le souvenir de Léandre est très-improprement rattaché à cette tourelle blanche, puisque c'était l'Hellespont et non le Bosphore qu'il traversait à la nage pour aller rejoindre Héro, la belle prêtresse de Vénus. Une légende gracieuse explique la dénomination turque.

Le sultan Mohammed possédait une fille d'une beauté rare, à qui une bohémienne avait prédit qu'elle mourrait de la piqûre d'un serpent. Son père alarmé, pour déjouer cette prédiction sinistre, lui avait fait bâtir un kiosque sur cet îlot de rescifs ou ne pouvait se glisser nul reptile ; le fils du schah de Perse ayant entendu parler de la merveilleuse beauté de Mehar-Schegid (c'était le nom de la jeune fille) en devint passionnément amoureux et parvint à faire arriver jusqu'à elle un de ces bouquets symboliques dans lesquels l'Orient sait écrire ses aveux en lettres de fleurs. Malheureusement, parmi les touffes d'hyacinthes et de roses s'était tapi un aspic qui mordit la princesse au doigt. Elle allait mourir, faute de trouver personne assez dévoué pour sucer la plaie ; mais le jeune prince, cause de tout le mal, se présenta, pompa le venin de ses lèvres passionnément courageuses, et sauva Mehar-Schegid, que Mohammed lui donna pour femme.

La vérité est que cette tour ou du moins une équivalente, bâtie par Manuel Comnène, au temps du Bas-Empire, servait à soutenir la chaîne qui, rattachée à deux autres points sur les rives d'Europe et d'Asie, barrait l'entrée de la Corne-d'Or aux vaisseaux ennemis descendus de la mer Noire. Si l'on veut remonter plus loin, on trouve que Damalis, femme de Charès, le général envoyé d'Athènes au secours des habitants de Byzance, attaqués par la flotte de Philippe de Macédoine, mourut à Chrysopolis et fut enterrée sur cet îlot, dans un monument surmonté d'une génisse.

Une inscription grecque que l'on a conservée était inscrite sur la colonne du tombeau, et de là vient, sans doute, la vraie origine du nom de Kiss-Koulessi, — la tour ou le tombeau de la jeune femme. Voici cette épitaphe : — « Je ne suis pas l'image de la vache, fille d'Inachus, et je n'ai pas donné mon nom au Bosphore qui s'étend devant moi. — Celle-là, le cruel ressentiment de Junon l'a poussée autrefois au delà des mers ; moi qui occupe ici ce tombeau, je suis une morte, fille de Cécrops. J'étais la femme de Charès, et je naviguais avec ce héros quand il vint combattre les vaisseaux de Philippe. Jusqu'alors on m'avait appelée *Boïidion*, la petite Génisse, maintenant, femme de Charès, je jouis de deux continents. »

Ces vers expliquent pourquoi une génisse était sculptée sur la colonne funèbre de Damalis. On sait que, chez les Grecs, la vache a fourni plus d'un sujet de comparaison flatteuse, et qu'Homère donne à Junon des yeux de génisse. Boïdion est donc un surnom gracieux dans les idées antiques, et qu'il ne faut pas s'étonner de voir s'appliquer à une belle jeune femme. — Mais voici assez de grec, revenons au turc.

— Il est d'usage qu'à la rupture du jeûne, la validé fasse cadeau au sultan d'une fille vierge et de la beauté la plus parfaite ; pour trouver ce phénix, les marchands d'esclaves ou djellabs fouillent plusieurs mois d'avance la Géorgie et la Circassie, et son prix monte à des sommes énormes ; si la jeune vierge conçoit dans cette bienheureuse nuit, on en tire un présage favorable à la prospérité de l'empire. Par un contraste bizarre, les croyants, pendant les sept jours qui suivent la rupture du jeûne, s'abstiennent de tout rapprochement charnel avec leurs femmes, de peur de procréer des enfants difformes, monstrueux, ou défigurés par des taches, en sorte que Sa Hautesse est le seul homme de l'Islam à qui les plaisirs de l'amour soient alors permis ; heureux sultan !

La journée est consacrée à des prières, à des visites aux mosquées, et, le soir, il y a illumination générale. Si la vue du port, avec tous ses vaisseaux pavoisés et son perpétuel mouvement de barques, était déjà un spectacle merveilleux sous le soleil splendide d'Orient, que dire de la fête nocturne ? C'est ici que l'on sent l'impuissance de la plume et du pinceau ; le diorama seul pourrait, à l'aide de ses changeants prestiges, donner une faible idée de ces magiques effets d'ombre et de lumière.

Des décharges d'artillerie qui se succédaient sans relâche, car les Turcs aiment énormément à brûler de la poudre, éclataient de toutes parts, assourdissant les oreilles d'un joyeux vacarme ; les minarets des mosquées s'allumaient comme des phares ; les versets du Koran s'inscrivaient en lettres ardentes sur le bleu sombre de la nuit, et la foule bigarrée et compacte descendait, divisée en cascatelles humaines, les rues en pente de Galata et de Péra ; autour de la fontaine de Top'Hané scintillaient, comme des vers luisants, des milliers de lumières, et la mosquée du sultan Mahmoud s'élançait dans le ciel, dessinée par des pointes de feu, comme ces palais picotés sur papier noir qu'on montre chez Séraphin avec une lampe par derrière.

Une barque nous emmena au large, à bord d'un navire du Lloyd, où l'obligeance d'un de nos amis de Constantinople nous avait ménagé une place. Top'Hané, éclairé par des feux de Bengale rouges et verts, flamboyait dans une atmosphère d'apothéose que déchiraient d'instants en instants la flamme des canons, le petillement des pièces d'artifice, les zigzags des serpentaux, l'explosion et l'épanouissement des bombes. Le Mahmoudieh apparaissait, à travers des fumées couleur d'opale, comme l'un de ces édifices d'escarboucles créés par l'imagination des conteurs arabes pour loger la reine des péris : c'était éblouissant.

Les vaisseaux à l'ancre, dessinant leurs mâts, leurs vergues et leurs bordages avec des lignes de lanternes vertes, bleues, rouges, jaunes, ressemblaient à des nefs de pierreries flottant sur un océan de flamme, tant l'eau du Bosphore était allumée par les réverbérations de cet incendie de lampions, de pots à feu, de soleils et de chiffres illuminés.

Seraï-Bournou s'allongeait comme un promontoire de topaze au-dessus duquel jaillissaient, cerclés de bracelets de feu, les mâts d'argent de Sainte-Sophie, de Sultan-Achmet, de l'Osmanieh ; sur la rive d'Asie, Scutari jetait des myriades d'étincelles lumineuses, et les deux berges flamboyantes du Bosphore encadraient à perte de vue un fleuve de paillettes incessamment fouettées par les rames des caïques.

Quelquefois un navire lointain et qu'on n'apercevait pas s'embrasait tout à coup d'une auréole pourprée et bleuâtre, puis s'évanouissait dans l'ombre comme un rêve. Ces surprises pyrotechniques produisaient l'effet le plus charmant.

Les bateaux à vapeur, étoilés de verres de couleur, allaient et venaient promenant des orchestres dont les fanfares s'éparpillaient joyeusement à la brise.

Par-dessus tout cela, le ciel, comme s'il eût voulu aussi se mettre de la fête, répandait prodiguement son écrin d'étoiles sur un champ de lapis-lazuli du bleu le plus sombre et le plus riche, dont l'embrasement de la terre parvenait à peine à rougir le bord.

Je restai une ou deux heures à bord du bateau autrichien, m'enivrant de ce spectacle sublime et sans rival au monde, et tâchant d'en graver à jamais dans ma mémoire les éblouissantes féeries doublées par le miroir magique du Bosphore. Que sont nos pauvres fêtes sur la place de la Concorde, où fument quelques douzaines de lampions, à côté de ce feu d'artifice de diamants, d'émeraudes, de saphirs et de rubis qui éclate et crépite sur trois ou quatre lieues de long, et qui, au lieu de s'éteindre dans l'eau, s'y rallume plus phosphorescent et plus vif ?

Quels lampadaires et quels ifs que des vaisseaux à trois mâts illuminés depuis les basses œuvres jusqu'aux pommes de girouettes, quelles lances à feu que des minarets de cent pieds de haut brûlant dans cet immense amphithéâtre que la nature semble avoir créé pour asseoir la capitale du monde, et où Fourier met par anticipation le trône de l'Omniarque du globe !

Çà et là des clartés commençaient à pâlir, des brèches s'établissaient dans les lignes de feu, la poudre, fatiguée, ne détonnait plus qu'avec peine ; d'énormes bancs de fumée, que le vent ne pouvait plus résoudre, rampaient sur l'eau comme des phoques monstrueux ; la rosée froide de la nuit finissait par tremper les vêtements les plus épais ; il fallait songer à se retirer, opération qui n'était pas sans difficulté ni péril. Mon caïque m'attendait au bas de l'échelle du navire ; je hélai mes caïdjis, et nous partîmes.

C'était sur le Bosphore le plus prodigieux fourmillement d'embarcations de toutes sortes qu'on puisse imaginer : malgré les cris d'avertissements, les rames s'enchevêtraient à tout instant avec les rames, les bordages se frôlaient et les avirons étaient obligés de se replier sur le flanc des barques, comme des pattes d'insectes, sous peine de se rompre.

Les pointes des proues vous passant à deux pouces de la figure comme des javelots ou des becs d'oiseaux de proie ; les réverbérations de tous ces feux lançant leurs dernières lueurs, aveuglaient les caïdjis et les trompaient sur leur vraie direction ; une barque lancée à toute vitesse faillit passer par-dessus la nôtre, et j'aurais été coulé assurément à fond ou coupé en deux si ses bateliers, d'une adresse incomparable, n'eussent brassé en arrière avec une vigueur surhumaine.

Enfin j'arrivai sain et sauf à Top'Hané à travers un clapotis et un miroitement de vagues, dans un tumulte de barques et de cris à rendre fou, et je remontai à l'hôtel de France, au petit Champ-des-Morts, par des rues qui devenaient de plus en plus désertes, enjambant avec précaution des campements de chiens endormis.

Pendant ce temps, l'heureux calife relevait, au fond du sérail, le voile de la belle esclave présentée par la sultane mère, et son regard parcourait lentement ces charmes mystérieux que nul œil humain ne verra après lui.

XVIII
LES MURAILLES DE CONSTANTINOPLE

J'avais résolu de faire une grande tournée dans les quartiers reculés de Constantinople que les voyageurs visitent rarement. Leur curiosité ne va guère au delà du Bezestin, de l'Atmeïdan, de la place du Sultan-Bayezid, du Vieux-Sérail et des alentours de Sainte-Sophie, où se concentre tout le mouvement de la ville musulmane. Je partis donc de bonne heure, en compagnie d'un jeune Français qui habite depuis longtemps la Turquie ; nous descendîmes rapidement la pente de Galata, nous traversâmes la Corne-d'Or sur le pont de bateaux en jetant quatre paras au bureau de péage, et, laissant de côté Yeni-Djami, nous nous enfonçâmes dans un dédale de ruelles turques.

A mesure que nous avancions, la solitude se faisait ; les chiens, plus sauvages, nous regardaient d'un œil hagard et nous suivaient en grommelant. Les maisons de bois déteintes, chancelantes, avec leurs treillis démaillés, leurs étages hors d'aplomb, présentaient un aspect de cages à poulets effondrées. Une fontaine en ruines laissait filtrer son eau, extravasée dans une conque verdie ; un turbé démantelé, envahi par les ronces, les orties et les asphodèles, montrait dans l'ombre, à travers ses grilles obstruées de toiles d'araignée, quelques cippes funèbres penchant à droite et à gauche et n'offrant plus que des inscriptions illisibles ; un marabout arrondissait son dôme grossièrement plâtré de chaux et flanqué d'un minaret semblable à une chandelle coiffée de son éteignoir ; au-dessus des longs murs, jaillissaient des pointes noires de cyprès, ou se déversaient sur la rue des touffes de sycomores et de platanes ; plus de mosquées aux colonnes de marbre, aux galeries mauresques, plus de konacks de pacha peints de vives couleurs et projetant leurs gracieux cabinets aériens, mais par places de grands tas de cendres au milieu desquels s'élèvent quelques cheminées de briques noircies restées debout, et sur cette misère et cet abandon, la pure, blanche, implacable lumière d'Orient, qui fait ressortir cruellement la tristesse de chaque détail.

De ruelles en ruelles, de carrefours en carrefours, nous arrivâmes à un grand khan morne et délabré, aux hautes arcades, aux longs murs de pierre, destiné à loger les caravanes de chameaux : c'était l'heure de la prière, et, sur la galerie extérieure du minaret de la mosquée voisine, deux muezzins vêtus de blanc circulaient d'un pas de fantôme, jetant, avec leur voix d'une tonalité étrange, la formule sacramentelle de l'islam à ces maisons muettes, aveugles et sourdes, s'écroulant dans le silence et la solitude. Ce verset du Koran, qui semblait descendre du ciel modulé par une voix suavement gutturale, n'éveillait d'autre bruit que le soupir plaintif de quelque chien troublé dans son rêve et les battements d'ailes d'une colombe effrayée. Les muezzins n'en continuèrent pas moins leur ronde impassible, lançant les noms d'Allah et du prophète aux quatre vents de l'horizon, comme des semeurs qui ne s'inquiètent pas où tombe la graine, sachant bien qu'elle trouvera le sillon. Peut-être même sous ces toits vermoulus, au fond de ces baraques abandonnées en apparence, des fidèles déployaient leurs pauvres petits tapis usés, s'orientaient vers la Mecque, et répétaient avec une foi profonde : « La Allah ! il Allah ! ou Mohammed raçoul Allah ! »

Un nègre à cheval passait de temps à autre ; une vieille momie plaquée contre un mur allongeait hors d'un tas de haillons une patte de singe qui demandait l'aumône, profitant de l'occasion inespérée ; deux ou trois gamins échappés d'une aquarelle de Decamps essayaient de fourrer des cailloux dans le goulot d'une fontaine tarie. Quelques lézards couraient sur les pierres en toute sécurité, et c'était tout.

Je me sentais, malgré moi, envahir par une tristesse accablante, et j'aurais oublié le but de notre promenade, qui était d'aller voir les saltimbanques près de la porte de Silivri-Kapoussi, si mon compagnon ne me l'eût plusieurs fois rappelé. — J'étais fatigué, mourant de faim, car nous avions parcouru, sans y prendre garde, un espace énorme, et nous nous étions considérablement écartés de notre route, que nous retrouvâmes, non sans peine ; nous traversâmes la cour et le jardin d'une mosquée dont j'ai oublié le nom, et le son d'une musique aigre et barbare sortant d'un enclos de planches nous indiqua que nous étions dans le bon chemin. — C'était bien là. — Nous nous assîmes sur un de ces tabourets hauts de quatre pouces, l'on nous apporta du café et des pipes, et nous regardâmes les exercices qui avaient lieu au milieu de la cour, sur un lit de poussière fine : c'étaient des Marocains exécutant à peu près les mêmes tours que tout le monde a pu voir au Cirque des Champs-Élysées par la troupe arabe.

Il me sembla même reconnaître le grand gaillard qui servait de base à la pyramide humaine, et portait huit hommes étagés sur ses épaules bronzées et sur son crâne bleuâtre. Des chevalets supportant des cordes tendues montraient que le spectacle se compliquait de danses funambuliques ; mais nous étions arrivés trop tard pour voir cette partie du programme ; contre-temps que je regrettai fort pour ma part, car les acrobates étaient de petites filles de huit ou dix ans, très-jolies, nous dit-on, et d'une légèreté rare ; il y avait aussi des danseurs de corde bouffons, Turcs à large barbe, à grand nez de perroquet, qui prenaient gravement toutes sortes de poses grotesques de la bizarrerie la plus comique. Au fond de la cour une galerie grillée, — un sérail, comme on dit en Turquie, — servait de tribune ou de loge aux femmes, et l'on nous fit retirer pour qu'elles pussent sortir librement, la présence de giaours contrariant leur pudeur, — pudeur exagérée, assurément, car nous les vîmes passer de loin, empaquetées jusqu'aux yeux, et ressemblant à ces mannes d'osier sur lesquelles on tourne le linge dans les bains.

Nous cherchâmes quelque chose à manger, car, si nous avions repu nos yeux, notre estomac n'avait reçu aucune nourriture, et chaque minute augmentait notre angoisse. Il n'y avait là, dans ce quartier perdu, aucune de ces appétissantes rôtisseries où le kébab saupoudré de poivre tourne à la flamme, enfilé par une broche perpendiculaire ; aucune de ces devantures sur lesquelles le baklava s'étale par larges portions, que la main du pâtissier couvre d'une légère neige de sucre, aucune de ces triomphantes gargotes offrant leurs boulettes de riz enveloppées de feuilles, et leurs jattes où des quartiers de concombre nagent dans l'huile, mêlés à des morceaux de viande. Nous ne trouvâmes à acheter que des mûres blanches et du savon noir : médiocre régal !

Nous errions faméliquement, roulant çà et là des yeux avides, et choisissant les rues qui, un peu moins désertes que les autres, semblaient nous promettre quelque chance de nourriture. Une bonne vieille dame grecque, suivie de sa petite servante portant un gros paquet, prit pitié de nous et nous indiqua, non loin de là, une hôtellerie où nous trouverions probablement de quoi nous restaurer. Ce renseignement était juste, seulement l'hôtellerie était fermée depuis plusieurs années. Les souvenirs de la brave matrone remontaient à sa jeunesse.

Le quartier que nous parcourions présentait une physionomie toute différente ; ce n'était plus l'aspect turc. Les portes des maisons entr'ouvertes laissaient l'œil pénétrer dans les intérieurs. Aux fenêtres sans grillages apparaissent de charmantes têtes de femmes, coiffées de crépons roses ou bleus et couronnées d'une grosse natte de cheveux formant diadème ; des jeunes filles assises sur le seuil regardaient librement dans la rue, et nous pouvions admirer sans les faire fuir leurs traits fins et purs, leurs grands yeux bleus et leurs tresses blondes ; devant les cafés des hommes en fustanelle blanche, en calotte rouge, en veste aux longues manches soutachées, avalaient de grands verres de raki et s'enivraient comme de bons chrétiens. — Nous étions dans Psammathia, un quartier habité par les rayas, sujets non musulmans de la Porte, espèce de colonie grecque au milieu de la ville turque. L'animation avait succédé au silence, et la joie à la tristesse ; on se sentait au milieu d'une race vivante.

Un jeune drôle, nous voyant chercher un cabaret, vint s'offrir à nous pour guide, après nous avoir fait voir son passe-port comme un vrai filou qu'il était, et il nous conduisit avec beaucoup de détours, pour donner de l'importance au service qu'il nous rendait, à une espèce de locanda située à dix pas de l'endroit où il nous avait pris. Nous lui donnâmes quelques paras pour sa peine ; mais, ne se trouvant sans doute pas assez récompensé, il subtilisa, avec l'adresse d'un grinche émérite, le porte-monnaie de mon camarade, contenant une trentaine de francs en bechlicks et en piastres.

Nous entrâmes dans une grande pièce où, derrière un comptoir chargé de mets et de bouteilles, se tenait debout un Palforio truculent, plus propre en apparence à couper le cou à des voyageurs qu'à des poulets ; ce cuisinier terrible, à la figure olivâtre, à la barbe bleue, formant des tons verts en se mêlant aux tons jaunes de la peau, aux yeux et au bec de gypaëte, condescendit pourtant à nous servir des crevettes, des rougets frits dans une caisse de papier, à peu près comme des côtelettes en papillotes, des pêches, des raisins, du fromage et une fiasque de vin blanc *resinato*, ressemblant pour le goût à du vermout de Turin et dont la saveur amère ne déplaît pas quand on en a l'habitude. Il n'avait pu, malgré notre désir, nous donner de la viande, parce qu'on célébrait ce jour-là je ne sais quelle fête grecque qui rendait le maigre obligatoire. — Mais nous avions si faim, que cette simple collation nous parut un déjeuner de Balthazar, et que nous nous attendions à voir flamboyer des écritures sur la muraille. Cependant Psammathia ne croula pas sur ses fondements, et nous pûmes achever notre repas sans catastrophe biblique.

Dûment réconfortés, nous nous mîmes en route avec une vigueur toute fraîche, et nous atteignîmes bientôt la porte la plus voisine du château des Sept-Tours, en grec Heptapurgon, en turc Jedi-Kouleler, mots qui ont la même signification. Là, nous rencontrâmes un de ces loueurs de chevaux, si nombreux à Top'Hané, près de l'Échelle des Morts, au Kiosque-Vert, au grand Champ de Péra et dans tous les endroits fréquentés de Constantinople, mais d'une rareté phénoménale en pareil endroit. Nous enfourchâmes ses deux bêtes assez proprement harnachées, et valant certes les rosses prétendues anglaises sur lesquelles nos victorieux paradent aux Champs-Élysées. Ces gentils chevaux curdes, l'un blanc, l'autre bai, se mirent fraternellement au pas allongé, suivis par leur maître, marchant à pied, et nous prîmes sur la droite, laissant à gauche les tours ébréchées de l'antique prison d'État. Nous voulions longer extérieurement les anciennes murailles de Byzance, depuis la mer jusqu'à Ederne-Capoussi et même plus loin, si nous n'étions pas trop fatigués.

Je ne crois pas qu'il y ait nulle part au monde une promenade plus austèrement mélancolique que ce chemin qui circule pendant près d'une lieue entre un cimetière et des ruines.

Les remparts, composés de deux rangs de murailles flanquées de tours carrées, ont à leurs pieds un large fossé comblé maintenant par des cultures et revêtu d'un parapet de pierre, ce qui formait trois enceintes à franchir. Ce sont les antiques murailles de Constantin, telles que les assauts, le temps, les tremblements de terre, les ont faites ; dans leurs assises de briques et de pierre, on voit encore les brèches ouvertes par les catapultes, les balistes, les béliers et cette gigantesque coulevrine, mastodonte de l'artillerie, que servaient sept cents canonniers, et qui lançait des boulets de marbre du poids de six cents livres. Çà et là une immense lézarde fend une tour du haut en bas ; plus loin, tout un pan de mur est tombé au fond du fossé ; mais où la pierre manque, le vent apporte de la poussière et des graines, un arbuste se développe à la place du créneau absent, et devient un arbre ; les mille griffes des plantes parasites retiennent la brique qui va choir ; les racines des arbousiers, après avoir été des pinces pour s'introduire entre les joints des pierres, se changent en crampons pour les retenir, et la muraille continue sans interruption, découpant sur le ciel sa silhouette ébréchée, étalant ses courtines drapées de lierre et dorées par le temps de tons sévères et riches. De distance en distance s'élèvent les vieilles portes d'architecture byzantine, empâtées de maçonnerie turque, mais pourtant reconnaissables encore.

Il serait difficile de supposer une cité vivante derrière ces remparts morts qui pourtant cachent Constantinople. On se croirait aux abords d'une de ces villes des contes arabes dont tous les habitants ont été pétrifiés par un maléfice ; — quelques minarets seuls lèvent la tête au-dessus de l'immense ligne des ruines, et témoignent que l'islam a là sa capitale. Le vainqueur de Constantin XIII, s'il revenait au monde, pourrait placer encore avec à-propos sa mélancolique citation persane : « L'araignée file sa toile dans le palais des empereurs, et la chouette entonne son chant nocturne sur les tours d'Ephrasiab. »

Ces murailles roussâtres, encombrées de la végétation des ruines, qui s'écroulent lentement dans la solitude, et sur lesquelles courent quelques lézards, il y a quatre cents ans voyaient ameutées à leurs pieds les hordes de l'Asie, poussées par le terrible Mahomet II. Les corps des janissaires et des timariots roulaient, criblés de blessures, dans ce fossé où s'épanouissent maintenant de pacifiques légumes ; des cascatelles de sang ruisselaient sur leurs parois où pendent les filaments des saxifrages et des plantes pariétaires. Une des plus terribles luttes humaines, lutte de race contre race, de religion contre religion, eut lieu dans ce désert où règne un silence de mort. Comme toujours, la jeune barbarie l'emporta sur la civilisation décrépite, et, pendant que le prêtre grec faisait frire ses poissons, ne pouvant croire à la prise de Constantinople, Mahomet II, triomphant, poussait son cheval dans Sainte-Sophie, et marquait sa main sanglante sur la muraille du sanctuaire, la croix tombait du haut des dômes pour faire place au croissant, et l'on retirait de dessous un tas de morts l'empereur Constantin, sanglant, mutilé, et reconnaissable seulement aux aigles d'or qui agrafaient ses cothurnes de pourpre.

J'ai parlé tout à l'heure du caloyer occupé à faire frire des poissons pendant l'assaut suprême donné à Constantinople, et qui répondit incrédulement à l'annonce du triomphe des Turcs : « Bah ! je croirai plutôt que ces poissons vont ressusciter, sortir de l'huile bouillante et nager sur le plancher. » Prodige qui eut lieu effectivement et dut convaincre l'obstiné moine.

La descendance de ces poissons miraculeux frétille dans la citerne de l'église grecque ruinée de Baloukli, qu'on aperçoit à quelque distance des remparts de la ville, un peu avant d'arriver à Silivri-Kapoussi. Ils sont rouges d'un côté et bruns de l'autre, en mémoire du tour de poêle qu'avaient supporté leurs aïeux à moitié cuits ; un pauvre diable de prêtre les montre encore aux étrangers en disant : *Idos psari, effendi.* (Regardez les poissons, monsieur.) Quoique je ne professe pas des opinions voltairiennes à l'endroit des miracles, je ne jugeai pas à propos d'aller vérifier celui-ci par moi-même, d'autant plus que c'était un miracle schismatique auquel je n'étais pas obligé de croire ; je me contentai donc de la légende et je continuai ma route.

Quel dommage que mon ami le grand paysagiste Bellel n'ait pas fait le voyage de Constantinople ! Quel parti il eût tiré de ces superbes mouvements de terrain, de ces grands cyprès, de ces pans de murailles chancelantes soutenus par des végétations robustes ! Comme son fusain ferme et magistral eût découpé les feuilles de ces platanes, de ces arbousiers, de ces lentisques venus dans ce fossé comblé de détritus humains !

Les pluies de l'hiver, les vents de l'été et le travail du temps ont emporté la terre sur les bas côtés du chemin, qui n'a pas été réparé sans doute depuis Constantin, et déchaussé la voie qu'on prendrait par places plutôt pour le sommet d'un large rempart à demi enfoui que pour une route praticable ; deux arabas suivaient pourtant ce chemin invraisemblable, l'un doré et peint, cahotant cinq ou six femmes bien vêtues et soigneusement voilées, tenant de beaux enfants sur leurs genoux ; l'autre en simples planches retenues par des chevilles de bois, secouant un clan de Tsiganes mâles et femelles, bruns comme les Indiens, hâves, déguenillés, qui piaulaient une stridente chanson bohème, sous laquelle bourdonnait un sourd ronflement de tambours de basque.

Je suis encore à comprendre comment ces lourdes voitures n'ont pas été précipitées vingt fois et brisées au fond de ces ornières de trois ou quatre pieds de profondeur ; mais les bœufs ont le pied sûr, et les conducteurs ne quittent pas les cornes de leurs bêtes. Quant à moi, je quittai cette tumultueuse carrière de pierre et fis marcher mon cheval sous les cyprès de l'immense Champ-des-Morts qui fait face aux remparts depuis les Sept-Tours jusqu'au bas des collines d'Eyoub.

Je marchais au petit pas, dans un étroit sentier tracé entre les tombes, lorsque j'aperçus, arrêtée près d'un cippe funèbre, une jeune femme masquée d'un yachmack assez transparent, et drapée d'un feredgé vert tendre ; elle tenait à la main une touffe de roses, et ses grands yeux avivés d'antimoine flottaient devant elle, perdus dans une indéfinissable rêverie. Apportait-elle ces fleurs sur quelque tombe aimée, ou se promenait-elle simplement sous ces tristes ombrages ? C'est ce que je ne saurais dire ; mais, au bruit des sabots de mon cheval, elle releva la tête, et, sous la claire mousseline, je pus discerner un charmant visage. Sans doute, mes yeux exprimèrent naïvement et fidèlement mon admiration, car elle s'approcha du bord de la route, et, avec un mouvement plein d'une grâce timide, elle me tendit une rose prise de son bouquet.

Mon compagnon, qui venait derrière moi, me rejoignit, et elle lui en offrit une aussi par une nuance de pudeur délicate qui corrigeait ce que sa première impulsion pouvait avoir de trop libre. Je la saluai de mon mieux à l'orientale. Deux ou trois compagnes la rejoignirent, et elle disparut à travers l'épaisseur des cyprès. — Là se borne mon unique bonne fortune turque ; mais je n'ai pas oublié les grands yeux noirs aux paupières teintes de surmeh, et la rose, relique précieuse, jaunit à Paris dans un sachet de satin blanc.

XIX
BALATA. — LE PHANAR. — BAIN TURC

Si je faisais un voyage d'antiquaire au lieu d'une tournée d'artiste, j'aurais pu, à grand renfort de bouquins, disserter longuement sur les emplacements probables des anciens édifices de Byzance, les reconstruire d'après quelques fragments douteux perdus sous des agrégations de baraques turques, et rapporter à ce sujet un certain nombre d'inscriptions grecques qui m'auraient donné l'air fort savant ; mais je préfère un croquis fait sur nature, une impression réelle, sincèrement rendue. Ainsi je n'entrerai pas dans le détail de chaque porte antique, et je ne chercherai pas l'endroit précis où tomba le malheureux Constantin-Dracosès, endroit marqué, dit-on, par un arbre gigantesque, poussé dans le rempart. Ces portes s'ouvrent à travers de grosses tours massives et sont ornées de quelques colonnes d'ordre composite sentant la décadence byzantine, et dont le fût est souvent emprunté à quelque temple antique, la Porte-Dorée dessine une arcade remplie d'une solide maçonnerie, car, d'après une vieille tradition, les vainqueurs futurs de Constantinople doivent pénétrer dans la ville par cette porte qui déjà vit passer triomphant Alexis Strategopoulos, lieutenant de Michel Paléologue, lorsqu'il reconquit en une nuit Byzance sur Beaudoin II, et mit ainsi fin à l'empire français en Orient. — Ce mur va-t-il bientôt s'abattre, comme les Grecs s'y attendent, pour laisser entrer leurs coreligionnaires russes après les quatre cents ans d'intervalle fixés par une prophétie, à partir de la prise de Constantinople, date qui tombe justement le 29 mai prochain, et la messe sera-t-elle célébrée à Sainte-Sophie en présence du czar ? — C'est une question que je n'approfondirai pas ; mais la présence du prince Menschikoff, au cas où l'on supposerait à la Russie des intentions hostiles, ne pouvait concorder plus habilement avec les préjugés et les croyances populaires.

Près de la porte d'Andrinople, nous descendîmes de cheval pour prendre une tasse de café et fumer un chibouck dans un café peuplé d'une clientèle bigarrée, et nous continuâmes notre route, toujours accompagnés par le cimetière, qui n'en finissait pas ; mais nous trouvâmes enfin le bout de la muraille, et nous pûmes rentrer dans la ville en dirigeant avec prudence nos montures chancelantes, qui buttaient contre les turbans de marbre et les fragments de tombe dont les pentes glissantes étaient hérissées.

Nous arrivâmes ainsi dans un quartier étrange et d'une physionomie toute particulière : les baraques devenaient de plus en plus délabrées, pauvres et sales. Leurs façades rechignées, chassieuses, hagardes, se fendillaient, se déjetaient, se disloquaient, prêtes à tomber en putréfaction. Les toits semblaient avoir la teigne et les murailles la lèpre ; les écailles de l'enduit grisâtre se détachaient comme les pellicules d'une peau dartreuse. Quelques chiens saigneux réduits à l'état de squelette, rongés de vermine et de morsures, dormaient dans la boue noire et fétide ; d'ignobles loques pendillaient aux fenêtres, derrière lesquelles, haussés par nos montures, nous découvrions des têtes bizarres d'une lividité maladive, entre la cire et le citron, surmontées d'énormes bourrelets de linge blanc et emmanchées dans de petits corps fluets à poitrine plate, sur laquelle bridait une étoffe miroitante comme les feuilles d'un parapluie mouillé ; des yeux mornes, atones, aux regards accablés, pareils dans ces visages jaunes à des charbons tombés dans une omelette, se levaient lentement vers nous et retombaient sur quelque besogne ; des fantômes furtifs passaient le long des baraques le front ceint d'un chiffon blanc moucheté de noir, comme si l'usure y eût essuyé sa plume toute la journée, le corps perdu dans une souquenille vernie de crasse.

Nous étions à Balata, le quartier juif, le ghetto de Constantinople ; nous voyions là le résidu de quatre siècles d'oppression et d'avanie, le fumier sous lequel ce peuple, proscrit partout, se blottit comme certains insectes pour se dérober à ses persécuteurs ; il espère se sauver par le dégoût qu'il inspire, vit dans la fange et en prend les teintes. On imaginerait difficilement quelque chose de plus immonde, de plus infect et de plus purulent : la plique, les scrofules, la gale, la lèpre et toutes les impuretés bibliques, dont il ne s'est pas guéri depuis Moïse, le dévorent sans qu'il s'y oppose, tant l'idée du lucre le travaille exclusivement ; il ne fait même pas attention à la peste s'il peut faire un petit commerce sur les habits des morts. — Dans ce hideux quartier roulent pêle-mêle Aaron et Isaac, Abraham et Jacob ; ces malheureux, dont quelques-uns sont millionnaires, se nourrissent de têtes de poisson qu'on retranche comme venimeuses et qui développent chez eux certaines maladies particulières. Cet immonde aliment a pour eux l'avantage de ne coûter presque rien.

En face, de l'autre côté de la Corne-d'Or, sur une pente aride, pelée, poussiéreuse, s'étend le cimetière qui absorbe leurs générations malsaines. Le soleil brûle les pierres informes de leurs tombes où ne pousse pas un brin d'herbe et que n'abrite pas un seul arbre. Les Turcs n'ont pas voulu accorder cette douceur à leurs charognes proscrites et ont tenu à garder au Champ-des-Morts juif l'aspect d'une voirie : à peine leur est-il permis de graver quelque mystérieux caractère hébraïque sur les cubes qui mamelonnent de leurs rugosités cette colline désolée et maudite.

Quelle différence entre ces poupées souffreteuses dont on ne peut discerner l'âge et les splendides juives de Constantine, qui s'avancent belles comme la reine de Saba et parées comme elle dans leurs dalmatiques de damas mi-parti, avec leurs ceintures à plaque de métal, leurs chaînettes d'or et leur bandeau brodé de paillon ! — C'est pourtant la même race, mais on ne le dirait guère. Les unes pourraient poser pour les madones de Raphaël ; Rembrandt seul serait capable de faire figurer les autres dans quelque scène magique, en les dorant, sur un fond de bitume, de ces merveilleux tons de hareng saur dont Amsterdam lui a donné le secret.

Le même abaissement de race se remarque aussi chez les hommes : aucun n'a cette pureté de type commune chez les juifs d'Afrique, qui semblent avoir conservé le primitif cachet oriental.

Les Turcs, qui admettent Aïssa (Jésus) comme un prophète, font payer cruellement sa mort aux Juifs ; cependant il faut dire qu'on ne les maltraite plus comme autrefois, et que leurs vies et leurs fortunes sont à peu près en sûreté contre les avanies et les extorsions ; mais ce peuple immuable dans sa crasse ne s'est pas encore rassuré et continue sa comédie de misère ; il est toujours puant, sordide et bas, cachant de l'or sous des haillons. Il se venge des Chrétiens, des Grecs et des Turcs par l'usure. Au fond de ces huttes infectes, plus d'un Shylock, attendant l'échéance, repasse son couteau sur le cuir de son soulier, pour enlever la livre de chair à Bassanio ; plus d'un rabbin cabaliste se répand de la cendre sur la tête et fait des conjurations afin d'obtenir de Dieu le châtiment de peuples balayés de la face du monde depuis des siècles.

Nous sortîmes enfin de ce quartier ignoble, et nous entrâmes dans le Phanar, où habitent les Grecs de distinction, une espèce de West-End à côté d'une cour des Miracles ; les maisons en pierre font une bonne contenance architecturale. Plusieurs ont des balcons soutenus par des consoles découpées en escalier ou des modillons à volutes ; — d'autres plus anciennes rappellent les façades étroites des petits hôtels du moyen âge, moitié forteresses, moitié demeures civiles ; les murs ont une épaisseur à soutenir un siége, les volets de fer sont à l'épreuve de la balle, des grilles énormes défendent les croisées étrécies en barbacanes, les corniches se denticulent volontiers en créneaux et se projettent en moucharabys, luxe innocent de défense qui ne sert que contre l'incendie, dont les langues impuissantes lèchent en vain ce quartier de pierre.

Là s'est réfugiée l'antique Byzance, là vivent dans l'obscurité les descendants des Comnènes, des Ducas, des Paléologues, des princes sans principautés dont les aïeux ont porté la pourpre et qui ont du sang impérial dans les veines ; leurs esclaves les traitent en rois, et ils se consolent entre eux de leur déchéance par ces simulacres de respect. Des richesses considérables sont entassées dans ces solides maisons, très-ornées à l'intérieur, quoique très-simples à l'extérieur ; car en Orient le luxe est craintif et ne se développe qu'à l'abri des regards. Les Phanariotes ont été longtemps célèbres pour leur habileté diplomatique : ils dirigèrent jadis toutes les affaires internationales de la Porte ; mais leur crédit semble avoir beaucoup baissé depuis la révolte de la Grèce.

Au bout du Phanar, l'on rentre dans les rues turques qui longent la Corne-d'Or, et où fourmille une active population commerciale. A chaque pas, l'on rencontre des hammals portant à deux un fardeau suspendu à une perche : des ânes liés entre deux longues planches dont ils supportent chacun un bout embarrassent la circulation et fauchent tout ce qui se trouve sur leur passage lorsqu'ils sont obligés de tourner pour prendre une rue transversale. Ces pauvres bêtes restent quelquefois bloquées contre les murailles de la ruelle trop étroite sans pouvoir avancer ni reculer, ce qui produit bientôt une agglomération de cavaliers, de piétons, de portefaix, de femmes, d'enfants, de chiens, qui maugréent, sacrent, piaillent et aboient sur tous les tons, jusqu'à ce que l'ânier tire sa bête par la queue et lève ainsi la digue de l'écluse. Alors la foule amassée s'écoule et le calme se rétablit, non sans quelques horions préalablement distribués, et dont les bourriques, cause innocente de la chose, empochent comme de raison la meilleure partie.

Le terrain monte en amphithéâtre de la mer jusqu'aux remparts que nous venions de longer extérieurement, et, par-dessus des toits tumultueux des maisons turques, l'œil saisit çà et là quelque fragment de muraille crénelée, quelque arcade d'aqueduc antique qui enjambe les chétives constructions modernes, bûchers tout préparés pour l'incendie et qu'une allumette suffit à enflammer. Combien de Constantinoples ont déjà vu tomber en cendres, à leurs bases, ces vieilles pierres noircies ! — Une maison turque de cent ans est une rareté à Stamboul.

Notre saïs, marchant la main appuyée sur la croupe de mon cheval, nous guidait, mon ami et moi, à travers cette foule et ce dédale, et nous eut bientôt amenés au second pont qui traverse la Corne-d'Or ; il nous fit regagner, à travers Kassim-Pacha, les pentes du petit Champ-des-Morts, et nous déposa à la porte de l'hôtel de France, sans paraître fatigué de cet énorme trajet.

Quant à moi, je m'assis sur mon divan, je m'accoudai à la fenêtre et je me livrai aux douceurs du kief, un peu étourdi par la fatigue et le tabac opiacé dont j'avais chargé le lulé de ma pipe, et le soir, après le souper, qui ne se fit pas attendre longtemps, je ne fus nullement tenté d'aller me promener selon mon habitude devant les cafés du petit Champ où se réunit la société pérote.

Le lendemain, j'étais un peu courbatu et je résolus d'aller prendre un bain turc, car rien ne délasse autant, et je me dirigeai vers les bains de Mahmoud, situés près du Bazar. Ce sont les plus beaux et les plus vastes de Constantinople.

La tradition des Thermes antiques, perdue chez nous, s'est conservée en Orient. — Le christianisme, en prêchant le mépris de la matière, a peu à peu fait tomber en désuétude les soins donnés au corps périssable comme sentant trop leur paganisme. Je ne sais plus quel moine espagnol, quelque temps après la conquête de Grenade, prêchait contre l'usage des bains maures et déclarait suspects de sensualisme et d'hérésie ceux qui n'y voudraient pas renoncer.

En Orient, où la propreté du corps est d'obligation religieuse, les bains ont gardé toutes les recherches grecques et romaines : ce sont de grands édifices d'apparence architecturale, avec coupole, dômes, colonnes, qui emploient le marbre, l'albâtre, les brèches de couleur dans leur construction, et sont desservis par une armée de baigneurs, de tellacks, d'étuvistes, rappelant les strigillaires, les malaxeurs et les aliptes de Rome et de Byzance.

Une grande salle ouvrant sur la rue et fermée par un pan de tapisserie reçoit d'abord le client. — Près de la porte, le maître du bain se tient accroupi entre une caisse renfermant la recette et un bahut où il serre l'argent, les bijoux et autres objets précieux qu'on dépose en entrant et dont il répond. Autour de cette salle, d'une température à peu près égale à celle du dehors, règnent deux espèces de galeries superposées garnies de lits de camp ; une fontaine darde son filet d'eau grésillant sur une double vasque au milieu du pavé de marbre miroitant d'eau. Autour de la fontaine sont rangés quelques pots de basilic, de menthe et autres plantes odoriférantes, dont les Turcs aiment beaucoup le parfum.

Des linges bleus, blancs, rayés de rose, sèchent sur des cordes ou pendent au plafond comme les drapeaux et les bannières à la voûte de Westminster ou des Invalides.

Dans les lits fument, boivent du café, prennent des sherbets, ou dorment enveloppés jusqu'au menton comme des enfants au maillot les baigneurs attendant qu'ils ne soient plus en transpiration pour reprendre leurs habits.

On me fit monter à la seconde galerie par un petit escalier de bois ; on m'indiqua un lit ; et, lorsque je fus débarrassé de mes vêtements, deux tellacks m'entortillèrent autour de la tête une serviette blanche en forme de turban et me revêtirent des reins aux chevilles d'une pièce de Guinée bridant comme le pagne des statues égyptiennes. Au bas de l'escalier, je trouvai une paire de patins de bois dans lesquels j'entrai mes pieds ; et, mes tellacks me soutenant par l'aisselle, je passai de la première pièce dans la seconde, chauffée à une température plus élevée ; on m'y laissa quelques minutes pour habituer mes poumons à l'atmosphère brûlante de la troisième salle, poussée jusqu'à trente-cinq ou quarante degrés.

Les étuves diffèrent de nos bains de vapeur : un feu continuel brûle sous leurs dalles de marbre, et l'eau qu'on y répand s'y volatilise en fumée blanche, mais n'y vient pas d'une chaudière par jets stridents. — Ce sont en quelque sorte des bains à sec, et l'extrême chaleur détermine seule la transpiration.

Sous une coupole éclairée par de grosses lentilles de verre verdâtre ne laissant filtrer qu'un jour vague, sept ou huit dalles en forme de tombeau sont disposées pour recevoir les corps des baigneurs, qui, étendus comme des cadavres sur une table de dissection, subissent la première préparation du bain turc : on leur pince légèrement l'insertion des muscles, on les malaxe comme une pâte molle jusqu'à ce qu'ils se couvrent d'une sueur perlée pareille à celle qui se forme autour du seau d'une bouteille de vin de Champagne trempée dans la glace, résultat qui ne se fait pas attendre.

Lorsque vos pores ouverts laissent ruisseler l'eau sur vos membres assouplis, on vous relève, on vous fait chausser de nouveau les patins pour épargner à la plante de vos pieds le contact torride du pavé, et l'on vous conduit à l'une des niches creusées autour de la rotonde.

Une fontaine de marbre blanc avec sa vasque où se dégorge à volonté un robinet d'eau chaude et d'eau froide occupe le fond de ces niches. Votre tellack vous fait asseoir près du bassin, arme sa main d'un gantelet en poil de chameau et vous étrille les bras d'abord, les jambes ensuite, puis le torse, de façon à vous amener le sang à la peau, sans vous écorcher cependant et sans vous faire le moindre mal, malgré l'apparente rudesse qu'il met à cet exercice.

Ensuite il puise dans le bassin, avec une sébile de cuivre jaune, plusieurs écuellées d'eau tiède, qu'il vous répand sur le corps. Quand vous êtes un peu séché, il vous reprend et vous polit avec la paume de la main nue, chassant le long de vos bras de longs rouleaux grisâtres, qui surprennent beaucoup les Européens, convaincus de leur propreté ; d'un coup sec, le tellack fait tomber ces escarres et vous les montre d'un air de satisfaction.

Un nouveau déluge emporte ces copeaux balnéatoires, et le tellack vous flagelle doucement de longues étoupes imbibées de mousse savonneuse ; il sépare vos cheveux et vous nettoie la peau de la tête, opération suivie d'une autre cataracte d'eau fraîche pour éviter les congestions cérébrales que pourrait déterminer l'élévation de la température.

Mon baigneur était un jeune garçon macédonien de quinze à seize ans, dont la peau, macérée par une immersion continuelle, avait acquis un ton bistré uni et une finesse incroyable ; — il n'avait plus que les muscles, — tout son embonpoint s'était évaporé, — ce qui ne l'empêchait pas d'être vigoureux et bien portant.

Ces différentes cérémonies terminées, on m'embobelina de linges secs, et l'on me ramena à mon lit, où deux petits garçons me massèrent une dernière fois. — Je restai là une heure à peu près, dans une rêverie somnolente, prenant du café et des limonades à la neige ; et, quand je sortis, j'étais si léger, si dispos, si souple, si remis de ma fatigue, qu'il me semblait

Que les anges du ciel marchaient à mes côtés !

XX
LE BEÏRAM

Le Ramadan était fini : et, sans vouloir entacher en rien le zèle des musulmans, on peut dire que la cessation du jeûne est accueillie avec une satisfaction générale ; car, malgré le carnaval nocturne dont est doublé ce carême, il n'en est pas moins pénible. A cette époque, chaque Turc renouvelle sa garde-robe, et rien n'est plus joli que de voir les rues diaprées de costumes neufs, de couleurs vives et riantes, agrémentées de broderies ayant tout leur éclat, au lieu d'être tachés de haillons pittoresquement sordides, plus agréables dans un tableau de Decamps que dans la réalité ; tout musulman revêt alors ce qu'il a de plus gai, de plus riche : le bleu, le rose, le vert-pistache, le jaune-cannelle, l'écarlate, brillent de toutes parts ; les mousselines des turbans sont propres, les babouches pures de boue et de poussière ; la métropole de l'Islam a fait sa toilette de fond en comble. — Si un voyageur arrivé par un bateau à vapeur descendait à terre en ce moment et s'en retournait le lendemain, il emporterait de Constantinople une idée toute différente de celle qu'il aurait après un séjour prolongé. La ville des sultans lui paraîtrait beaucoup plus turque qu'elle ne l'est.

Dans les rues se promènent, avec flûte et tambour, des musiciens qui ont donné des aubades pendant le Ramadan sous les fenêtres des maisons les plus considérables. Lorsque leur tintamarre a suffisamment duré pour attirer l'attention des habitants du logis, un grillage s'écarte, une main paraît qui laisse tomber un châle, une pièce d'étoffe, une ceinture ou quelque objet analogue, aussitôt accroché au bout d'une perche chargée de cadeaux du même genre : c'est le bacchich destiné à reconnaître la peine qu'ont prise les instrumentistes, ordinairement novices derviches. Ce sont des espèces de pifferari musulmans que l'on paye en bloc, au lieu de leur jeter chaque fois un sou ou un para.

Le beïram est une cérémonie dans le genre des baise-mains officiels d'Espagne, où tous les grands dignitaires de l'empire viennent faire leur cour au padischa. La magnificence turque éclate dans toute sa splendeur, et c'est une des plus favorables occasions que puisse saisir un étranger d'étudier et d'admirer un luxe ordinairement caché derrière les murailles mystérieuses du sérail. Seulement, il n'est pas facile d'assister à cette solennité, à moins d'être englobé fictivement dans le personnel d'une ambassade hospitalière. — La légation sarde voulut bien me rendre ce service, et à trois heures du matin un de ses cawas heurtait du pommeau de son sabre à la porte de mon hôtellerie. J'étais déjà levé, habillé et prêt à le suivre ; je descendis en toute hâte, et nous nous mîmes à arpenter les rues montueuses de Péra, éveillant des hordes de chiens endormis qui levaient le museau au bruit de nos pas et essayaient un faible aboiement pour l'acquit de leur conscience ; nous croisant avec des files de chameaux dont les flancs chargés frôlaient les parois des maisons et nous laissaient à peine la place de passer.

Une clarté rose teignait le haut de ces baraques de bois coloriées qui bordent les rues, avec leurs étages en surplomb et leurs cabinets saillants, dont aucune édilité ne modère la projection, tandis que les portions inférieures étaient encore baignées d'une ombre transparente et bleuâtre : rien n'est plus charmant que l'aurore se jouant sur ces toits, sur ces dômes, sur ces minarets avec des teintes d'une fraîcheur que je n'ai vue en aucun autre endroit ; on sent bien qu'on n'est qu'à deux pas de la terre où le soleil se lève ; le ciel de Constantinople n'a pas le bleu dur des ciels méridionaux ; il rappelle beaucoup celui de Venise, mais avec plus de légèreté, de lumière et de vapeur ; le soleil s'y lève en écartant des rideaux de mousseline rose et de gaze d'argent ; ce n'est qu'à une heure plus avancée que l'atmosphère se lave de quelques teintes d'azur, et l'on comprend, dans une promenade faite à trois heures du matin, toute la vérité locale de l'épithète de *rododactulos* qu'Homère applique invariablement à l'aurore.

Nous devions recueillir quelques personnes en route. Chose rare, tout le monde était prêt, et, la petite troupe réunie, l'on descendit au débarcadère de Top'Hané, où nous attendait le caïque de l'ambassade.

Malgré l'heure matinale, la Corne-d'Or et le large bassin qui s'évase à son entrée présentaient l'aspect le plus animé. Tous les navires étaient pavoisés de flammes et de pavillons multicolores, depuis les bonnettes basses jusqu'aux pommes de girouette. — Un nombre infini d'embarcations dorées à pointes, garnies de tapis magnifiques et manœuvrées par de vigoureux rameurs, coupaient l'eau nacrée et rose ; cette flottille, chargée de pachas, de vizirs, de beys, arrivant de leurs palais d'été par la rive du Bosphore, se dirigeait vers Seraï-Bournou. Les albatros et les goëlands, un peu effarouchés par ce tumulte prématuré, tournoyaient en poussant de petits cris au-dessus des barques, et semblaient chasser avec leurs ailes les derniers flocons de la brume nocturne promenée par la brise comme des duvets de cygne.

Un grand attroupement de caïques était ameuté à l'échelle du Kiosque-Vert, devant le quai du Sérail, et nous eûmes assez de peine à joindre le bord, où des saïs promenaient de superbes chevaux de main attendant leurs maîtres.

Comme nous étions en avance, nous allâmes prendre du café et fumer une pipe au Kiosque-Vert, joli pavillon dans l'ancien style turc, déchu de sa splendeur première et servant aujourd'hui de corps de garde et de lieu d'attente. Il est recouvert à l'extérieur de toiles et de bannes dont la couleur motive le nom qu'il porte ; à l'intérieur, des applications de faïences émaillées de colonnettes, de marbre, des restes de peinture et de dorure, témoignent d'une destination primitive plus élevée.

Le kiosque présentait, ce jour-là, un curieux rassemblement de types divers, européens, asiatiques et turcs, de cawas d'ambassade richement costumés et de soldats revêtus de l'uniforme du Nizam, que leur teint bronzé signalait seul comme musulmans.

Enfin les portes du sérail furent ouvertes, et nous parcourûmes des cours plantées de cyprès, de sycomores et de platanes d'une dimension monstrueuse, bordées de kiosques d'un goût chinois et de constructions à murailles crénelées et à tourelles en relief, rappelant un peu l'architecture féodale anglaise, — un mélange de jardin, de palais et de forteresse, — et nous arrivâmes dans une cour à l'angle de laquelle s'élève l'ancienne église de Saint-Irénée, transformée aujourd'hui en arsenal, et qui contient une petite maison délabrée percée de beaucoup de fenêtres, réservée pour les ambassades, d'où l'on voit passer le cortége en premières loges.

La cérémonie commence par un acte religieux. Le sultan, accompagné des grands dignitaires de l'empire, va faire sa prière à Sainte-Sophie, la métropole des mosquées de Constantinople : il pouvait être six heures. L'attente enfiévrait tout le monde ; on se penchait pour voir si quelque chose paraissait au loin ; un assez prodigieux tintamarre éclata subitement jouant une marche turque arrangée par le frère de Donizetti, chef de musique du sultan. Les soldats coururent aux armes et formèrent la haie ; ces soldats, faisant partie de la garde impériale, avaient des pantalons blancs et des vestes rouges comme les grenadiers anglais en petite tenue ; le fez ne s'harmonisait pas mal avec cet uniforme ; les officiers et les mouchirs enfourchèrent les beaux chevaux de main que les saïs promenaient.

Le sultan, arrivé de son palais d'été, se dirigeait vers Sainte-Sophie. D'abord parurent le grand vizir, le séraskier, le capitan-pacha et les divers ministres avec la redingote droite de la réforme, mais si plastronnée de chamarrures d'or, qu'il fallait de la bonne volonté pour y reconnaître un costume européen, quand bien même le tarbouch n'eût pas suffi pour les orientaliser ; ils étaient entourés de groupes d'officiers, de secrétaires et de serviteurs splendidement brodés et montés, comme leurs maîtres, sur des chevaux magnifiques ; puis vinrent les pachas, les beys des provinces, les agas, les selictars et les officiers composant les quatre odas du selamlick, dont les noms bizarres pour des oreilles françaises n'éveilleraient aucune idée dans la tête du lecteur, et qui ont pour fonction, celui-ci de débotter le sultan, celui-là de lui tenir l'étrier, cet autre de lui présenter l'écritoire ou la serviette, etc. ; le tzouhadar ou chef des pages, les icoglans et une foule d'employés formant la maison du padischa.

Ensuite s'avança un détachement des gardes du corps, dont l'uniforme bizarre et splendide répond à l'idée que l'on se fait en France du luxe oriental. Ces gardes, choisis parmi les plus beaux hommes, portent une tunique de velours nacarat passementée de brandebourgs d'or d'une richesse extrême, des pantalons blancs en soie de Brousse, et une espèce de toque côtelée assez semblable aux mortiers des présidents, surmontée d'un immense cimier en plumes de paon de deux ou trois pieds de haut, rappelant ces ailes d'oiseaux posées sur le casque de Fingal, dans les compositions ossianiques des peintres du temps de l'Empire. Pour défense, ils ont un sabre courbe attaché à une ceinture diaprée de broderies, et une grande hallebarde damasquinée et dorée, dont le fer offre des découpures féroces comme celles des vieilles armes asiatiques.

Ensuite se succédaient une demi-douzaine de chevaux superbes, arabes ou barbes, tenus en main et caparaçonnés de housses et de têtières magnifiques. Ces housses, brodées d'or, constellées de pierreries, étaient historiées du chiffre impérial, dont les complications et les entrelacements calligraphiques forment une arabesque d'une élégance extrême. Les ornements étaient si pressés, que le fond rouge ou bleu de l'étoffe disparaissait presque. Le luxe des selles remplace, chez les Orientaux, celui des voitures, bien que beaucoup de pachas commencent à faire venir des coupés de Vienne et de Paris.

Ces nobles bêtes semblaient avoir la conscience de leur beauté ; la lumière se jouait en moires soyeuses sur leurs croupes polies ; leurs crinières s'éparpillaient en mèches brillantes à chaque mouvement de leur tête ; des muscles puissants s'élargissaient à leurs jarrets d'acier ; ils avaient cet air doux et fier, ce regard presque humain, cette élasticité du mouvement, cette piaffe coquette, ce port plein d'aristocratie des chevaux de pur sang, qui font concevoir les idolâtries et les passions des Orientaux pour ces superbes créatures dont le Koran vante les qualités et recommande le soin en plusieurs endroits, afin d'ajouter la sanction religieuse à ce goût naturel.

Ces chevaux précédaient le sultan, qui montait une admirable bête dont la housse étincelait de rubis, de topazes, de perles, d'émeraudes et autres pierres précieuses formant les fleurs d'un feuillage d'or.

Derrière le sultan marchaient le kislar-agassi et le capou-agassi, le chef des eunuques noirs et blancs ; puis un nain trapu, obèse, à figure féroce, vêtu en pacha, qui remplit auprès de son maître l'office des fous à la cour des rois du moyen âge. Ce nain, que Paul Véronèse eût placé un perroquet au poing, habillé d'un surcot mi-parti, ou jouant avec un lévrier dans un de ses repas, était hissé, sans doute par contraste, sur le dos d'un grand cheval que ses jambes cagneuses embrassaient à peine. Je crois qu'il est le seul de son espèce existant aujourd'hui en Europe : la charge de Caillette, de Triboulet et de l'Angeli ne s'est conservée qu'en Turquie.

Les eunuques ne portent plus ce haut bonnet blanc dont on les coiffe dans les opéras-comiques ; le fez et la redingote composent leur costume, mais ils n'en ont pas moins un aspect particulier qui les fait aisément reconnaître : le kislar-agassi est assez hideux avec sa noire figure glabre, peaussue et glacée de tons grisâtres ; mais le capou-agassi l'emporte en laideur, n'étant pas masqué par un teint de nègre. Sa face empâtée d'une graisse malsaine, sillonnée de petits plis et d'une lividité blafarde, où clignent deux yeux morts sous une paupière molle, sa lèvre, pendante et rechignée, lui donnent l'air d'une vieille femme de mauvaise humeur. Ce sont pourtant de puissants personnages que ces deux monstres : les revenus de la Mecque et de Médine leur sont affectés ; ils sont immensément riches, et font la pluie et le beau temps dans le sérail, quoique leur empire soit bien diminué aujourd'hui. Ce sont eux qui gouvernent absolument ces essaims de houris que jamais ne profane le regard humain, et, comme vous le pensez, ils sont le centre de mille intrigues.

Un peloton de gardes du corps fermait la marche. Ce cortége éblouissant, quoique moins varié qu'il ne l'était autrefois, lorsque tout le luxe asiatique brillait sur les costumes fantasques des pachas, des capidgis-pachas, des bostandgis, des mabaindzés, des janissaires, avec leurs turbans, leurs kalpacks, leurs casques circassiens, leurs arquebuses à rouet, leurs masses d'armes, leurs arcs et leurs flèches, disparut par l'arcade du passage qui mène du sérail à Sainte-Sophie ; puis, au bout d'une heure environ, il revint et défila en sens inverse, mais dans le même ordre.

Pendant ce temps, nous étions allés nous placer, mes compagnons et moi, sur un puits recouvert de planches qui formait une espèce de tribune, dans une immense cour plantée de grands arbres, tout près du kiosque devant la porte duquel devait avoir lieu la cérémonie du baise-pied. — En face de nous se développait un grand bâtiment surmonté d'une multitude de colonnes peintes en jaune, à l'exception de la base et du chapiteau rechampis de blanc. — Ces colonnes étaient des cheminées, et ces vastes bâtisses des cuisines ; car chaque jour quinze cents bouches, suivant l'expression turque, « mangent le pain du Grand Seigneur. »

Nous avions grand'peine à nous maintenir sur notre perchoir, à l'assaut duquel montaient d'instant en instant de nouveaux curieux que nous repoussions à coups de coude ; mais, en définitive, nous restâmes maîtres de la place.

En attendant que le cortége revienne, décrivons l'endroit où se passe le baise-pied. C'est un grand kiosque dont le toit, soutenu par des colonnes, se projette en auvent tout autour de la construction. Ces colonnes, dont les bases et les chapiteaux sont sculptés dans le goût d'ornementation de l'Alhambra, soutiennent des arcades et des poutrelles qui arc-boutent le rebord du toit, dont le dessous est curieusement travaillé de losanges, de compartiments et d'entrelacs ; la porte, flanquée de deux niches, s'ouvre dans une masse de découpures, de rinceaux, de fleurons et d'arabesques, parmi lesquels se contournent quelques chicorées et quelques ornements rocaille, sans doute ajoutés après coup, comme cela arrive souvent dans les palais turcs. Sur le mur, de chaque côté de la porte, sont peintes deux perspectives chinoises comme on en voit dans les *comédies* d'enfants, représentant des galeries dont le pavé quadrillé de blanc et de noir se prolonge à l'infini. Ces fresques bizarres doivent être l'ouvrage de quelque vitrier génois fait captif par les corsaires barbaresques, et elles produisent un singulier effet sur ce bijou d'architecture musulmane.

Le sultan, suivi de quelques hauts dignitaires, pénétra dans le kiosque, où il prit une légère collation ; cet intervalle fut employé aux derniers préparatifs de la réception. On étendit à terre, devant le kiosque, entre les deux colonnes de l'arcade correspondant à la porte, un tapis de cachemire noir sur lequel on posa un trône, ou plutôt un divan en forme de canapé, tout couvert de plaques d'or ou de vermeil d'un travail byzantin. Un escabeau d'un goût semblable fut placé au pied du trône, et la musique se rangea en demi-cercle, la figure tournée vers le kiosque.

Lorsque Abdul-Medjid reparut, la musique éclata en fanfares ; les troupes poussèrent le cri consacré : « Vive, vive à jamais le glorieux sultan ! » Un frémissement d'enthousiasme parcourut la foule. Tout le monde était ému, même les spectateurs non musulmans.

Abdul-Medjid se tint debout quelques instants sur l'escabeau : à son fez, une agrafe de diamants fixait l'aigrette de plumes de héron, signe du pouvoir suprême ; une espèce de paletot large en drap bleu foncé, retenu par une boucle de brillants, sous lequel scintillaient les dorures de son uniforme, un pantalon de satin blanc, des bottes vernies où miroitait la lumière, et des gants paille très-justes, composaient ce costume d'une simplicité qui faisait pourtant pâlir toutes les chamarrures des personnages subalternes. Puis il se rassit, et les prosternations commencèrent.

J'ai déjà donné un portrait du sultan, mais rapidement crayonné et comme saisi au vol ; je pourrai achever ici cette esquisse, car la cérémonie du beïram ne dure pas moins de deux heures, et j'eus tout le temps de le regarder. Sultan Abdul-Medjid Khan est né le 11e jour du mois de chaaban, l'an 1238 de l'hégire (23 avril 1823) ; il avait donc, lorsque je le vis en 1852, vingt-neuf ans et quelques mois. Monté à seize ans sur le trône, où il succédait à sultan Mahmoud, il avait déjà régné treize années. Sa figure immobile m'a paru profondément empreinte des satiétés suprêmes du pouvoir ; un ennui fixe et intense toujours égal à lui-même, éternel comme la neige des hauts lieux, lui faisait comme un masque de marbre et solidifiait des traits assez peu réguliers.

Le nez n'a pas cette courbe aquiline du type turc ; les joues sont pâles et encadrées d'une barbe fine et brune, et martelées de quelques plans qui trahissent la fatigue ; le front, autant que le fez le laisse voir, m'a paru large et plein ; quant aux yeux, je ne puis les comparer qu'à des soleils noirs arrêtés dans un ciel de diamant ; aucun objet ne semblait s'y réfléchir ; comme les yeux des extatiques, on les eût crus absorbés par quelque vision insaisissable au regard vulgaire.

Cette physionomie n'était, du reste, ni sombre, ni terrible, ni cruelle ; elle était extra-humaine : je ne puis trouver de meilleur mot. On sentait que ce jeune homme, assis comme un dieu sur un trône d'or, n'avait plus rien à désirer au monde ; que tous les rêves les plus charmants étaient pour lui d'insipides réalités, et qu'il se glaçait lentement dans cette froide solitude des êtres uniques. En effet, du sommet de sa grandeur, il n'aperçoit la terre que comme un vague brouillard, et les têtes les plus élevées arrivent à peine au niveau de ses bottes.

Il n'y a que les plus hauts dignitaires qui aient le droit de baiser les pieds du glorieux sultan. Cette insigne faveur est réservée au vizir, aux ministres et aux pachas privilégiés.

Le vizir partit de l'angle du kiosque correspondant à la droite du sultan, décrivit un demi-cercle en suivant intérieurement la ligne des gardes du corps et des musiciens, puis, arrivé en face du trône, il s'avança jusqu'à l'escabeau après avoir fait le salut oriental, et, se courbant sur les pieds du maître, il baisa sa botte sacrée aussi révérencieusement qu'un fervent catholique peut baiser la mule du pape ; la cérémonie accomplie, il se retira à reculons et fit place à un autre.

Même salut, même génuflexion, même prosternement, même promenade pour les sept ou huit premières personnes de l'empire. Pendant ces adorations, la figure du sultan restait impassible : ses prunelles fixes regardaient sans voir, comme les prunelles de marbre des statues ; aucun tressaillement de muscle, aucun jeu de physionomie, rien qui pût faire croire qu'il s'aperçût de ce qui se passait ; en effet, le magnifique padischa pouvait-il démêler, à la distance prodigieuse qui le sépare des humains, les humbles vermisseaux qui se tortillaient à ses pieds dans la poussière ? Et cependant cette immobilité indifférente n'avait rien d'emphatique ni de tendu. C'était la négligence aristocratique et distraite du grand seigneur, recevant les honneurs qui lui sont dus sans y prendre autrement garde ; la somnolence dédaigneuse du dieu fatigué par ses dévots, trop heureux qu'il veuille bien les souffrir.

Une remarque bizarre que ce défilé de pachas me mit à même de faire, c'est l'obésité énorme des personnages investis de hauts grades ; ils atteignaient des proportions vraiment monstrueuses, des rotondités d'hippopotame et de poussah, qui leur rendaient l'accomplissement de l'étiquette tout à fait laborieux. On ne saurait se faire une idée des contorsions de ces gros êtres, obligés de se courber jusqu'au sol et de se relever ; quelques-uns, plus larges que hauts, et semblables à des superpositions de boules, manquèrent de piquer du nez en terre et de rester étendus aux pieds du maître.

A côté de ces prodigieux Turcs, Lablache paraîtrait svelte et mignon. Cet embonpoint anormal envahit les Turcs souvent de fort bonne heure. Il nous est arrivé de rencontrer aux eaux d'Asie et d'Europe de jeune fils de pachas déjà tout bouffis de graisse à dix ou douze ans, et qui assurément devaient peser deux cents livres ; ils faisaient déjà ployer le cheval barbe qui les portait, et près duquel un saïs marchait la main appuyée sur la croupe. Par un contraste qu'on prendrait pour une raillerie philosophique faite à plaisir, tous les employés inférieurs n'ont que la peau et les os : la caricature des *gras* et des *maigres*, de Breughel, serait de circonstance en Turquie. La décroissance de l'obésité suit une proportion presque mathématique mesurée par le grade. On dirait que les fonctions sont distribuées selon le poids.

Après les pachas vint le Scheick ul-islam en caftan blanc, en turban de même couleur maintenu par une bande d'or traversant le front ; le Scheick ul-islam est en quelque sorte le pape mahométan, un personnage très-puissant et très-vénéré. Aussi, lorsque, après avoir fait le salut d'usage, il fit mine de se baisser comme les autres, Abdul-Medjid sortit de son calme marmoréen, et, satisfait de cette marque de déférence, il le releva gracieusement.

Les ulémas défilèrent ensuite ; mais, au lieu de baiser la botte du sultan, ils se contentaient de toucher de leurs lèvres le bord de son paletot, n'étant pas assez grands personnages pour mériter une telle faveur. — Ici un petit incident troubla la cérémonie : l'ancien schérif de la Mecque, petit vieillard à teint de cuir de Cordoue et à barbe grisonnante, destitué pour cause de fanatisme, se précipita aux pieds du sultan, qui le repoussa assez vivement pour se dérober à son hommage, et lui fit un geste impérieux de refus ; deux grands jeunes gens presque mulâtres, tant ils étaient basanés, vêtus de longues pelisses vertes et coiffés de turbans à bandelettes d'or, qui paraissaient être les fils du vieillard, essayèrent aussi de se jeter aux pieds du sultan ; mais ils ne furent pas mieux accueillis, et on les conduisit hors de l'enceinte tous les trois.

Aux ulémas succédèrent d'autres employés militaires ou civils d'un grade moins élevé, et qui ne pouvaient prétendre à baiser la botte ni le paletot : — un bout de la ceinture du sultan, soutenu par un pacha, offrait à leurs lèvres sa frange d'or à l'extrémité du divan. — C'était assez pour eux de toucher une chose en contact avec le maître ; ils arrivaient les uns après les autres, décrivant le cercle entier, portaient la main à leur cœur et à leur front, après l'avoir descendue jusqu'à terre, effleuraient l'écharpe et passaient. Le nain, debout derrière le trône, les regardait d'un air narquois avec une grimace de gnome malfaisant.

Pendant ce temps, la musique jouait des airs de l'*Elisire d'amore* et de la *Lucrèce Borgia*, le canon tonnait au loin, et les pigeons effrayés du sultan Bayezid s'envolaient par folles bouffées et tournoyaient au-dessus des jardins du sérail. Quand le dernier fonctionnaire eut rendu son hommage, le sultan rentra dans son kiosque, au bruit de vivats frénétiques, et nous retournâmes à Péra chercher un déjeuner dont nous avions cruellement besoin.

XXI
LE CHARLEMAGNE. — LES INCENDIES

L'on parlait depuis longtemps de l'arrivée du *Charlemagne*, qui se faisait attendre, — et il était passé à l'état de vaisseau chimérique, de navire *Argo* ou de voltigeur hollandais, — lorsqu'un beau matin on vit, au moment où l'on n'y pensait plus, se prélasser devant l'échelle de Top'Hané, à l'entrée de la Corne-d'Or, un superbe bâtiment sous pavillon tricolore, portant à sa proue un buste d'empereur, et à sa poupe ce nom écrit en lettres d'or : *Charlemagne*. Comment était-il venu là ? Par quelle magie se trouvait-il au milieu du port ? A ses flancs sabordés d'une triple ligne d'embrasures de canons, nulle trace de tambour pour les roues ; sur son pont, aucune apparence de tuyau ; aux vergues, des voiles carguées et ficelées ; aux mâts, des flammes que faisait onduler un vent contraire : c'était à n'y rien comprendre. Aussi, parmi le peuple, le bruit se répandit-il que c'était une nef magique manœuvrée par les Djinns et les Afrites.

Des difficultés diplomatiques suscitées, dit-on, par l'Autriche et la Russie s'étaient opposées à l'entrée du *Charlemagne* dans le détroit où ne doit pénétrer aucun vaisseau de ligne sans un firman. Le firman fut enfin accordé, et, pour légitimer encore davantage la présence d'un tel navire dans les eaux de la Corne-d'Or, M. le marquis de Lavalette, ambassadeur de France, montait le *Charlemagne* ; ce qui aplanissait tout. Le *Charlemagne*, c'était la France ; et ainsi fut satisfaite la curiosité de Mehemet-Ali, le capitan-pacha, qui désirait voir un vaisseau mixte.

Les caïques rôdaient timidement autour du colosse marin comme des harengs autour d'une baleine, craignant quelque coup de queue ou de nageoire ; enfin, quelques-uns se décidèrent à accoster ses flancs noirs, et les visiteurs enhardis se hissèrent le long des tire-veilles. — Je fus un de ceux-là. En posant le pied sur le pont, le premier visage que j'aperçus fut un visage de connaissance. Giraud me souriait amicalement derrière sa moustache rousse, et secouait en mon honneur son épaisse crinière bouclée ; je lui répondis par un salamaleck à la Covielle dans la cérémonie du Bourgeois Gentilhomme, d'une couleur orientale satisfaisante. Dans mes voyages j'ai cette chance de rencontrer Giraud, aimable et spirituel compagnon s'il en fut ; j'avais déjà eu ce bonheur en Espagne ; je me hâtai de lui indiquer tous les quartiers affreux, toutes les ruelles abominables qui font le désespoir des amateurs de la rue de Rivoli et la joie éternelle des peintres. — J'allai ensuite rendre mes devoirs à l'ambassadeur, que j'avais l'honneur de connaître un peu, et qui me reçut avec bienveillance ; puis Giraud me présenta à ses amis les officiers, et je fus promené dans les trois ponts du navire, pérégrination qui surprend toujours, même lorsqu'elle n'est pas nouvelle pour vous ; car un vaisseau de guerre est une des plus prodigieuses réalisations de la puissance humaine : douze ou treize cents hommes fourmillent, mangent, dorment, manœuvrent sans le moindre désordre dans cet espace rétréci par quatre-vingts canons, une puissante machine haute comme une maison à deux étages, la soute aux poudres, la soute au charbon, la cambuse et des provisions pour plusieurs mois. C'est à la fois une ville, une forteresse et une locomotive. — Les ménagères hollandaises qui se croient propres ne sont que d'infâmes souillons à côté des marins, que nul n'égale dans l'art de balayer, de laver, de poncer, de vernir et de donner son lustre à chaque objet. Pas une souillure aux planchers, pas une tache de rouille ou de vert-de-gris aux fers ou aux cuivres ; tout brille, tout reluit : les panoplies étincellent d'un éclat toujours neuf, l'acajou d'une table anglaise préparée pour le thé du matin est moins net à coup sûr que le pont d'un navire. « On pourrait y manger la soupe » comme dit une énergique locution vulgaire ; et parmi tous ces cordages, qui ont chacun leur nom et s'entre-croisent comme des fils d'araignée, pas un nœud, pas un enchevêtrement, pas une erreur : tout cela joue et glisse sur ses poulies, et se rattache où il faut avec une précision et un ordre admirables.

Je revins à terre, où la discussion continuait à propos du *Charlemagne*. Son hélice, entièrement submergée, sa cheminée, dont le tuyau rentrait comme les tubes d'une lorgnette, lui laissaient toute l'apparence d'un navire à voile, et ce ne fut que plus tard, lorsqu'il fit une excursion à Thérapia, que les caïdjis, émerveillés, furent bien forcés de l'admettre comme bateau à vapeur, en voyant la fumée sortir du tuyau jailli de dessous le pont comme par enchantement, et un remous écumeux se former derrière la poupe et faire vaciller leurs frêles embarcations.

Le lendemain, l'ambassadeur fit sa descente avec le cérémonial officiel, il fut reçu à terre par les deux délégués du commerce et ce qu'à l'étranger on appelle la nation, — c'est dire tous les Français présents à Constantinople. Je pris place parmi les rangs du cortége, et nous accompagnâmes M. de la Valette jusqu'au palais de l'ambassade, situé dans la grande rue de Péra : cette cérémonie a quelque chose de touchant. Cette poignée d'hommes perdus dans cette ville immense où règne une religion différente, où se parle une langue dont les racines nous sont inconnues, où tout est différent de nos usages, lois, mœurs, costumes, se rassemblant et formant une petite patrie autour de l'ambassadeur, en qui se personnifie la France, avait une poésie sentie des moins susceptibles de ce genre d'impression. — Il y avait là des gens qui marchaient tête nue sous un soleil brûlant, et qui, certes, professaient des opinions opposées à celles du gouvernement représenté par M. de la Valette, des républicains, des exilés même ; mais à cette distance toute hostilité particulière disparaît ; on ne se souvient plus que de l'*alma mater*, de la sainte mère commune. — L'arrivée du *Charlemagne* avait causé quelque effervescence parmi la population turque, et, en cas d'avanie ou d'insulte, on se serait assurément fait tuer jusqu'au dernier autour de l'ambassadeur ; mais la caravane française parvint heureusement au palais, malgré les regards obliques des vieux fanatiques qui regrettent encore le temps des janissaires, et ne peuvent voir passer un Franc sans lui grommeler, sous leur moustache blanche, l'injure sacramentelle de *Chien de chrétien* !

La présence du *Charlemagne* à Constantinople concorda avec de nombreux incendies ; il n'y en eut pas moins de quatorze en une semaine, et la plupart très-considérables. A quoi fallait-il les attribuer ? A l'extrême sécheresse qui faisait de ces maisons de poutrelles et de planchettes à demi pourries de vétusté autant de morceaux d'amadou prêts à s'enflammer à la moindre étincelle ; aux sortiléges jetés par le mystérieux bateau à vapeur sans roue et sans cheminée, comme le croyait fermement la populace ; à des corporations de charpentiers curieux de se créer de l'ouvrage, ou à une cause politique, ainsi qu'en étaient persuadés des gens bien au fait des mœurs orientales ?

A la suite du Ramadan, qui, par ses jeûnes et ses exercices de piété, exalte les imaginations, il se manifeste ordinairement une recrudescence de fanatisme, et ce mouvement des esprits n'était pas favorable à Reschid-Pacha, alors ministre, accusé de pencher vers les idées européennes, et regardé presque comme un giaour par les vieux Turcs en caftan vert et en gros turbans, pareils à ces mannequins habillés que l'on conserve derrière les vitrines de l'Elbicei-Atika, ce cabinet de Curtius de l'ancienne nationalité ottomane. Quoiqu'il y ait à Constantinople un journal français très-bien dirigé par M. Noguès, comme ce journal est subventionné par l'État, l'opposition, au lieu de faire des articles, allume un quartier, manière significative de témoigner sa mauvaise humeur, — on le dit, du moins, — nous avons peine à le croire, bien que ce moyen fût employé autrefois par les janissaires mécontents ; d'autres voyaient dans ces incendies qui, à peine éteints, se rallumaient sur un autre point de la ville, la torche ou du moins l'allumette chimique de la Russie essayant d'indisposer la population contre la France ; mais le courage avec lequel l'équipage du *Charlemagne* courait au feu, M. Rigaud de Genouilly en tête, grimpant, la hache en main, sur les maisons embrasées, disputant les victimes aux flammes, lui eût bientôt concilié la bienveillance générale. Reschid-Pacha fut remplacé par Fuad-Effendi, continuateur de ses idées. Cette légère concession ramena le calme dans les esprits, et les incendies s'arrêtèrent, peut-être naturellement, peut-être pour cette raison.

Avec une ville presque toute construite en bois et la négligence, résultat du fatalisme turc, l'incendie peut être considéré comme un fait normal à Constantinople. Une maison ayant une soixantaine d'années de date est une rareté. Excepté les mosquées, les aqueducs, les murailles et les fontaines, quelques maisons grecques du Phanar, quelques constructions génoises à Galata, tout est en planches ; les âges disparus n'ont laissé aucun témoignage sur ce sol, perpétuellement balayé par la flamme ; la face de la ville se renouvelle entièrement chaque demi-siècle, sans varier pourtant beaucoup. Je ne parle pas de Péra, Marseille d'Orient, qui, sur la place de chaque baraque de bois brûlée, élève aussitôt une solide maison de pierre, et qui sera bientôt une ville tout à fait européenne.

Au sommet de la tour du Seraskier, phare blanc d'une hauteur prodigieuse, s'élevant dans l'azur, non loin des dômes et des minarets du sultan Bayezid, tourne perpétuellement une vigie qui regarde si, dans l'immense horizon déroulé en panorama à ses pieds, quelque fumée noire, quelque langue rouge ne jaillit pas par l'interstice d'un toit. Quand la vigie aperçoit un commencement d'incendie, on suspend au haut du phare un panier si c'est le jour, une lanterne si c'est la nuit, avec une certaine combinaison de signaux qui indique le quartier de la ville ; le canon tonne, et le cri lugubre : *Stamboul hiangin var !* retentit sinistrement par les rues, tout le monde s'émeut, et les porteurs d'eau (saccas), qui sont en même temps les pompiers, s'élancent au pas de course dans la direction désignée par la vedette.

Une vigie pareille est établie sur la tour de Galata, qui fait presque face, de l'autre côté de la Corne-d'Or, à la tour du Seraskier.

Le sultan, les vizirs et les pachas sont tenus de se porter en personne aux incendies. Si le sultan est retiré au fond du harem avec une femme, une odalisque vêtue de rouge, la tête coiffée d'un turban écarlate, pénètre jusqu'à la chambre, soulève la portière et se tient debout, silencieuse et sinistre. L'apparition de ce fantôme flamboyant lui annonce que le feu est à Constantinople, et qu'il ait à faire son devoir de souverain.

J'étais un jour assis sur une tombe, occupé à griffonner quelques vers, dans le petit Champ-des-Morts de Péra, lorsque je vis monter à travers les cyprès une fumée bleuâtre qui devint jaune, puis noire, et laissa passer quelques jets de flamme étouffés par l'éclatante lumière du soleil ; je me levai, je cherchai une place découverte, et j'aperçus au bas de la colline funèbre Kassim-Pacha qui brûlait. Kassim-Pacha est un quartier assez misérable, peuplé de pauvres gens : de Juifs, d'Arméniens, resserré entre le cimetière et l'arsenal. — Je descendis sa principale rue, bordée d'échoppes et de baraques, dont le milieu est occupé par un ruisseau fangeux, espèce d'égout à ciel ouvert, traversé de ponceaux ; l'incendie était encore concentré aux environs d'une mosquée dont je ne saurais mieux comparer le minaret qu'à une chandelle coiffée d'un éteignoir de fer-blanc. Je craignais de voir ce minaret fondre dans les flammes, qu'un changement de vent poussa dans une autre direction, en sorte que ceux qui croyaient n'avoir rien à craindre se trouvèrent subitement menacés.

La rue était encombrée de négresses portant des matelas roulés, de hammals chargés de coffres, d'hommes sauvant leurs tuyaux de pipes, de femmes effarées traînant d'une main un enfant, et de l'autre un paquet de hardes ; de cawas et de soldats armés de longs crochets, de saccas courant à travers la foule, leurs pompes sur l'épaule, d'hommes à cheval galopant pour aller chercher du renfort sans le moindre souci des piétons ; tout le monde se heurtait, se bousculait, se renversait, avec des cris et des injures en toutes sortes d'idiomes. Le tumulte était à son comble. Pendant ce temps la flamme marchait en élargissant le cercle de ses ravages. Craignant d'être jeté à terre et foulé aux pieds, je regagnai la hauteur de Péra, et, me hissant sur un cippe de marbre de Marmara, je regardai, en compagnie de Turcs, de Grecs et de Francs, le triste spectacle qui se déroulait au pied de la colline.

Les rayons brûlants du midi tombaient d'aplomb sur les toits de tuiles brunes ou de planches goudronnées de Kassim-Pacha, dont les maisons s'allumaient successivement comme les fusées d'un feu d'artifice. D'abord on voyait un petit jet de fumée blanche sortir par quelque interstice, puis une mince langue écarlate suivait la fumée blanche, la maison noircissait, les fenêtres rougeoyaient, et au bout de quelques minutes tout s'effondrait dans un nuage de cendres.

Sur ce fond de vapeur enflammée se dessinaient, au bord des toits, en silhouettes noires, des hommes qui versaient de l'eau sur les planches pour les empêcher de prendre feu ; d'autres, avec des haches et des crocs, abattaient des pans de murs pour circonscrire l'incendie. Des saccas, debout sur une poutre transversale restée intacte, dirigeaient le bec de leurs pompes contre ces flammes ; de loin, ces pompes aux flexibles tuyaux de cuir, à l'ajustage de cuivre luisant, avaient l'air de couleuvres irritées combattant des dragons ignivomes et leur dardant des éclairs argentés. Quelquefois le dragon crachait de ses flancs noirs un tourbillon d'étincelles pour faire reculer la couleuvre ; mais celle-ci revenait à la charge, sifflante et furieuse, vibrant une lance d'eau scintillante comme le diamant. Après des apaisements et des recrudescences, l'incendie s'éteignit faute de pâture ; il ne resta que quelques fumées qui montaient lentement des charbons et des décombres.

Le lendemain, j'allai visiter le lieu du sinistre. Deux ou trois cents maisons avaient brûlé. C'était peu de chose si l'on considère l'extrême combustibilité des matériaux ; la mosquée, protégée par ses murailles et ses cloîtres de pierre, était restée intacte. Sur l'emplacement des baraques réduites en cendres, s'élevaient seules les cheminées de briques dont les tuyaux avaient résisté à l'action du feu. Rien n'était plus bizarre que ces obélisques rougeâtres isolés des constructions qui les entouraient la veille. On eût dit un jeu d'énormes quilles plantées là pour l'amusement de Typhon ou de Briarée.

Sur les ruines chaudes et fumantes encore de leurs maisons, les anciens propriétaires s'étaient construit déjà des abris provisoires au moyen de nattes de jonc, de vieux tapis et de morceaux de toile à voile soutenus par des piquets, et fumaient leur pipe avec toute la résignation du fatalisme oriental ; des chevaux étaient attachés à des pieux à la place où avait été leur écurie ; des pans de cloison et des bouts de planches clouées reconstituaient le harem ; un cawadji cuisinait son moka au fourneau, seul reste de sa boutique, sur l'emplacement de laquelle se tenaient accroupis, dans la cendre, tous ses fidèles clients ; plus loin, des boulangers écrémaient, avec des sébiles de bois, des tas de blé dont la flamme avait grillé seulement la première couche ; de pauvres diables cherchaient sous les braises mal éteintes des clous et des ferrailles, débris de leur fortune, mais sans avoir l'air autrement désolé. Je ne vis pas à Kassim-Pacha ces groupes éperdus, ululants et désespérés, qu'un événement pareil ferait se tordre, en France, sur les décombres d'un village ou d'un quartier incendié ; être brûlé, à Constantinople, est une chose toute simple.

Je suivis jusqu'à la Corne-d'Or, tout près de l'Arsenal, le chemin tracé par l'incendie. Il faisait une chaleur horrible, augmentée encore par les émanations d'un sol calciné, chaud de la flamme à peine éteinte ; je marchais sur des charbons recouverts par une cendre perfide, à travers des débris à demi consumés : planches, poutres, solives, fragments de divans et de bahuts ; tantôt sur des places grises, tantôt sur des places noires, à travers des fumées rousses et des réverbérations de soleil à cuire un œuf, puis je revins par une ruelle assez pittoresque, le long d'un ruisseau encombré de savates et de fragments de poterie qui fournirait, avec ses deux ponts branlants, de jolis motifs d'aquarelle à Williams Wyld ou à Tesson.

J'avais vu l'incendie de jour ; il ne me manquait plus que l'incendie de nuit. Ce spectacle ne se fit pas attendre ; un soir, une lueur pourprée, que je ne saurais mieux comparer qu'aux rougeurs de l'aurore boréale, teignit le ciel de l'autre côté de la Corne-d'Or ; je prenais une glace sur la promenade du petit Champ, et je descendis immédiatement pour fréter un caïque et me transporter au lieu du sinistre, lorsqu'en passant près de la tour de Galata, un de mes amis de Constantinople, qui m'accompagnait, eut l'idée de monter à la tour d'où l'on découvre en effet la rive opposée du port ; un bacchich eut bientôt levé les scrupules du gardien, et nous commençâmes à grimper dans l'obscurité, tâtant le mur des mains, essayant chaque marche du pied, par un escalier assez difficile, aux spirales interrompues de paliers et de portes. Nous arrivâmes ainsi jusqu'à la lanterne, et, marchant sur les lames de cuivre qui revêtent le sol, nous allâmes nous appuyer au rebord de maçonnerie dont la tour est couronnée.

C'était le magasin des huiles et des suifs qui brûlait. Ces bâtiments sont situés au bord de l'eau, qui, en reflétant les flammes, produisait par la réverbération l'aspect d'un double incendie au milieu duquel les maisons se dessinaient en silhouettes noires frappées comme à l'emporte-pièce de trous lumineux. Des traînées de feu, brisées par l'oscillation des vagues, s'allongeaient sur la Corne-d'Or, semblable à ce moment à une vaste nappe de punch ; les flammes s'élevaient à une hauteur prodigieuse, rouges, bleues, jaunes, vertes, selon les matériaux qu'elles dévoraient ; quelquefois une phosphorescence plus vive, une lueur plus incandescente éclatait dans l'embrasement général ; des milliers de flammèches volaient en l'air comme les pluies d'or et d'argent d'une bombe d'artifice, et, malgré la distance, on entendait la crépitation de l'incendie. Au-dessus de la flamme, se contournaient d'énormes masses de fumée bleuâtres d'un côté et de l'autre roses comme les nuages au couchant. La tour du Seraskier, Yeni-Djami, la Solimanieh, la mosquée d'Achmet, celle de Selim, et plus haut, sur la crête de la colline, les arcades de l'aqueduc de Valens brillaient illuminées de reflets rougeâtres ; les barques et les vaisseaux du port se découpaient en ombres chinoises sur un fond écarlate ; deux ou trois péniches chauffées trop violemment prirent feu, et l'on put craindre un moment une conflagration générale dans cet encombrement de navires ; mais elles s'éteignirent bientôt.

Malgré le vent froid qui nous glaçait à cette hauteur, car nous étions assez légèrement vêtus, mon compagnon et moi, nous ne pouvions nous arracher à ce spectacle désastreusement magnifique, qui nous faisait comprendre et presque excuser, par sa beauté, Néron regardant brûler Rome de sa tour du Palatin. C'était un flamboiement splendide, un feu d'artifice à la centième puissance, avec des effets que la pyrotechnie ne saura jamais atteindre ; et, comme nous n'avions pas le remords de l'avoir allumé, nous pouvions en jouir en artistes, tout en déplorant un tel malheur.

A deux ou trois jours de là, Péra prit feu à son tour. — Le Tekké des derviches tourneurs fut bientôt envahi par les flammes, et là je vis un bel exemple du flegme oriental. Le chef des derviches fumait sa pipe sur un tapis que l'on reculait de temps à autre à mesure que l'incendie gagnait du terrain. Le petit bout de cimetière qui s'étend devant le Tekké s'encombra rapidement de tous les objets, ustensiles, meubles et marchandises des maisons menacées qu'on déménageait souvent par les fenêtres pour aller plus vite : les faïences les plus grotesques s'étalaient sur les tombes dans un pêle-mêle affreux et risible. La population — presque toute chrétienne — du quartier ne manifestait pas la même résignation que montrent les Turcs en pareille circonstance ; les femmes criaient ou pleuraient, assises sur leurs meubles entassés.

Les vociférations se croisaient de toutes parts, le désordre et le tumulte étaient au comble. Enfin, on parvint à faire la part du feu, et, du Tekké jusqu'au bas de la colline, il ne resta debout que les cheminées. Dans les désastres les plus sérieux, il y a toujours quelques détails burlesques : je vis un homme qui manqua se faire cuire pour sauver des tuyaux de poêle ; plus loin, un pauvre vieux et une pauvre vieille, qui veillaient leur fils mort dans une maison embrasée, ne voulaient pas abandonner le cher cadavre, et on fut obligé de les emporter de force. C'était le côté touchant. Comme effet pittoresque, je remarquai les cyprès du Jardin des Derviches qui se desséchaient, jaunissaient et s'allumaient comme des chandeliers à sept branches.

Trois ou quatre nuits plus tard, Péra se ralluma par l'autre bout, vers le grand Champ-des-Morts ; une vingtaine de maisons de bois brûlèrent comme des allumettes, lançant dans le ciel bleu de la nuit des gerbes d'étincelles et de flammèches, malgré l'eau dont on les inondait. La grande rue de Péra présentait l'aspect le plus sinistre ; les compagnies de saccas, leurs pompes sur l'épaule, la parcouraient au grand trot, renversant tout sur leur passage, comme c'est leur privilége, car ils ont ordre de ne se détourner pour qui que ce soit ; des mouchirs à cheval, suivis d'une escouade de valetaille farouche, courant à pied derrière eux, comme la *Patrouille turque* de Decamps, jetaient, à la lueur des torches, des silhouettes étranges sur les murailles ; les chiens, foulés aux pieds, fuyaient par bandes en poussant des hurlements plaintifs ; des hommes et des femmes passaient, ployés sous des paquets ; des saïs traînaient par le licou des chevaux qui s'effaraient : c'était terrible et beau. Heureusement, quelques maisons de pierre arrêtèrent la marche de l'incendie.

Dans la même semaine, Psammathia, — un quartier grec de Constantinople, — devint la proie des flammes ; deux mille cinq cents maisons brûlèrent. Puis Scutari s'alluma à son tour. A chaque instant le ciel devenait rouge dans quelque coin, et la tour du Seraskier ne faisait que hisser son panier et sa lanterne ; on eût dit que le démon de l'incendie secouait sa torche sur la ville. — Enfin, tout s'éteignit, et les désastres s'oublièrent avec cette heureuse insouciance sans laquelle l'espèce humaine ne saurait vivre.

XXII
SAINTE-SOPHIE. — LES MOSQUÉES

Il serait dangereux, pour un giaour, de pénétrer dans les mosquées pendant le Ramadan, même avec un firman et sous la protection des cawas ; les prédications des imans excitent chez les fidèles un redoublement de ferveur et de fanatisme ; l'exaltation du jeûne échauffe les cervelles vides, et la tolérance habituelle, amenée par les progrès de la civilisation, pourrait facilement s'oublier dans ces moments-là. J'attendis donc après le beïram pour faire cette visite obligatoire.

On commence ordinairement la tournée par Sainte-Sophie, le monument le plus ancien et le plus considérable de Constantinople, qui, avant d'être une mosquée, a été une église chrétienne dédiée, non à une sainte, comme son nom pourrait le faire croire, mais à la sagesse divine « Agia Sophia, » personnifiée par les Grecs, et, selon eux, mère des trois vertus théologales.

Quand on la regarde de la place qui s'étend devant Baba-Hummayoun (porte Auguste), le dos appuyé aux délicates ciselures et aux inscriptions sculptées de la fontaine d'Achmet III, Sainte-Sophie présente un amas incohérent de constructions difformes. Le plan primitif a disparu sous une agrégation de bâtisses après coup qui oblitèrent les lignes générales et les empêchent d'être aisément discernées. — Entre les contre-forts élevés par Amurat III pour soutenir les murailles ébranlées aux secousses des tremblements de terre, se sont accrochés, comme des agarics dans les nervures d'un chêne, des tombeaux, des écoles, des bains, des boutiques, des échoppes.

Au-dessus de ce tumulte s'élève, entre quatre minarets assez lourds, la grande coupole appuyée sur des murs aux assises alternativement blanches et roses, et entourée comme d'une tiare d'un cercle de fenêtres treillissées à jour ; les minarets n'ont pas l'élégante sveltesse des minarets arabes ; la coupole s'épate pesamment sur ce tas de masures désordonnées, et le voyageur, dont l'imagination avait involontairement travaillé à ce nom magique de Sainte-Sophie, qui fait penser au temple d'Éphèse et à celui de Salomon, éprouve une déception qui heureusement ne se continue pas quand il a pénétré dans l'intérieur. On doit dire, à l'excuse des Turcs, que la plupart des monuments chrétiens sont aussi misérablement obstrués, et que telle cathédrale célèbre et merveilleuse a ses flancs tout rugueux d'excroissances de plâtre et de bouts de planches, et que ses flèches ouvrées en dentelle jaillissent la plupart du temps d'un chaos immonde de baraques.

Pour arriver à la porte de la mosquée, on suit une espèce de ruelle, bordée de sycomores et de turbés, dont les pierres peintes et dorées reluisent vaguement à travers les grilles, et l'on se trouve bientôt, après quelques détours, en face d'une porte de bronze dont un des battants garde encore l'empreinte d'une croix grecque. Cette porte latérale donne accès dans un vestibule percé de neuf portes. On échange ses chaussures contre des pantoufles, qu'il faut avoir soin de faire apporter par son drogman, car pénétrer avec des bottes dans une mosquée serait une inconvenance aussi grave que de garder son chapeau dans une église catholique, et qui pourrait avoir des suites beaucoup plus fâcheuses.

Au premier pas que je fis, j'éprouvai un mirage singulier, et il me sembla que j'étais à Venise, débouchant de la piazza sous la nef de Saint-Marc. Seulement les lignes s'étaient démesurément agrandies et tout avait pris des dimensions colossales ; les colonnes surgissaient immenses du pavé recouvert de nattes ; l'arc de la coupole s'évasait comme la sphère des cieux : les pendentifs, dans lesquels les quatre fleuves sacrés épanchent leurs flots de mosaïque, décrivaient des courbes géantes, les tribunes s'étaient élargies de manière à contenir un peuple : Saint-Marc, c'est Sainte-Sophie en miniature, une réduction sur l'échelle d'un pouce pour pied de la basilique de Justinien. Rien d'étonnant à cela, d'ailleurs : Venise, qu'une mer étroite sépare à peine de la Grèce, vécut toujours dans la familiarité de l'Orient, et ses architectes ont dû chercher à reproduire le type de l'Église qui passait pour la plus belle et la plus riche de la chrétienté. Saint-Marc a été commencé vers le dixième siècle, et ses constructeurs avaient pu voir Sainte-Sophie dans toute son intégrité et sa splendeur, bien avant qu'elle eût été profanée par Mahomet II, événement qui du reste n'arriva qu'en 1453.

La Sainte-Sophie actuelle fut élevée sur les cendres du temple consacré à la sagesse divine par Constantin le Grand, et consumé dans un incendie à la suite des troubles entre les factions des verts et des bleus ; son antiquité a pour fondement une antiquité plus profonde encore. Anthemius de Tralles et Isidore de Milet en tracèrent les plans, en dirigèrent la construction. Pour enrichir la nouvelle église, on dépouilla les vieux temples païens, et l'on fit supporter la coupole du Christ aux colonnes du temple de la Diane d'Éphèse, noires encore de la torche d'Erostrate, et aux piliers du temple du Soleil, à Palmyre, tout dorés des rayons de leur astre ; on prit aux ruines de Pergame deux urnes énormes de porphyre dont les eaux lustrales devinrent les eaux du baptême, puis celles des ablutions ; on tapissa les murs de mosaïques d'or et de pierres précieuses, et, lorsque tout fut fini, Justinien put s'écrier dans son ravissement : Gloire à Dieu, qui m'a jugé digne d'achever un si grand ouvrage ; ô Salomon ! je t'ai vaincu.

Quoique l'islamisme, ennemi des arts plastiques, l'ait dépouillée d'une grande partie de ses ornements, Sainte-Sophie est encore un magnifique temple. Les mosaïques à fond d'or, représentant des sujets bibliques, comme celles de Saint-Marc, ont disparu sous une couche de badigeon. On n'a conservé que les quatre gigantesques chérubins des pendentifs, dont les six ailes multicolores palpitent à travers le scintillement des cubes de cristal doré ; encore a-t-on caché les têtes qui forment le centre de ce tourbillon de plume sous une large rosace d'or, la reproduction du visage humain étant en horreur aux musulmans. Au fond du sanctuaire, sous la voûte du cul de four qui le termine, on aperçoit confusément les lignes d'une figure colossale que la couche de chaux n'a pu cacher tout à fait : c'est celle de la patronne de l'église, l'image de la Sagesse divine, ou plus exactement de la sainte Sagesse, *Agia Sophia*, et qui, sous ce voile à demi transparent, assiste impassible aux cérémonies d'un culte étranger.

Les statues ont été enlevées. — L'autel, fait d'un métal inconnu, résultant comme l'airain de Corinthe d'or, d'argent, de bronze, de fer et de pierres précieuses en fusion, est remplacé par une dalle de marbre rouge, indiquant la direction de la Mecque. Au-dessus pend un vieux tapis tout usé, guenille poussiéreuse qui a pour les Turcs ce mérite d'être un des quatre tapis sur lesquels Mahomet s'agenouillait pour faire sa prière.

D'immenses disques verts, donnés par différents sultans, sont appendus aux murailles et font reluire des surates du Koran ou des maximes pieuses écrites en énormes lettres d'or. — Un cartouche de porphyre contient les noms d'Allah, de Mahomet et des quatre premiers califes, Abu-Bekr, Omar, Osman et Ali. La chaire (nimbar) où le khetib se place pour réciter le Koran, est adossée à un des piliers qui supportent l'abside. On parvient par un escalier assez roide côtoyé de deux balustrades découpées à jour et d'un travail aussi précieux que celui de la plus fine guipure. Le khetib n'y monte que le livre de la loi d'une main et le sabre de l'autre, comme dans une mosquée conquise.

Des cordons, où pendent des houppes de soie et des œufs d'autruche, descendent des voûtes jusqu'à dix ou douze pieds du sol, soutenant des cercles de fils de fer, garnis de veilleuses, de manière à former lustre. Des pupitres croisés en X, pareils à ceux dont nous nous servons pour feuilleter les recueils de gravures, sont dispersés çà et là et soutiennent les manuscrits du Koran ; plusieurs sont ornés d'élégantes nielles et de délicates incrustations de nacre, de cuivre et de burgau. — Des nattes de jonc l'été, des tapis l'hiver, recouvrent le pavé formé de dalles de marbre, dont les veines ajustées avec art semblent couler, comme trois fleuves aux ondes figées, à travers l'édifice. — Ces nattes présentent une particularité singulière : elles sont posées obliquement et contrarient les lignes architecturales, — c'est comme un plancher placé de travers et ne cadrant pas avec les murailles qui le bordent. Cette bizarrerie s'explique : Sainte-Sophie n'était pas destinée à devenir une mosquée, et par conséquent n'est pas régulièrement orientée vers la Mecque.

On le voit, les mosquées ressemblent assez, à l'intérieur, aux églises protestantes. L'art ne peut y déployer ses pompes et ses magnificences. — Des inscriptions pieuses, une chaire, des pupitres, des nattes pour s'agenouiller, — voilà tout l'ornement permis. — L'idée seule de Dieu doit remplir son temple, et elle est assez grande pour cela. — Cependant, je l'avoue, le luxe artiste du catholicisme me paraît préférable, et le danger allégué d'idolâtrie n'est à craindre que pour des peuples barbares incapables de séparer la forme du fond, l'image de la pensée.

La coupole principale, un peu écrasée dans sa courbe, est entourée de plusieurs demi-dômes comme celle de Saint-Marc, à Venise ; elle est d'une hauteur immense et devait étinceler comme un ciel d'or et de mosaïque avant que la chaux musulmane eût éteint ses splendeurs. Telle qu'elle est, elle m'a produit une impression plus vive que celle du dôme de Saint-Pierre ; l'architecture byzantine est à coup sûr la forme nécessaire du catholicisme. L'architecture gothique même, quelle que soit sa valeur religieuse, ne s'y approprie pas si exactement ; malgré ses dégradations de toute sorte, Sainte-Sophie l'emporte encore sur toutes les églises chrétiennes que j'ai vues, et j'en ai visité beaucoup. — Rien n'égale la majesté de ces dômes, de ces tribunes portant sur des colonnes de jaspe, de porphyre, de vert antique aux chapiteaux d'un corinthien bizarre, où des animaux, des chimères, des croix, s'enlacent aux feuillages. — Le grand art de la Grèce, dégénéré, il est vrai, s'y fait encore sentir ; on comprend que lorsque le Christ est entré dans ce temple, Jupiter venait d'en sortir.

Il y a quelques années, Sainte-Sophie menaçait ruine ; les murailles faisaient ventre, des fissures lézardaient les dômes, le pavé ondulait, les colonnes, lasses de rester debout depuis si longtemps, chancelaient comme des hommes ivres ; rien n'était d'aplomb, tout l'édifice penchait visiblement à droite ; malgré les contre-forts d'Amurat, l'église-mosquée, tassée par les siècles, secouée par les tremblements de terre, semblait près de s'affaisser sur elle-même. — Un architecte tessinois très-habile, M. Fossati, accepta la tâche difficile de redresser et de raffermir l'antique monument, qu'il reprit en sous-œuvre, portion par portion, avec une prudence et une activité infatigables. Des bracelets d'airain cerclèrent les colonnes fendues, des armatures de fer maintinrent les arcades qui s'effondraient, des substructions solidifièrent les pans de murs fatigués ; les fentes par où s'infiltrait l'eau des pluies furent bouchées, toutes les pierres effritées cédèrent la place à des pierres neuves ; des masses de maçonnerie, adroitement dissimulées, allégèrent du poids de la coupole les piliers incapables de la soutenir, et, grâce à cette heureuse et complète restauration, Sainte-Sophie put se promettre encore quelques centaines d'années d'existence.

Pendant les travaux, M. Fossati a eu la curiosité de débarbouiller les mosaïques primitives de la couche de chaux qui les empâte, et avant de les recouvrir il les a copiées avec un soin pieux : il devrait bien faire graver et publier ces dessins d'un si haut intérêt pour l'art et qu'une occasion unique lui a permis de contempler.

Ces mosaïques sont celles de la coupole et des demi-dômes. Les autres, qui garnissaient les parois inférieures, sont dégradées et peuvent être considérées comme perdues. Les mollahs déracinent chaque jour avec leurs couteaux les petits cubes de cristal revêtu d'une feuille d'or et les vendent aux étrangers. J'en possède moi-même une demi-douzaine de morceaux détachés en ma présence ; quoique je ne sois pas de ces touristes qui cassent le nez des statues pour emporter un souvenir des monuments qu'ils visitent, je ne crus pas devoir tromper l'espoir d'un léger bacchich que caressait l'honnête osmanli.

Du haut de ces tribunes, où l'on parvient par des rampes à pentes douces comme celles qui serpentent dans l'intérieur de la Giralda et du Campanile, on embrasse admirablement l'ensemble de la mosquée. — En ce moment, quelques fidèles accroupis sur les nattes faisaient dévotement leurs prosternations. Deux ou trois femmes enveloppées de leurs feredgés se tenaient près d'une porte, et, la tête appuyée sur la base d'une colonne, un hammal dormait de tout son cœur ; un jour doux et tendre tombait des fenêtres élevées, et je voyais dans l'hémicycle, en face du nimbar, briller les grillages d'or de la tribune réservée au sultan.

Des espèces de plate-formes soutenues par des colonnes de marbre précieux, garnies de garde-fous découpés à jour et faisant saillie sur les lignes générales, s'avancent à chaque point d'intersection des nefs. Dans les chapelles des bas-côtés, inutiles au culte musulman, s'entassent des malles, des coffres et des paquets de toutes formes ; car les mosquées, en Orient, servent de lieu de dépôt ; ceux qui voyagent ou qui craignent d'être volés chez eux y mettent leurs richesses sous la garde de Dieu, et il n'y a pas d'exemple qu'un aspre ou un para ait été détourné ; le vol se compliquerait alors du sacrilége ; la poussière se tamise sur des masses d'or et d'effets précieux à peine enveloppés d'une toile grossière ou d'un lambeau de vieux cuir ; l'araignée, si chère aux musulmans pour avoir tissé sa toile à l'entrée de la grotte où s'était réfugié Mahomet, tend paisiblement ses fils sur des serrures que personne ne touche.

Autour de la mosquée se groupent des imarets (hospices), des médressés (colléges), des bains, des cuisines pour les pauvres, car toute la vie musulmane gravite autour de la maison de Dieu ; les gens sans asile y dorment sous les arcades, où jamais police ne les dérange, ils sont les hôtes d'Allah ; les fidèles y prient, les femmes y rêvent, les malades s'y font porter pour guérir ou pour mourir. En Orient, la vie réelle ne se sépare pas de la religion.

J'ai vainement cherché à Sainte-Sophie la trace de la main sanglante que Mahomet II, pénétrant à cheval dans ce sanctuaire, appuya contre le mur en signe de prise de possession, alors que les femmes et les vierges éperdues s'étaient réfugiées vers l'autel, comptant, pour être sauvées, sur un miracle qui ne se fit pas. Cette rouge empreinte est-elle un fait historique ou tout simplement une légende ?

Puisque je viens de prononcer le mot de légende, je vais en raconter une qui a cours dans Constantinople, et à laquelle les événements du jour donneront le mérite de l'à-propos. Lorsque les portes de Sainte-Sophie s'ouvrirent sous la pression des hordes barbares qui assiégeaient la ville de Constantin, un prêtre était à l'autel en train de dire la messe. Au bruit que firent sur les dalles de Justinien les sabots des chevaux tartares, aux hurlements de la soldatesque, au cri d'épouvante des fidèles, le prêtre interrompit le saint sacrifice, prit avec lui les vases sacrés et se dirigea vers une des nefs latérales d'un pas impassible et solennel. Les soldats brandissant leurs cimeterres allaient l'atteindre, lorsqu'il disparut dans un mur qui s'ouvrit et se referma ; on crut d'abord à quelque issue secrète, une porte masquée ; mais non : le mur sondé était solide, compacte, impénétrable. Le prêtre avait passé à travers un massif de maçonnerie.

Quelquefois, dit-on, l'on entend sortir de l'épaisseur de la muraille de vagues psalmodies. — C'est le prêtre toujours vivant, comme Barberousse du fond de sa caverne de Kyefhausen, qui marmotte en dormant les liturgies interrompues. Quand Sainte-Sophie sera rendue au culte chrétien, la muraille s'ouvrira d'elle-même, et le prêtre, sortant de sa retraite, viendra achever à l'autel la messe commencée il y a quatre cents ans.

Par la question d'Orient qui court, la légende, quelque invraisemblable qu'elle soit, pourrait fort bien se réaliser. 1853 verra-t-il le prêtre de 1453 traverser la nef de Sainte-Sophie et monter d'un pas de fantôme les degrés de l'autel de Justinien ?

En sortant de Sainte-Sophie, je visitai quelques mosquées. Celle du sultan Achmet, située près de l'Atmeïdan, est une des plus remarquables ; elle offre cette particularité d'avoir six minarets, ce qui lui a fait donner en turc le nom d'Alty-Minareli-Djami. Je mentionne cette circonstance, parce qu'elle donna lieu, pendant la construction de l'édifice, à un débat entre le sultan et l'iman de la Mecque. — L'iman criait à l'impiété, à l'orgueil sacrilége, aucun temple de l'islam ne devant égaler en splendeur la sainte Kaaba, flanquée du même nombre de minarets. Les travaux furent interrompus, et la mosquée risquait de n'être jamais finie, lorsque le sultan Achmet, en homme d'esprit, trouva un subterfuge ingénieux pour fermer la bouche au fanatique iman : il fit élever un septième minaret à la Kaaba.

La mosquée d'Achmet coûta des sommes folles, et l'on calcula que chaque dragme de pierre y revint à trois aspres. — Quel que soit le total du devis, elle vaut ce qu'elle a coûté. Sa haute coupole s'arrondit majestueusement au milieu de plusieurs demi-dômes, entre ses six glorieux minarets cerclés de balcons ouvrés comme des bracelets. Elle est précédée d'une cour entourée de colonnes à chapiteaux noirs et blancs, à base de bronze, supportant des arcades qui forment un quadruple cloître ou portique, si le mot cloître sonne étrangement dans la description d'une mosquée. Au milieu de la cour s'élève une fontaine très-ornée, très-fleurie, très-compliquée d'arabesques, de rinceaux, d'entrelacs, et couverte d'une cage de treillis dorés, sans doute pour protéger la pureté des eaux destinées aux ablutions.

Le style de toute cette architecture est noble, pur, et rappelle les belles époques de l'art arabe, quoique la construction ne remonte pas plus loin que le commencement du dix-septième siècle. Une porte de bronze, où l'on arrive par deux ou trois marches, donne accès dans l'intérieur de la mosquée. Ce qui vous frappe d'abord, ce sont les quatre piliers énormes, ou plutôt les quatre tours cannelées qui portent le poids de la coupole principale. Ces piliers, à chapiteaux taillés en stalactites, sont entourés à mi-hauteur d'une bande plane couverte d'inscriptions en lettres turques ; ils ont un caractère de majesté robuste et de puissance indestructible d'un effet saisissant.

Les versets du Koran circulent aussi autour des coupoles et des dômes, le long des corniches ; motif d'ornementation imité de l'Alhambra, et auquel se prête admirablement l'écriture arabe avec ses caractères qui ressemblent à des dessins de châles de Cachemire. Des claveaux alternativement blancs et noirs bordent les voussures des arcades ; le mirahb, qui désigne l'orientation de la Mecque, et où repose le livre saint, est incrusté de lapis-lazuli, d'agate, de jaspe : il s'y trouve même, dit-on, enchâssé, un fragment de la pierre noire de la Kaaba, relique aussi précieuse pour les musulmans qu'un morceau de la vraie croix pour les chrétiens ; c'est dans cette mosquée que l'on conserve l'étendard du prophète, qui ne se déploie, comme l'oriflamme sous la vieille monarchie française, qu'aux occasions solennelles et suprêmes. Mahmoud le fit déployer lorsque, entouré des imans, il annonça au peuple prosterné la sentence d'extermination des janissaires.

— Un nimbar coiffé de son abat-voix conique ; des mastachés ou plate-formes soutenues de colonnettes d'où les muezlims appellent les croyants à la prière ; des lustres garnis de boules de cristal et d'œufs d'autruche, complètent la décoration, qui est la même pour toutes les mosquées ; — comme à Sainte-Sophie, sous les voûtes des bas-côtés s'entassent des coffres, des malles, des paquets, dépôts placés là sous la sauvegarde divine par la piété musulmane.

Près de la mosquée est le turbé ou tombeau d'Achmet, le glorieux padischa qui dort dans sa chapelle funèbre, sous son cercueil en dos d'âne couvert des plus précieuses étoffes de la perse et de l'Inde, ayant à sa tête son turban à l'aigrette de pierreries, à ses pieds deux énormes cierges gros comme des mâts de navire. — Une trentaine de cercueils de moindre dimension l'entourent : ce sont ceux de ses enfants et de ses femmes favorites, qui l'accompagnent dans la mort comme dans la vie. — Au fond d'une armoire étincellent ses sabres, ses kandjars, ses armes constellées de diamants, de saphirs et de rubis.

Cette description me dispense d'entrer dans de grands détails sur la mosquée du sultan Bayezid, qui n'en diffère que par de légères particularités d'architecture plus faciles à faire comprendre au crayon qu'à la plume. On y remarque, à l'intérieur, de belles colonnes de jaspe et de porphyre africain ; — au-dessus du cloître qui l'accompagne voltigent perpétuellement des essaims de pigeons aussi familiers que ceux de la place Saint-Marc. — Un bon vieux Turc se tient sous les arcades avec des sacs de vesce ou de millet. On lui en achète une mesure, que l'on sème par poignées ; alors, des minarets, des dômes, des corniches, des chapiteaux s'abattent, par tourbillons diaprés, des milliers de colombes, qui se précipitent sous vos pieds, qui descendent sur vos épaules et vous fouettent la figure du vent de leurs ailes ; on se trouve subitement le centre d'une trombe emplumée. Au bout de quelques minutes, il ne reste plus un seul grain de mil sur les dalles, et l'essaim repu regagne ses gîtes aériens, attendant une autre bonne aubaine. Ces pigeons viennent de deux ramiers que le sultan Bayezid acheta jadis à une pauvresse qui implorait sa charité, et dont il fit don à la mosquée. — Ils ont prodigieusement pullulé.

Selon l'habitude des fondateurs de mosquées, Bayezid a son turbé près de celle à qui il a donné son nom. Il dort là, couvert d'un tapis d'or et d'argent, ayant sous la tête, par un trait digne de l'humilité chrétienne, une brique pétrie avec la poussière recueillie sur ses habits et ses chaussures, car il y a dans le Koran un verset ainsi conçu : « Celui qui s'est souillé de poussière dans les sentiers d'Allah n'a pas à redouter les feux de l'enfer. »

Nous ne pousserons pas plus loin cette revue des Mosquées, qui se ressemblent toutes, à de légères différences près. Nous mentionnerons seulement la Solimanieh, une des plus parfaites comme architecture, et près de laquelle se trouve un turbé où repose, à côté de Soliman Ier, le corps de la célèbre Roxelane, sous un cercueil recouvert de cachemires. — Non loin de cette mosquée gît un sarcophage de porphyre, qu'on dit être celui de Constantin.

XXIII
LE SÉRAIL

Lorsque le sultan habite un de ses palais d'été, il est loisible, au moyen d'un firman, de visiter l'intérieur du sérail. Sur ce mot sérail, n'allez pas rêver du paradis de Mahomet. — Le sérail est un mot générique qui veut dire palais, et il est parfaitement distinct du harem, habitation des femmes, asile mystérieux où nul profane ne pénètre, même quand les houris sont absentes. — On se réunit ordinairement une dizaine de personnes pour accomplir cette tournée, qui nécessite de nombreux bacchichs dont le total ne peut guère être moindre de cent cinquante à deux cents francs ; un drogman commun vous précède et règle avec les gardiens des portes tous ces détails ennuyeux ; il vous vole assurément ; mais, comme on ne sait pas le turc, il faut bien en passer par là. On doit avoir soin d'apporter avec soi des pantoufles ; car si, en France, on ôte son chapeau en entrant dans un endroit respectable, en Turquie on ôte ses souliers, ce qui est peut-être plus rationnel, — car on doit laisser au seuil la poussière de ses pieds.

Le sérail ou seraï, comme disent les Turcs, occupe de ses bâtiments irréguliers ce terrain triangulaire que lavent d'un côté les flots de la mer de Marmara, et de l'autre ceux de la Corne-d'Or. Une muraille crénelée circonscrit l'enceinte, qui couvre une vaste étendue. Une berge dallée de quelques pieds de large règne sur les deux faces qui regardent la mer. Le courant extérieur se précipite avec une impétuosité extraordinaire ; — les eaux bleues bouillonnent comme si elles se gonflaient sur une chaudière, et font danser au soleil des millions de folles paillettes ; elles sont, du reste, d'une transparence singulière, et laissent apercevoir le fond de roches vertes ou de sable blanc à travers un tumulte de rayons brisés. Les barques ne peuvent remonter ces rapides qu'au cordeau.

Au-dessus des murailles généralement dégradées et mélangées de blocs venant de constructions antiques démolies, s'aperçoivent des bâtiments aux fenêtres grillagées très-menu, des kiosques d'un goût chinois ou rococo, des pointes de cyprès et des touffes de platanes. Sur le tout pèse un air de solitude et d'abandon ; on ne croirait pas que derrière cette enceinte morne vit le glorieux calife, le tout-puissant souverain de l'Islam.

On entre dans le sérail par une porte d'architecture très-simple, gardée par quelques soldats. Sous cette porte, dans de magnifiques armoires d'acajou garnies de râteliers, sont déposés des fusils rangés avec un ordre parfait. La porte franchie, notre petite bande, précédée d'un officier du palais, d'un cawas et du drogman, traversa une sorte de jardin vague et montueux, planté d'énormes cyprès, — un cimetière moins les tombes, — et arriva bientôt à l'entrée des appartements.

Sur l'invitation du drogman, chacun se chaussa de ses pantoufles, et nous commençâmes à gravir un escalier de bois qui n'avait rien de monumental. Dans les pays du nord, où l'on se fait, d'après les contes arabes, une idée exagérée de la magnificence orientale, les esprits les plus froids ne peuvent s'empêcher d'élever en imagination des architectures féeriques avec des colonnes de lapis-lazuli, des chapiteaux d'or, des feuillages d'émeraudes et de rubis, des fontaines de cristal de roche où grésillent des jets de vif-argent. On confond le style turc avec le style arabe, qui n'ont pas le moindre rapport, et l'on rêve des alhambras là où il n'y a, en réalité, que des kiosques bien aérés et des chambres d'une ornementation très-simple.

La première salle qu'on nous ouvrit affecte une forme circulaire ; elle est percée de nombreuses fenêtres à treillis ; tout autour règne un divan, les murs et le plafond sont ornés de dorures où serpentent des arabesques noires ; des rideaux noirs et une pente découpée en lambrequin suivant la corniche complètent la décoration. Une natte de sparterie très-fine, qui, sans doute, est remplacée l'hiver par de moelleux tapis de Smyrne, recouvre le plancher. La seconde salle est peinte de grisailles en détrempe à la manière italienne. La troisième a pour décorations des paysages, des glaces, des draperies bleues et une pendule au cadran radié. Sur les murs de la quatrième courent des sentences tracées de la main de Mahmoud, qui était un habile calligraphe, et, comme tous les Orientaux, tirait vanité de ce talent, vanité concevable, car cette écriture, compliquée par ses courbes, ses ligatures et ses enlacements, se rapproche beaucoup du dessin. — Après les avoir traversées, on arrive à une chambre plus petite.

Deux cadres au pastel, de Michel Bouquet, sont les deux seuls objets d'art qui attirent l'œil dans ces pièces où règne la sévère nudité de l'islam : l'un représente le *Port de Bucharest*, l'autre, une *Vue de Constantinople* prise de la tour de la Jeune-Fille, sans personnages, bien entendu. Une pendule à tableau mécanique, représentant la pointe du Sérail, avec des caïques et des vaisseaux qu'un rouage fait rouler et tanguer, excite l'admiration des Turcs débonnaires et le sourire des giaours, car une telle pendule serait mieux à sa place dans la salle à manger d'un épicier enrichi que dans le mystérieux séjour du padischa. — La même pièce, comme pour faire compensation, renferme une armoire dont les rideaux écartés laissent étinceler, avec des phosphorescences d'or et de pierreries, le véritable luxe de l'Orient.

C'est un trésor qui n'a rien à envier à celui de la tour de Londres : il est d'usage que chaque sultan lègue à cette collection un objet qui lui ait particulièrement servi. La plupart ont donné des armes : ce ne sont que kandjars aux manches rugueux de diamants et de rubis, que damas aux fourreaux d'argent bosselés de reliefs, aux lames bleuâtres ramagées d'inscriptions arabes en lettres d'or, que masses d'armes richement niellées, que pistolets dont les crosses disparaissent sous des fouillis de perles, de coraux et de pierres précieuses ; le sultan Mahmoud, en sa qualité de poëte et de calligraphe, a fait don de son écritoire, monceau d'or couvert de diamants. Par une sorte de coquetterie civilisée, il a voulu mêler la pensée à tous ces instruments de la force brutale et montrer que le cerveau avait sa puissance comme le bras. Dans ce cabinet, on remarque une curieuse cheminée turque faite en gâteau d'abeilles, comme les stalactites qui pendent des plafonds de l'Alhambra.

Au delà règne une galerie où les odalisques jouent et prennent de l'exercice sous la surveillance des eunuques, qui font auprès d'elles à peu près l'office des pions dans les cours de récréation des colléges. Mais un lieu si sacré est interdit aux profanes, même lorsque les oiseaux sont envolés de la cage. — Un peu plus loin s'arrondissent les coupoles constellées de grosses verrues de cristal qui recouvrent les bains décorés de colonnes d'albâtre et d'applications de marbre, qu'il fallut se contenter d'admirer par dehors.

Nous reprîmes nos chaussures à la porte par laquelle nous étions entrés, et nous continuâmes notre visite. — On longe d'abord un jardin rempli de fleurs, encadré dans des compartiments de bois, à l'ancienne mode française ; puis on traverse les cours entourées d'espèces de cloîtres à arcades moresques, où sont les logements et les classes des icoglans, ou pages du sérail, et l'on arrive à un kiosque ou pavillon renfermant la bibliothèque ; on y monte par une espèce de perron à rampe de marbre délicatement fenestrée.

La porte de cette bibliothèque est une merveille. Jamais le génie arabe n'a tracé sur le bronze un plus prodigieux lacis de lignes, d'angles, d'étoiles, se mêlant, se compliquant, s'enchevêtrant dans un dédale mathématique. Le daguerréotype seul pourrait retracer cette féerique ornementation. Le dessinateur qui voudrait imiter consciencieusement avec sa mine de plomb ces inextricables méandres deviendrait fou après ce travail de toute une vie.

A l'intérieur, sont rangés dans des casiers de cèdre des manuscrits arabes, la tranche tournée vers le spectateur, disposition particulière que j'avais remarquée déjà à la bibliothèque de l'Escurial, et que les Espagnols ont sans doute empruntée aux Mores.

Là on nous fit voir sur un grand rouleau de parchemin une espèce d'arbre généalogique, supportant dans des médaillons ovales les portraits de tous les sultans, exécutés en miniature gouachée. Ces portraits sont, dit-on, authentiques, chose difficile à croire. Ils représentent des têtes pâles à barbe noire, d'un type assez uniforme, et le costume est celui des Turcs de Molière et de Racine, plus exacts en cela qu'on ne pense.

La bibliothèque visitée, on nous introduisit dans un kiosque de style arabe, précédé d'un perron à rampes de marbre où reluisait avec tout son éclat l'ancienne magnificence orientale, dont, comme on a pu le voir, les appartements déjà parcourus n'offrent aucune trace.

La plus grande partie de la pièce est occupée par un trône en forme de divan ou de lit, avec un baldaquin soutenu par des colonnettes hexagones de cuivre doré semées de grenats, de turquoises, d'améthystes, de topazes, d'émeraudes et autres pierres à l'état de cabochons, car autrefois les Turcs ne taillaient pas les pierreries ; des queues de cheval pendent aux quatre coins de grosses boules d'or surmontées de croissants. Rien n'est plus riche, plus élégant et plus royal que ce trône vraiment fait pour asseoir des califes.

Les barbares seuls ont le secret de ces orfévreries merveilleuses, et le sens de l'ornement semble se perdre, on ne sait pourquoi, à mesure que la civilisation se perfectionne. Sans tomber dans les manies d'antiquaire, il faut avouer que plus une architecture, une joaillerie, une arme, datent d'une époque reculée, plus le goût en est parfait et le travail exquis : préoccupé de la pensée, le monde moderne n'a plus la notion juste de la forme.

Quelques paillettes de lumière tombant d'une fenêtre entr'ouverte faisaient étinceler les ciselures et jeter des feux aux pierreries. Des carreaux de faïence arabe dessinaient des symétries et miroitaient au bas des murs, comme dans les salles de l'Alhambra, à Grenade ; au plafond s'entrecroisaient des baguettes de vermeil curieusement ciselées, formant des caissons et des rosaces. — Dans un coin, à travers l'ombre, brillait une bizarre cheminée turque faite en forme de niche et destinée à recevoir un brasero ; une espèce de petit dôme conique à sept pans, en cuivre, découpé, fenestré comme une truelle à poissons, niellé des plus élégants dessins de l'art arabe, lui sert de manteau. Certaines châsses gothiques peuvent seules donner l'idée de ce charmant travail.

En face du divan s'ouvre une fenêtre ou plutôt une lucarne garnie d'une épaisse grille à barreaux dorés. C'est en dehors de cette espèce de guichet qu'autrefois se tenaient les ambassadeurs, dont les phrases étaient transmises par des intermédiaires au padischa, accroupi, dans une immobilité d'idole, sous son dais de vermeil et de pierreries, entre ses deux turbans symboliques. A peine pouvaient-ils voir, à travers le réseau d'or, briller, comme des étoiles au fond de l'ombre, les prunelles fixes du magnifique sultan ; mais c'était bien assez pour des giaours : l'ombre de Dieu ne devait pas se découvrir davantage à des chiens de chrétiens.

L'extérieur n'est pas moins remarquable. Un grand toit à saillie fortement projetée coiffe l'édifice, des colonnes de marbre soutiennent des arcades à nervures et des rosaces ; une dalle de vert antique, historiée d'une inscription arabe, forme le seuil de la porte, dont le linteau est très-bas : disposition architecturale prise, dit-on, pour faire baisser la tête aux vassaux et aux tributaires récalcitrants admis en présence du Grand Seigneur, escobarderie d'étiquette assez jésuitique, et qu'éluda bouffonnement un envoyé de Perse, en entrant à reculons, comme on fait dans les gondoles de Venise.

Dans la description du Beïram, j'ai parlé assez longuement du portique sous lequel a lieu cette cérémonie, pour ne pas avoir à y revenir, et je continuerai ma promenade un peu au hasard, mentionnant les choses comme elles se présentent. Il serait difficile de rendre compte avec régularité de bâtiments d'époque et de style divers, élevés sans plan préconçu, suivant les caprices et les nécessités du moment, séparés par des espaces vagues, ombragés çà et là de cyprès, de sycomores et de vieux platanes d'une dimension monstrueuse.

Du milieu d'une touffe d'arbres se dresse une colonne cannelée à chapiteau corinthien, qui produit un charmant effet et qu'on désigne sous le nom de Théodose, attribution dont je ne suis pas assez savant pour discuter la valeur. — Je la cite parce que le nombre des ruines byzantines est très-restreint à Constantinople. — La ville antique a disparu sans presque laisser de traces ; les riches palais de la dynastie grecque, des Paléologues et des Comnènes, se sont évanouis ; leurs colonnes de marbre et de porphyre ont servi à la construction des mosquées, et leurs fondations, recouvertes par les frêles baraques musulmanes, se sont oblitérées peu à peu sous la cendre des incendies ; quelquefois on retrouve, amalgamé dans un mur, un chapiteau, un fragment de torse brisé, mais rien qui ait conservé sa forme primitive ; il faut fouiller le sol pour amener à la surface quelques débris de la Byzance ancienne.

Particularité notable, et qui marque un progrès : l'on a rassemblé dans la cour qui précède l'antique église de Saint-Iréné, transformée en arsenal, et qui fait partie des dépendances du sérail, divers objets antiques : têtes, torses, bas-reliefs, inscriptions, tombeaux, rudiment d'un musée byzantin, qui pourrait devenir curieux par l'addition des trouvailles journalières. Près de l'église, deux ou trois sarcophages de porphyre, semés de croix grecques, et qui ont dû contenir des corps d'empereurs et d'impératrices, privés de leurs couvercles brisés, s'emplissent de l'eau du ciel, et les oiseaux y viennent boire en poussant de petits cris joyeux.

L'intérieur de Saint-Iréné est tapissé de fusils, de sabres, de pistolets de modèle moderne, arrangés avec une symétrie militaire que ne désavouerait pas notre Musée d'artillerie ; mais cette étincelante décoration, qui charme beaucoup les Turcs, et dont ils sont très-fiers, n'a rien qui étonne un voyageur européen. — Une collection qui offre un bien autre intérêt, c'est celle des armes historiques conservées dans une tribune métamorphosée en galerie, au fond de l'abside.

Là, on nous fit voir le sabre de Mahomet II, une lame droite où court, sur un fond de damas bleuâtre, une inscription arabe en lettres d'or ; un brassard niellé d'or et constellé de deux disques de pierreries, ayant appartenu à Tamerlan ; une épée de fer ébréchée, à poignée en croix, — l'épée de Scanderbeg, le héros athlétique. Des vitrines laissent voir les clefs des villes conquises, clefs symboliques, ouvragées comme des bijoux, damasquinées d'or et d'argent.

Sous le vestibule sont entassées les timbales et les marmites des janissaires, — ces marmites qui, en se renversant, faisaient trembler et pâlir le sultan au fond de son harem ; — des faisceaux de vieilles hallebardes, des caisses d'armes, d'anciens canons, des coulevrines de forme singulière, rappellent la stratégie turque avant les réformes de Mahmoud, utiles, sans doute, mais regrettables au point de vue pittoresque.

Les écuries, sur lesquelles je jetai un coup d'œil en passant, n'ont rien de particulier, et ne renfermaient, pour le moment, que des bêtes assez ordinaires, le sultan se faisant suivre par ses montures favorites. — Les Turcs n'ont pas, du reste, comme les Arabes, la folie des chevaux, bien qu'ils les aiment et en possèdent de remarquables.

Voilà à peu près tout ce qu'un étranger peut voir dans le sérail. — Nul regard profane ne souille les asiles mystérieux, les kiosques secrets, les retraites intimes ; — le sérail, comme toute maison musulmane, a son selamlick, mais pour le harem sont réservés tous les raffinements d'un luxe voluptueux, les divans de cachemire, les tapis de Perse, les vases de Chine, les cassolettes d'or, les cabinets de laque, les tables de nacre, les plafonds de cèdre à caissons peints et dorés, les fontaines à vasque de marbre, les colonnes de jaspe ; la maison des hommes n'est, en quelque sorte, que le vestibule de la maison des femmes, un corps de garde interposé entre la vie extérieure et la vie intérieure.

Je regrettai fort de ne pouvoir pénétrer dans une merveilleuse salle de bains, vrai rêve oriental réalisé dont mon ami Maxime Ducamp a fait une splendide description ; mais, cette fois, le gardien se montra plus revêche, ou peut-être d'autres ordres avaient été donnés. — Si les houris prennent des bains de vapeur au paradis, ce doit être dans un bain pareil à celui-là, bijou d'architecture musulmane.

Assez las de cette promenade, pendant laquelle je m'étais chaussé et déchaussé six ou huit fois, je sortis du sérail par la porte Auguste (Bab-Hummayoun) et j'allai m'asseoir, abandonnant mes compagnons, sur le banc extérieur d'un petit café, d'où, tout en mangeant des raisins de Scutari, je contemplai cette porte monumentale surmontée d'un corps de logis avec sa haute arcade moresque, ses quatre colonnes, son cartouche de marbre portant une inscription en lettres d'or et ses deux niches où l'on exposait les têtes coupées. Entre autres, celle d'Ali-Tépéléni, pacha de Janina, y figura sur un plat d'argent.

Je regardais aussi en détail la délicieuse fontaine d'Achmet III, sur laquelle j'avais jeté un coup d'œil en allant à Sainte-Sophie. — C'est, avec la fontaine de Top'Hané, la plus remarquable de Constantinople, où il y en a tant et de si jolies. — Rien n'est comparable, pour l'élégance, à ce toit retroussé comme un bout de soulier turc, tout brodé de sculptures en filigrane, mammelonné de clochetons capricieux : à ces pans de dentelles à jour, à ces niches en stalactites, à ces arabesques encadrant des pièces de vers composées par le sultan-poëte ; à ces colonnettes aux chapiteaux fantasques, à ces rosaces gracieusement étoilées, à ces corniches feuillées et flétries, à ce charmant fouillis d'ornementation, heureux mélange de l'art arabe et de l'art turc. — Je m'arrête, car, malgré le précepte de Boileau, je sens que je me laisserais emporter trop loin par le *fleuron* et l'*astragale*.

XXIV
LE PALAIS DU BOSPHORE. — SULTAN MAHMOUD. — LE DERVICHE

Quand on se promène en caïque sur le Bosphore et qu'on a dépassé la Tour de Léandre, on aperçoit en face de Scutari un immense palais en construction qui baigne ses pieds blancs dans l'eau bleue et rapide. Il existe en Orient une superstition soigneusement entretenue par les architectes, c'est qu'on ne meurt pas tant que la demeure qu'on se fait construire n'est pas achevée ; aussi les sultans ont-ils toujours soin d'avoir quelque palais en train.

Chose rare chez les Turcs, qui consacrent les matériaux solides et précieux à la maison de Dieu, et n'élèvent pour l'habitation transitoire de l'homme que des kiosques de bois aussi peu durables que lui, ce palais est tout en marbre et fait pour l'éternité. — Il se compose d'un grand corps de bâtiment et de deux ailes. Dire à quel ordre d'architecture il appartient serait difficile ; il n'est ni grec, ni romain, ni gothique, ni renaissance, ni sarrasin, ni arabe, ni turc, il se rapproche de ce genre que les Espagnols nomment *plateresco*, et qui fait ressembler la façade d'un monument à une grande pièce d'orfévrerie pour le luxe compliqué des ornements et la folle recherche des détails.

Les fenêtres avec leurs balcons à jour, leurs colonnettes rubanées, leurs trèfles à nervures, leurs encadrements à festons, leurs entre-deux fouillés de sculptures et d'arabesques, rappellent le style lombard et font songer aux anciens palais de Venise, — seulement il y a du palais Dario ou Cà-d'Oro au palais du sultan la même différence comme proportion que du Grand Canal au Bosphore.

Cette énorme construction en marbre de Marmara, d'un blanc bleuâtre que l'éclat criard de la nouveauté fait paraître un peu froid, produit un effet fort majestueux entre l'azur du ciel et l'azur de la mer ; elle en produira un meilleur lorsque le chaud soleil de l'Asie l'aura doré de ses rayons, qu'elle reçoit directement et de première main. Vignole sans doute ne se reconnaîtrait pas dans cette façade hybride où les styles de tous les temps et de tous les pays forment un ordre composite qu'il n'avait pas prévu. Mais on ne peut nier que cette multitude de fleurs, de rinceaux, de rosaces, ciselés comme des bijoux dans une matière précieuse, n'ait un aspect touffu, compliqué, fastueux et réjouissant à l'œil. C'est le palais que pourrait construire un ornemaniste qui ne serait pas architecte, et n'épargnerait ni la main-d'œuvre, ni le temps, ni la dépense. Tel qu'il est, je le préfère à ces maussades reproductions classiques si bêtes, si plates, si froides, si ennuyeuses, comme en font les savants et les réguliers, et j'aime mieux ces vives frondaisons ornementales, s'enlaçant avec une élégance fantasque, qu'un fronton triangulaire ou une attique horizontale s'appuyant sur six ou huit colonnes efflanquées. — Cette ignorance naïve, déployée sur une échelle gigantesque, a son charme ; il est probable que les hardis constructeurs de nos cathédrales n'en savaient pas davantage, et leurs œuvres n'en sont pas moins admirables pour cela.

Le long de ce palais règne un terre-plein bordé, du côté du Bosphore, de piliers monumentaux reliés entre eux par des grilles d'une serrurerie ouvragée et charmante où le fer se courbe en mille arabesques fleuries, déliées comme les traits qu'une plume hardie tracerait à main levée sur le vélin. — Ces grilles dorées forment une balustrade d'une richesse extrême.

Les deux ailes, construites à une autre époque, sont beaucoup trop basses pour le corps de logis principal, avec lequel elles n'ont d'ailleurs aucun rapport de style ni de forme. Figurez-vous une double rangée d'Odéons et de Chambres des Députés en miniature se suivant dans une alternance ennuyeuse et présentant aux yeux une file de petites colonnes menues qui semblent de bois quoiqu'elles soient de marbre.

En passant et repassant devant ce palais, le désir de le visiter m'était venu bien des fois. — En Italie, rien n'eût été plus simple ; mais faire aborder son caïque à un débarcadère impérial serait en Turquie une action de conséquence et qui pourrait avoir des suites fâcheuses. — Heureusement, un intermédiaire amical me mit en rapport avec l'architecte, M. Balyan, un jeune Arménien de beaucoup d'esprit, et qui parlait français.

M. Balyan eut la bonté de me prendre dans sa barque à trois paires de rames, et me fit entrer d'abord dans un ancien kiosque, débris du palais précédent, où l'on nous apporta des pipes, du café et des sorbets à la rose ; puis il me conduisit lui-même à travers les appartements avec une obligeance et une politesse parfaites, dont je le remercie à cette place, en espérant que peut-être un jour ces lignes passeront sous ses yeux.

L'intérieur n'était pas tout à fait achevé encore, mais cependant l'on pouvait déjà juger de la splendeur future de l'ensemble. Les idées religieuses des Turcs retranchent de l'ornementation une foule de motifs heureux et restreignent considérablement la fantaisie de l'artiste, qui doit s'abstenir avec soin de mêler à ses arabesques la représentation d'aucun être animé : — ainsi, pas de statues, pas de bas-relief, pas de mascarons, pas de chimères, pas de griffons, pas de dauphins, pas d'oiseaux, pas de sphinx, pas de guivres, pas de papillons, pas de figurines moitié femme moitié fleur, pas de monstres héraldiques, aucune de ces créations bizarres qui forment la zoologie fabuleuse de l'ornement, et dont Raphaël a tiré un parti si merveilleux dans les galeries du Vatican.

Le style arabe, avec ses décompositions et ses brisures de lignes, ses guipures de stuc, frappées à l'emporte-pièce, ses plafonds en stalactites, ses niches en ruches d'abeilles, ses marbres troués à jour comme des couvercles de cassolette, ses légendes en coufique fleuri, et son coloriage de vert, de blanc, de rouge, discrètement rehaussé d'or, eût offert des ressources naturelles pour la décoration d'un palais oriental ; mais le sultan, par suite de ce caprice qui nous porterait à bâtir des alhambras à Paris, voulait avoir un palais dans le goût moderne. On s'étonne d'abord de ce caprice, mais, en y réfléchissant, rien n'est plus naturel. Il a fallu réellement à M. Balyan une rare fertilité d'imagination pour décorer d'une manière différente plus de trois cents salles ou chambres, n'ayant à sa disposition que des motifs si peu nombreux.

La disposition générale est très-simple : les pièces se suivent en enfilade ou s'ouvrent sur un large corridor ; le harem, entre autres, est ainsi disposé. L'appartement de chaque femme donne par une porte unique dans un vaste couloir, comme les cellules des religieuses dans un cloître. A chaque extrémité peut se tenir un poste d'eunuques ou de bostangis. — Je jetai du seuil un regard sur cet asile des voluptés secrètes, qui ressemble beaucoup plus à un couvent ou à un pensionnat qu'on ne se l'imagine. Là s'éteindront, sans avoir rayonné au dehors, des astres de beauté inconnus ; mais l'œil du maître se sera fixé sur eux, une minute peut-être, et c'est assez.

L'appartement de la sultane Validé, composé de hautes pièces donnant sur le Bosphore, est remarquable par ses plafonds peints à fresque avec une élégance et une fraîcheur incomparables. Je ne sais quels sont les ouvriers qui ont fait ces merveilles, mais Diaz ne trouverait pas sur sa palette des tons plus fins, plus vaporeux, plus tendres et plus riches à la fois. — Ce sont tantôt des ciels de turquoise papelonnés de légers nuages qui fuient à d'incroyables profondeurs, tantôt d'immenses voiles de dentelles à dessins merveilleux, puis une grande conque de nacre irisée de tous les rayons du prisme, ou bien encore des fleurs idéales suspendant leurs corolles et leurs feuillages à des treillages d'or ; les autres chambres sont ornées de même ; quelquefois un écrin dont les bijoux se répandent dans un chatoyant désordre, des colliers dont les perles se défilent et roulent comme des gouttes de pluie, un ruissellement de diamants, de saphirs et de rubis forment le motif de la décoration ; des cassolettes d'or peintes sur les corniches laissent échapper la bleuâtre fumée des parfums et composent un plafond de leur brouillard transparent. Ici Phingari montre par la déchirure d'un nuage son arc argenté si cher aux musulmans, là l'Aurore pudique colore de rose, comme les joues d'une vierge, tout un ciel matinal ; plus loin un pan de brocart grenu de lumière, miroité d'orfrois, retroussé par une embrasse d'escarboucles, montre un coin de bleu ; une grotte d'azur jette ses reflets de saphir. Les arabesques aux entrelacements infinis, les caissons sculptés, les rosaces d'or, les bouquets de fleurs imaginaires ou réelles, lis bleus d'Iran ou roses de Schiraz, viennent varier ces thèmes, dont j'ai cité les principaux, sans vouloir entrer dans un détail impossible auquel l'imagination du lecteur suppléera.

Les appartements du sultan sont dans un style Louis XIV orientalisé, où l'on sent l'intention d'imiter les splendeurs de Versailles : les portes, les croisées et leurs encadrements sont en bois de cèdre, d'acajou, de palissandre massif, précieusement sculptés, et ferment par de riches ferrures dorées à or moulu. Des fenêtres, l'on aperçoit la plus merveilleuse vue qui soit au monde : un panorama sans rival, et comme jamais souverain n'en eut devant son palais. — La rive d'Asie, où, sur un immense rideau de cyprès noirs, se détache Scutari, avec son pittoresque débarcadère encombré d'embarcations, ses maisons roses, ses mosquées blanches, parmi lesquelles se distinguent Buyuk-Djami et Sultan-Selim ; le Bosphore aux eaux rapides et transparentes sillonnées d'un va-et-vient perpétuel de vaisseaux à voiles, de bateaux à vapeur, de felouques, de prames, de bateaux d'Ismid et de Trébizonde aux formes antiques, aux voilures bizarres, de canots, de caïques, au-dessus desquels voltigent des essaims familiers de mouettes et de goëlands. Si l'on se penche un peu, l'on découvre sur les deux rives une suite d'habitations d'été, de kiosques, peints de fraîches couleurs, qui forment à ce merveilleux fleuve marin un double quai de palais. Ajoutez à cela les mille accidents de lumière, les effets de soleil et de lune, et vous aurez un spectacle que l'imagination ne peut dépasser.

Une des singularités du palais, c'est une grande salle recouverte par un dôme de verre rouge. Quand le soleil pénètre ce dôme de rubis, tout prend des flamboiements étranges : l'air semble s'enflammer et l'on croit respirer du feu ; les colonnes s'allument comme des lampadaires, le pavé de marbre rougit comme un pavé de lave ; un rose incendie dévore les murailles ; on se croirait dans la salle de réception d'un palais de salamandres bâti de métaux en fusion ; vos yeux reluisent comme du paillon rouge, vos habits deviennent des vêtements de pourpre. — Un enfer d'opéra, éclairé de feux de Bengale, peut seul donner une idée de cet effet étrange, d'un goût équivoque peut-être, mais saisissant, à coup sûr.

Une petite merveille qui ne déparerait pas les plus féeriques architectures des *Mille et une Nuits*, c'est la salle de bains du sultan. Elle est de style moresque, en albâtre rubané d'Égypte, et semble taillée dans une seule pierre précieuse, avec ses colonnettes, ses chapiteaux évasés, ses arcades en cœur, et sa voûte constellée d'yeux de cristal qui brillent comme des diamants. Quelle volupté ce doit être d'abandonner sur ces dalles, transparentes comme des agates, ses membres assouplis aux savantes manipulations des tellacks, au milieu d'un nuage de vapeur parfumée, sous une pluie d'eau de rose et de benjoin !

C'est dans une des salles de ce palais que doit être posé le salon Louis XIV peint et construit à Paris par Séchan, l'illustre décorateur de l'Opéra, dont nous avons parlé lorsqu'il le dressa à son atelier de la rue Turgot.

Las de merveilles, fatigué d'admiration, je remerciai M. Balyan, qui me fit sortir par la cour d'honneur, dont la porte est une espèce d'arc-de-triomphe en marbre blanc d'une ornementation très-riche et très-fleurie, et qui forme du côté de la terre une entrée tout à fait digne de ce somptueux palais. Puis, comme je mourais de faim, j'entrai dans une boutique de fruitier, et je me fis servir deux brochettes de kébab enveloppées d'une crêpe grasse que j'arrosai d'un verre de sherbet, repas sobre et tout à fait local.

Sorti de là, je me mis à courir la ville au hasard, comptant sur la flânerie pour me révéler ces mille détails familiers qui vous échappent quand on les cherche. Tout en m'amusant à regarder les boutiques de confiseurs et les fabricants de lulés entourés de milliers de fourneaux de pipe à différents degrés d'achèvement et rangés avec symétrie, j'arrivai à la mosquée du sultan Mahmoud, près de Top'Hané, un de ces centres où les pieds vous ramènent d'eux-mêmes quand la pensée est occupée ailleurs. Je réglai ma montre à ce kiosque rempli d'horloges et de pendules qui accompagnent souvent les mosquées ; — c'est un petit pavillon élégant avec des fenêtres en claire-voie, par lesquelles on peut lire l'heure à divers cadrans concordant assez rarement entre eux, de sorte qu'on choisit celle qui vous plaît le plus et vous semble la plus probable. — Ces cadrans donnent l'heure turque et l'heure européenne, dont les chiffres ne se rapportent pas, les Orientaux comptant à partir du lever du soleil, point de départ naturel, mais variable selon la saison.

A ces kiosques chronométriques est ordinairement jointe une fontaine où pendent à des chaînes des gobelets et des spatules en fer-blanc : un gardien les remplit au bassin intérieur et les tend à ceux qui demandent à boire. Ces fontaines sont presque toutes des fondations pieuses.

La mosquée de Mahmoud est d'un goût moderne et diffère par sa disposition des édifices de ce genre, dont Sainte-Sophie est le prototype. Une coupole unique cerclée à sa base d'une couronne de fenêtres et de consoles à volutes s'élève entre quatre hautes façades arrondies à leur sommet, flanquées à leurs angles par des piliers ou contre-forts à pyramidions renflés, surmontés de croissants comme le dôme central. Ces deux minarets ont une renommée d'élégance méritée. Figurez-vous deux grandes colonnes cannelées qui auraient pour chapiteau un balcon festonné, du centre duquel jailliraient d'autres colonnes plus petites, couronnées aussi de balcons et supportant à leur tour un faisceau de colonnettes coiffées d'une aiguille conique. — C'est très-gracieux, très-hardi et très-neuf. — Ordinairement, le turbé ou chapelle funèbre du fondateur se trouve près de la mosquée qu'il a bâtie ; contrairement à cette disposition habituelle, le turbé de sultan Mahmoud se trouve dans un édifice spécial, d'une architecture moderne légèrement orientalisée, à un autre bout de Constantinople. Le sultan réformateur a sur son cercueil, au lieu du turban classique et traditionnel, le fez novateur du

Nizam étoilé d'une superbe agrafe de pierreries ; on montre aux visiteurs une transcription du Koran faite par ce prince calligraphe durant les longs loisirs que lui laissait sa captivité au sérail avant son avénement au trône.

Autour de la mosquée se groupent les fonderies de canons et les parcs d'artillerie, et s'étend une plate-forme baignée par la mer, que délimitent deux jolis pavillons.

A quelques pas de là l'on retombe au milieu du joyeux tumulte de la place Top'Hané, avec ses loueurs de chevaux, ses vendeurs de sucreries et de sorbets, ses étalages de concombres, de courges, de raisins de Scutari, de melons de Smyrne ; ses marchands de caïmak et de baklava ; ses groupes de chiens fauves étendus au soleil ; sa charmante fontaine et sa mosquée aux abords encombrés d'écrivains publics, de débitants de chapelets et de menue parfumerie. Sous le cloître de cette mosquée, je vis une figure que je n'oublierai jamais : c'était un derviche couché à terre, près du réservoir des ablutions. — Il n'avait pour tout vêtement qu'un haillon d'étoffe en poil de chameau, rude comme un cilice et tout souillé de la poudre des déserts. Ce lambeau se nouait négligemment autour de ses reins, et laissait voir presque à nu un corps hâlé, bistré, bronzé, cuit et recuit à la flamme des soleils, aux souffles torrides du khamsin ; pour le peindre, il n'eût fallu que deux tons, de la momie et de la terre de Sienne brûlée. Ses jambes, rouges comme la brique, étaient chaussées, jusqu'au-dessus des chevilles, d'un brodequin de poussière grise.

Une maigreur vigoureuse faisait saillir tous ses muscles et tous ses os ; ses cheveux noirs sauvagement crépus se hérissaient sur sa tête comme des touffes de broussailles ; au bord de ses joues brunes floconnaient quelques touffes de barbe éparse, car il était jeune. — Une placidité folle régnait dans ses yeux fixes. Seul au milieu de la foule, comme au milieu du Sahara, il semblait bercé par quelque hallucination apocalyptique. — Il me fit involontairement penser à saint Jean dans le désert, et jamais peintre n'en a rêvé un pareil : le saint Jean de Léonard de Vinci, avec son ironique sourire de faune, a l'air d'un Dieu mythologique déguisé, celui de Raphaël ressemble à un jeune pâtre de la campagne romaine. Il est impossible de rêver quelque chose de plus fauve, de plus hagard, de plus hérissé, de plus férocement ascétique, de plus brûlé par le fanatisme, de plus dévasté par le jeûne et les macérations. Un pareil pénitent pouvait aller sans peur à travers les solitudes ; les lions et les panthères devaient reculer devant ce corps nourri de sauterelles.

C'était un hadji qui revenait de la Mecque ; il avait vu la pierre noire, accompli les sept évolutions sacrées et bu de l'eau du puits Zem-Zem, qui lave tous les péchés, et, tout nu qu'il était, il ne faisait pas plus de cas d'un vizir que d'un grain de la boue attachée à ses pieds.

XXV
L'ATMEÏDAN

L'Atmeïdan, qui s'étend derrière les murs du sérail, est l'ancien Hippodrome. — Le vocable turc a précisément la même signification que le vocable grec, et veut dire : arène des chevaux. — C'est une vaste place, bordée d'un côté par la muraille extérieure de la mosquée du sultan Achmet, percée de baies grillées, et sur les autres faces par des ruines ou des bâtiments incohérents ; dans l'axe de la place s'élèvent l'obélisque de Théodose, la colonne Serpentine et la Pyramide murée, faibles vestiges des magnificences dont rayonnait autrefois cette enceinte splendide.

Ces ruines sont à peu près tout ce qui reste à la surface du sol des merveilles de l'antique Byzance. — L'Augustéon, le Sigma, l'Octogone, les Thermes de Xeuxippe, d'Achille, d'Honorius, le Milliaire d'or, les Portiques du Forum, tout cela est enfoui sous ce manteau de poussière et d'oubli dont s'enveloppent les villes mortes ; l'œuvre du temps a été activée par les déprédations des barbares, latins, français, turcs, et même grecs. Chaque invasion qui se succède fait son dégât. C'est une chose incroyable que cette fureur aveugle de destruction et cette haine stupide contre les pierres ! Il faut bien que cela soit dans la nature humaine, car le même fait se reproduit à toutes les époques. Il paraît qu'un chef-d'œuvre offusque l'œil d'un barbare comme la lumière l'œil d'un hibou. Ce rayonnement de l'idée le gêne sans qu'il sache trop pourquoi, et il l'éteint. Les religions aussi détruisent volontiers d'une main si elles édifient de l'autre, et il y a eu beaucoup de religions à Constantinople : le christianisme y a brisé les monuments païens, l'islamisme les monuments chrétiens ; peut-être les mosquées vont-elles disparaître à leur tour devant un culte nouveau.

Ce devait être un beau spectacle lorsqu'une foule éblouissante d'or, de pourpre et de pierreries, scintillait sous les portiques qui entouraient l'Hippodrome et se passionnait alternativement pour les verts ou les bleus, ces factions de cochers dont les rivalités agitaient l'empire et causaient des séditions. — Les quadriges d'or, attelés de chevaux de race, faisaient voler sous leurs roues étincelantes la poudre d'azur et de vermillon dont on sablait l'Hippodrome par un raffinement de luxe ; et l'empereur se penchait du haut de la terrasse de son palais pour applaudir sa couleur favorite. — Les bleus, si l'on peut se servir d'une pareille expression à propos des cochers byzantins, étaient tories, les verts étaient whigs, car la politique se mêlait à ces cabales de cirque. Les verts essayèrent même de faire un empereur et de détrôner Justinien, et il ne fallut rien moins que Bélisaire et un corps d'armée pour avoir raison du soulèvement.

Dans l'Hippodrome, comme dans un musée à ciel ouvert, étaient réunies les dépouilles de l'antiquité. Un peuple de statues assez nombreux pour remplir une ville se dressait sur les attiques et les piédestaux. Ce n'était que marbre et que bronze. Les chevaux de Lysippe, les statues de l'empereur Auguste et d'autres empereurs, Diane, Junon Pallas, Hélène, Pâris, Hercule, ces majestés suprêmes, ces beautés surhumaines, tout ce grand art de la Grèce et de Rome, semblaient avoir cherché là un dernier refuge. — Les chevaux en métal de Corinthe, emportés par les Vénitiens, piaffent sur la porte de Saint-Marc ; les images des dieux et des déesses, barbarement fondues, se sont éparpillées en pièces de billon.

L'obélisque de Théodose est le mieux conservé des trois monuments restés debout dans l'Hippodrome. Il consiste en un monolithe de granit rose de Syène de soixante pieds de hauteur, à peu près, sur six de large, qui va s'amincissant jusqu'au pyramidion. Une seule ligne perpendiculaire d'hiéroglyphes nettement incisées sillonne ses quatre faces. — Comme je ne suis pas Champollion, je ne pourrai vous dire ce que signifient ces mystérieux emblèmes, — sans doute une dédicace à un pharaon quelconque. D'où vient ce bloc énorme ? d'Héliopolis, disent les savants. Mais il ne nous semble pas remonter à la plus haute antiquité égyptienne. Peut-être n'a-t-il que trois mille ans, ce qui est bien jeune pour un obélisque. Aussi, à peine quelques teintes grises noircissent-elles son granit vermeil.

Le monolithe ne porte pas directement sur son piédestal, dont il est séparé par quatre dés de bronze. Ce socle de marbre est revêtu de bas-reliefs assez barbares et assez frustes, qui ne laissent que difficilement deviner les sujets qu'ils représentent, — des triomphes ou des divinisations de Théodose et de sa famille. — La roideur des attitudes, le mauvais dessin et le manque d'expression des figures, l'entassement des personnages sans plan ni perspective, caractérisent une époque de décadence. Le souvenir de la Grèce voisine est déjà perdu dans ces informes ébauches. D'autres bas-reliefs à demi cachés par l'exhaussement du terrain, mais que l'on connaît par les descriptions des écrivains antérieurs, reproduisent les manœuvres employées pour l'érection de l'obélisque. — Singulier rapprochement ! Des bas-reliefs de même nature entaillent le socle de l'obélisque de Louqsor dressé sur la place de la Concorde par l'ingénieur Lebas ; — des inscriptions en grec et en latin marquent que l'obélisque gisant sur le sol fut relevé en trente-deux jours par Proclus, préfet du prétoire, d'après les ordres de Théodose, et célèbrent les vertus de ce magnanime empereur. Le bloc égyptien et le socle du Bas-Empire s'harmonisent heureusement et produisent un bel effet ; seulement, l'obélisque est aussi frais d'arête que s'il venait d'être taillé dans le granit, et le socle, plus jeune de quinze cents ans, est tout dégradé.

Non loin de l'obélisque se tortille la colonne Serpentine faite de trois serpents enroulés et nattés, montant en spirale comme les cannelures d'une colonne salomonique. Les trois têtes crêtées d'argent des serpents qui formaient chapiteau ont disparu. — Une tradition veut que Mahomet II, passant à cheval sur l'Hippodrome, les ait abattues d'un coup de masse d'armes ou de damas, par une de ces prouesses de vigueur familières aux sultans ; selon d'autres, il n'a tranché qu'une seule des trois têtes, la seconde et la troisième auraient été brisées seulement pour la valeur du bronze, ce qui n'étonne pas quand on songe aux peines que les Barbares se sont données pour aller chercher des crampons de fer dans les blocs du Colysée. — Détruire un palais pour prendre un clou, c'est le propre du sauvage.

Cette colonne, élevée de neuf pieds environ hors de la terre, mais dont la base est enfouie, semble un peu grêle d'aspect au milieu de ce vaste espace. On lui attribue une noble origine. D'après les antiquaires, ces serpents entrelacés soutenaient, dans le temple de Delphes, le trépied d'or voué par la Grèce reconnaissante à Phœbus-Apollon, dieu sauveur, après la bataille de Platée, gagnée sur Xerxès. Constantin fit, dit-on, transporter la colonne Serpentine de Delphes à sa nouvelle ville. Une tradition moins en faveur, mais plus probable, selon moi, si l'on considère le peu de valeur artistique du monument, n'y veut voir qu'un talisman fabriqué par Apollonius de Thyane pour conjurer les serpents. — Je laisse le lecteur libre de choisir entre ces deux origines.

Quant à la Pyramide murée de Constantin Porphyrogénète, qu'on mettait à côté des sept merveilles du monde, à une époque, il est vrai, où les exagérations les plus hyperboliques ne coûtaient rien, ce n'est plus qu'un noyau de maçonnerie, qu'un informe amas de pierres effritées par la pluie, dévorées par le soleil, pleines de poussière et de toiles d'araignées, fendillées de lézardes, menaçant ruine de tous côtés, et n'ayant plus aucune signification au point de vue de l'art.

Cette armature de maçonnerie était revêtue autrefois de grandes plaques de bronze doré bosselées de bas-reliefs et d'ornements qui, par le poids et le prix du métal, devaient exciter la cupidité des déprédateurs. Aussi la pyramide de Constantin ne tarda-t-elle pas à être dépouillée de son vêtement splendide et n'en resta-t-il qu'un bloc noirci de quatre-vingts pieds de haut. Cette pyramide d'or, que les paroxystes du temps comparaient au colosse de Rhodes, devait en effet resplendir magnifiquement sous le ciel bleu de Constantinople, parmi les splendides monuments de l'art antique, au-dessus des colonnades du Cirque, encombrées de spectateurs en somptueux habits. Mais, pour se le figurer, il faut que la pensée fasse un travail complet de restauration.

Autrefois les Turcs faisaient courir leurs chevaux et s'exerçaient à lancer le djerid sur cette place, turf tout préparé pour les divertissements équestres ; la réforme et l'introduction de la tactique européenne ont fait abandonner ce jeu du javelot, qui convient mieux aux libres cavaliers du désert et des steppes de l'Asie qu'aux régiments de cavalerie régulière instruits d'après les méthodes de l'école de Saumur.

Au bout de l'Atmeïdan se trouve l'Et-Meïdan (marché aux viandes). C'est un lieu redoutable et sinistre, malgré le soleil qui l'inonde de ses gais rayons. Si vous regardez cette mosquée à demi écroulée, ces murs qui ont conservé les cicatrices du feu, vous y apercevrez facilement encore la trace des boulets. — Cette terre, aujourd'hui blanche et pulvérulente, a été profondément rougie de sang. — C'est dans l'Et-Meïdan qu'eut lieu ce massacre des janissaires dont Champmartin envoya au Salon le tableau si farouchement romantique ; — la grande tuerie eut un cadre digne d'elle.

Le sultan Mahmoud, sentant avec l'instinct du génie l'empire pencher vers la ruine, crut qu'il le sauverait en lui donnant des armes égales à celles des royaumes chrétiens, et il voulut faire instruire ses troupes par des officiers égyptiens dressés à la tactique européenne. Cette réforme si simple et si juste souleva des répugnances insurmontables parmi les janissaires ; les moustaches grises se hérissèrent d'indignation ; les fanatiques crièrent à la profanation, invoquèrent Allah et Mahomet, et peu s'en fallut que le commandeur des croyants ne passât pour un giaour à cause de son entêtement à introduire ces manœuvres diaboliques dont Mahomet II ni Soliman Ier n'avaient eu besoin pour faire des conquêtes et les garder.

Heureusement Mahmoud était un homme de résolution qu'on n'intimidait pas facilement, il avait résolu de vaincre ou de périr dans la lutte ; l'insolence des janissaires, égale à celle des prétoriens et des strélitz, ne se pouvait plus supporter, et leurs séditions perpétuelles faisaient vaciller le trône dont ils se prétendaient l'appui. — L'occasion ne se fit pas attendre. — Un instructeur égyptien frappa un soldat turc récalcitrant ou volontairement maladroit. Aussitôt les janissaires indignés prennent fait et cause pour leur camarade, renversent leurs marmites en signe de révolte, et menacent de mettre le feu aux quatre coins de la ville.

C'était, comme on sait, leur manière de protester et de témoigner leur mécontentement. — Ils s'attroupèrent devant le palais de Kosrew-Pacha, leur aga, demandent à grands cris la tête du grand vizir et du mufti, qui avaient approuvé les réformes impies de Mahmoud ; mais ils n'avaient pas affaire à un de ces sultans énervés trop heureux d'apaiser une sédition hurlante en lui jetant quelques têtes en pâture.

A la nouvelle de l'insurrection, sultan Mahmoud accourut en toute hâte de Beschick-Tash, où il se trouvait, réunit les troupes restées fidèles, convoqua les ulémas et prit à la mosquée d'Achmet, voisine de l'Hippodrome, l'étendard du prophète, qu'on ne déploie que lorsque l'empire est en danger ; tout bon musulman doit alors son concours au commandeur des fidèles, car c'est une guerre sainte. — L'abolition des janissaires est prononcée.

Les janissaires s'étaient retranchés dans l'Et-Meïdan, auprès de leur caserne ; les troupes régulières de Mahmoud occupaient les rues adjacentes avec des canons braqués sur la place ; l'intrépide sultan passa plusieurs fois à cheval devant les bandes insurgées, affrontant mille morts et les sommant de se disperser. La situation se prolongeait, un moment d'hésitation pouvait tout perdre. — Un officier dévoué, Kara Dyehennem, tira son pistolet sur l'amorce d'un canon, le coup partit, et la mitraille ouvrit une rue sanglante dans les premiers rangs des rebelles ; l'action était engagée, l'artillerie tonna de toutes parts, une fusillade bien nourrie crépita comme la grêle sur les masses confuses des janissaires éperdus, et la bataille dégénéra bientôt en massacre. Ce fut une véritable boucherie ; on ne fit pas de quartier, les casernes où les fuyards s'étaient retranchés furent incendiées, et ceux qui avaient évité le fer périrent dans les flammes. — On varie beaucoup sur le nombre des morts ; les uns le portent à six mille, les autres à vingt mille, quelques-uns plus haut encore. On jeta ces cadavres à la mer, et pendant plusieurs mois, les poissons, putréfiés de chair humaine, ne furent pas mangeables.

La rancune de sultan Mahmoud ne s'arrêta pas là. Quand on se promène dans le Champ-des-Morts de Péra ou de Scutari, on rencontre beaucoup de cippes décapités restés debout avec leur turban de marbre à leur pied, comme un homme sans tête : ce sont les tombes d'anciens janissaires que la mort n'a pas mis à l'abri de la colère impériale.

Cette terrible extermination fut-elle un bien ou un mal au point de vue politique ? — Mahmoud, en tuant ce grand corps, n'éteignit-il pas une des forces vives de l'État, un des principes de la nationalité turque ? Le progrès matériel accompli remplacera-t-il efficacement l'ancienne énergie barbare ? Dans le crépuscule qui se fait au déclin des empires, le flambeau de la raison vaut-il mieux que la torche du fanatisme ? Nul ne peut le dire encore. Mais des événements que tout le monde est à même de prévoir auront bientôt décidé la question, et l'œuvre de Mahmoud pourra être définitivement jugée. — Nous voici bien loin de notre humble besogne de daguerréotypeur littéraire. Retournons-y.

A quelque distance de l'Hippodrome, au milieu d'un terrain semé de décombres incendiés, s'ouvre, au revers d'une espèce de monticule, comme une gueule noire, l'entrée d'une citerne byzantine tarie. L'on y descend par un escalier de bois. Les Turcs l'appellent Ben-Bir-Dereck ou les Mille et une Colonnes, quoiqu'elle n'en compte en réalité que deux cent vingt-quatre. Ces colonnes, en marbre blanc, sont terminées par de grossiers chapiteaux d'un corinthien barbare, ébauchés ou frustes, supportant des arcades en plein cintre et forment plusieurs nefs avec leurs rangées. Elles ont, à la hauteur de trois ou quatre pieds, un renflement jusqu'où montaient les eaux et qui leur servait de base apparente lorsque le réservoir était plein. Le reste de la colonne figurait alors un pilotis submergé. Le sol s'est exhaussé de la poussière des siècles, des décombres de la voûte et de détritus de toutes sortes ; car la citerne devait être jadis plus profonde : on distingue vaguement sur les chapiteaux des signes mystérieux, des hiéroglyphes byzantins dont le sens est perdu. Un epsilon et un phi, qui se trouvent souvent répétés, se traduisent par ces mots : « Euge, Philoxena. » Cette citerne, en effet, servait aux étrangers. Elle a été bâtie par Constantin, dont le monogramme est empreint sur les grandes briques romaines dont se compose la voûte et sur plusieurs fûts de colonnes. Maintenant, des Juifs et des Arméniens y ont établi une manufacture de soie.

Les rouets et les dévidoirs grincent sous les arcades de Constantin, et le bruit des métiers imite le bruissement de l'eau disparue ; il règne dans ce souterrain, éclairé par un demi-jour blafard combattu d'ombres profondes, une fraîcheur glaciale qui vous saisit, et c'est avec un vif sentiment de plaisir que je remontai du fond de ce gouffre à la tiède clarté du soleil, plaignant de tout mon cœur les pauvres ouvriers travaillant sous terre à des œuvres de patience, comme des gnomes ou des kobolds.

A peu de distance de cette citerne, derrière Sainte-Sophie, il en existe une autre nommée Yeri-batan-Seraï (le Palais de dessous terre). Celle-là ne renferme pas de filatures de soie comme Ben-Bir-Dereck. Dès l'entrée, une vapeur humide et pénétrante, chargée de coryzas, de fluxions et de points de côté, vous enveloppe de son manteau mouillé ; une eau noire éraillée de quelques paillettes et de quelques remous livides baigne les colonnes verdies et s'étend sous les arcades opaques à des profondeurs que l'œil ne peut sonder et que les rayons des torches n'atteignent pas.

Rien n'est plus sinistre et plus effrayant ; les Turcs prétendent que les djinns, les goules et les afrites tiennent leur sabbat dans ce palais lugubre, et y secouent joyeusement leurs ailes de chauve-souris, mouillées des pleurs de la voûte. Autrefois on parcourait en bateau cette mer souterraine. Ce voyage devait ressembler à la traversée des fleuves infernaux dans la barque à Caron. Des barques, entraînées sans doute par des courants intérieurs vers quelque gouffre, ne sont jamais revenues de cette noire expédition, interdite aujourd'hui, et que je n'aurais d'ailleurs eu nulle envie de tenter, eût-elle été permise.

XXVI
L'ELBICEI-ATIKA

Sur l'Atmeïdan, en face de la mosquée d'Achmet, s'élève, près du Mecter-Kané (dépôt des tentes), une maison turque d'assez belle apparence : c'est l'Elbicei-Atika, ou Musée des anciens costumes ottomans ; — ce Musée, récemment ouvert au public, est précédé d'une cour où s'épanouit une fraîche verdure, où gazouille l'eau d'une fontaine dans un bassin de marbre : s'il n'y avait sous la porte un employé chargé de percevoir le prix des billets d'admission, on pourrait se croire dans le conak d'un bey. Rien n'est plus agréablement tranquille que ce vestiaire rétrospectif du vieil empire turc : l'ombre et le silence du passé baignent ce calme asile de leurs nuances douces ; en mettant le pied dans l'Elbicei-Atika, on rétrograde du présent dans l'histoire.

Sur le palier, comme enseigne ou comme sentinelle, on aperçoit d'abord un yenitcheri-kollouk-néféri, c'est-à-dire un janissaire de corps de garde. Au temps de la puissance des janissaires, on ne passait pas devant un poste de cette milice indisciplinée sans être plus ou moins rançonné ; il fallait, comme on dit, cracher au bassin, ou être battu, couvert de boue et d'avanies.

Un mannequin, dont la tête et les mains sont en bois sculpté et colorié, non sans talent, soutient la garde-robe de l'ancien janissaire ; cette infraction à l'usage musulman, qui interdit toute reproduction de la figure humaine, est remarquable et prouve un affaiblissement du préjugé religieux amené sans doute par le contact avec les civilisations chrétiennes ; un tel musée, où se voient près de cent quarante personnages, n'eût pas été possible autrefois ; maintenant il ne choque personne, et souvent un vieux janissaire échappé au massacre vient y rêver devant la défroque de ses compagnons d'armes, et soupire en pensant au bon temps qui n'est plus.

Ce yenitcheri-kollouk-néféri a la mine d'un sacripant jovial : une espèce de bonhomie féroce respire dans ses traits fortement caractérisés qu'accentue une longue moustache ; on voit qu'il serait capable d'apporter de la drôlerie dans le meurtre, et il règne dans sa pose toute la nonchalance dédaigneuse d'un corps privilégié qui se croit tout permis : les jambes croisées l'une sur l'autre, il joue de la louta, sorte de guitare à trois cordes, pour charmer les loisirs de la faction. Il porte un tarbouch rouge autour duquel s'enroule en turban une pièce de toile commune, une casaque brune dont les bouts rentrent dans la ceinture, et de larges culottes de drap bleu ; dans sa ceinture, à la fois arsenal et poche, s'entassent et se hérissent mouchoir, serviette, blague à tabac, poignards, yataghans, pistolets. — Cet usage de tout fourrer dans la ceinture est commun aux Espagnols et aux Orientaux, et nous nous souvenons d'avoir vu à Séville un combat au couteau, où il n'y eut de tué qu'un melon contenu par la *faja* d'un des adversaires.

Devant le yenitcheri est placée une petite table couverte d'ancienne menue monnaie turque, — aspres, paras, piastres devenues rares, — montant de la contribution noire levée sur les pékins de Constantinople. — Près de lui roussissent sur un gril quelques râpes de maïs aux grains d'or, repas dont se contente la frugalité orientale. Nous passons sans crainte, car il est en bois, et nous avons payé dix piastres à la première porte.

En face de ce janissaire quêteur se tiennent debout quelques soldats du même corps, en costume à peu près semblable. Le seuil franchi, on se trouve dans une salle oblongue, faiblement éclairée et garnie de grandes vitrines renfermant des mannequins habillés avec un soin parfait et une exactitude scrupuleuse. — C'est le salon de Curtius et l'exhibition Tussaud d'un monde disparu. — Là sont collectionnés, comme des types d'animaux antédiluviens au Musée d'histoire naturelle, les individus et les races supprimés par le coup d'État de Mahmoud. Là revit, d'une vie immobile et morte, cette Turquie fantasque et chimérique des turbans en moules de pâtisserie, des dolimans bordés de peau de chat, des hautes coiffures coniques, des vestes à soleil dans le dos, des armes barbarement extravagantes, la Turquie des mamamouchis, des mélodrames et des contes de fée. Vingt-sept années seulement se sont écoulées depuis le massacre des janissaires, et il semble qu'il y ait un siècle, tant est radical le changement. — Par la volonté violente du réformateur, les vieilles formes nationales ont été anéanties, et des costumes pour ainsi dire contemporains sont devenus des antiquités historiques.

En regardant derrière les vitrages ces têtes moustachues ou barbues, aux prunelles fixes, aux couleurs grimaçant la vie, éclairées par une faible lumière oblique, on éprouve une impression étrange, une sorte de malaise indéfinissable. — Cette réalité grossière, différente de celle de l'art, inquiète par l'illusion même qu'elle produit ; en cherchant la transition de la statue à l'être vivant, on a rencontré le cadavre ; ces visages enluminés, où nul muscle ne tressaille, finissent par faire peur comme ces morts fardés qu'on emporte à face découverte. Aussi comprenons-nous très-bien la terreur que les masques inspirent aux enfants. Ces longues files de personnages bizarres, gardant les poses roides et contraintes qu'on leur a données, ressemblent à ce peuple pétrifié par la vengeance d'un magicien dont parle un conte oriental. Il n'y manque que le grand vieillard à barbe blanche, seul vivant de la cité morte, lisant le Koran sur un banc de pierre à l'entrée de la ville. Il sera figuré, si vous voulez, d'une manière prosaïque, il est vrai, par l'homme qui perçoit à la porte le prix des billets.

Nous ne pouvons décrire une à une les cent quarante figures enfermées dans les vitrines des deux étages, dont plusieurs ne diffèrent entre elles que par d'imperceptibles détails de coupe ou de couleur, et il faudrait pour cela hérisser notre texte d'une foule de mots turcs d'une orthographe rébarbative et d'une lecture difficile. Ce travail, du reste, a été fait d'une manière aussi exacte que brillante par M. Georges Noguès, fils du rédacteur en chef du journal français de Constantinople, et avec un soin que n'y peut mettre un voyageur forcé de voir rapidement. Sa notice nous a servi pour poser les noms sur des personnages que nos yeux seuls se rappelaient, et nous lui rendons ici la justice qui lui est due. Cet hommage nous permet de lui emprunter avec moins de scrupule quelques détails oubliés.

L'Elbicei-Atika se compose principalement des costumes de l'ancienne maison du Grand Seigneur et des différents uniformes des janissaires. Il y a aussi quelques mannequins d'artisans habillés à la vieille mode, mais en petit nombre.

Le premier fonctionnaire d'un sérail est naturellement le chef des eunuques (kislar aghaci). Celui qu'on a enfermé derrière les vitrages de l'Elbicei-Atika, comme spécimen de l'espèce, est fort splendidement vêtu d'une pelisse d'honneur de brocart ramagé de fleurs, posée sur une première tunique de soie rouge et d'un vaste pantalon maintenu à la taille par une ceinture de cachemire. Il est coiffé d'un turban rouge à tortil de mousseline, et chaussé de bottines de maroquin jaune.

Le grand vizir (sadrazam) a un turban de forme singulière ; son moule, conique par le haut, côtelé par le bas de quatre arêtes, est entouré à sa base de mousseline roulée que comprime et traverse diagonalement une étroite bande d'or ; il porte, comme le chef des eunuques, un kurklu kaftan (pelisse d'honneur) de brocart à fleurs vertes et rouges ; de sa ceinture de cachemire sort le manche ciselé et rugueux de pierreries de son kandjar. Le scheik-ul-islam et le capitan-pacha sont à peu près vêtus de même, à l'exception du turban, composé d'un fez d'une riche pièce d'étoffe tortillée.

Le seliktar-aghaci, ou chef des porte-glaives, a un air tout à fait sacerdotal et byzantin dans son vêtement splendidement étrange ; son turban, d'une construction bizarre, lui donne une vague ressemblance avec un pharaon coiffé du pschent, et le modèle semble en avoir été rapporté d'Égypte d'après quelque panneau hiéroglyphique ; sa robe de brocart d'or à ramages d'argent, taillée en forme de dalmatique, rappelle les chasubles des prêtres ; le sabre du sultan, respectueusement enfermé dans un étui de satin violet, repose sur son épaule. Après lui se présente une figure vêtue d'une robe noire à manches fendues brodées d'or (djubbé) et coiffée d'un fez ; c'est le bach tchokadar, espèce d'officier chargé de porter sur le bras les pelisses du Grand Seigneur dans ses promenades ; puis vient le tchaouch aghaci (chef des huissiers), avec sa robe d'étoffe d'or, sa ceinture de cachemire fermée de plaques métalliques d'où jaillit tout un arsenal ; son bonnet d'or se termine et s'aiguise en croissant, une corne devant, une corne derrière, fantasque coiffure qui fait penser à l'Isis lunaire ; ce chef des huissiers, qui ne serait pas déplacé à la porte du palais de Thèbes ou de Memphis, tient à la main une verge d'acier au pommeau bifurqué, assez pareille à un nilomètre, autre ressemblance égyptienne ; cette verge est l'insigne de ses fonctions. Un agha du seraï se montre ensuite en robe de soie blanche serrée par une ceinture à plaques d'or et surmonté d'un bonnet cylindrique. Ce mannequin, vêtu de même, sauf sa coiffure d'or qui s'évase au sommet par quatre courbes, comme un chapska de lancier polonais, est un dilciz (muet), un de ces sinistres exécuteurs des justices ou des vengeances secrètes, qui passaient au cou des pachas rebelles le fatal cordon de soie, et dont l'apparition silencieuse faisait pâlir les plus intrépides.

Après sont groupés les serikdji-bachi, à qui est commise la garde des turbans du Grand Seigneur, les cuisiniers, les jardiniers avec leur bonnet rouge, pareil à celui des Catalans, retombant en arrière comme une espèce de poche ; les portiers, les baltadjis aux cheveux frisés, au bonnet persan ; les soulak en doliman abricot et en pantalon rouge, comme Rubini lorsqu'il joue le More de Venise ; les peyik à la robe violette et au bonnet rond, surmonté d'une aigrette de plumes ouvertes en éventail. Les baltadjis, les soulak et les peyik forment la garde particulière du sultan et l'entourent dans les occasions solennelles, au Beïram, au Courban-Beïram, et lorsqu'il se rend en cérémonies aux mosquées.

La série est close par deux nains fantasquement accoutrés. — Ces petits monstres à figure de gnome et de kobold ont à peine deux pieds et demi de haut, et tiendraient honorablement leur place à côté de Perkéo, le nain de l'électeur Charles-Philippe ; de Bébé, le nain du roi de Pologne ; de Mari-Borbola et de Nicolasico Pertusato, les nains de Philippe IV ; de Tom Pouce, le nain gentleman. Ils sont grotesquement hideux, et la folie ricane sur leurs lèvres épaisses, car l'emploi de fou et de nain se confondent volontiers ; la pensée est gênée dans ces têtes mal faites. Le suprême pouvoir a toujours aimé cette antithèse de la suprême abjection. — Un fou contrefait, jasant avec les grelots de sa marotte sur les marches du trône, est un contraste dont les rois du moyen âge ne se faisaient pas faute : ce n'est pas le cas en Turquie, où les fous sont vénérés comme des saints, mais il est toujours agréable, quand on est un radieux sultan, d'avoir près de soi une espèce de singe humain qui fait ressortir vos splendeurs.

Le premier a une robe jaune, serrée d'une ceinture d'or, et porte sur la tête une espèce de bonnet en forme de couronne dérisoire ; le second, mis beaucoup plus simplement, engouffre ses petites jambes dans un grand pantalon à la mameluk, retombant sur ses babouches microscopiques, et s'empaquette dans un benich à manches traînantes ; on dirait un enfant qui, pour s'amuser, s'est revêtu des habits de son grand-père. Son turban, de couleur sombre, n'offre aucune singularité. — L'emploi de nain n'est pas tombé en désuétude à la cour de Turquie : il y est toujours tenu avec honneur. Nous avons crayonné dans notre description du Beïram le nain du sultan Abdul-Medjid, monstre large et court, déguisé en pacha de la réforme.

Sous la même vitrine, on voit un agha malade, se faisant traîner par ses serviteurs dans une sorte de brouette à deux roues, qui nous rappela la chaise de voyage de Charles-Quint, conservée à l'Armeria de Madrid. Maintenant les aghas bien portants se promènent en coupé d'Erler ou en calèche de Clochez. Paris et Vienne envoient les chefs-d'œuvre de leur carrosserie à Constantinople, d'où disparaîtront bientôt tout à fait les talikas aux caisses peinturlurées et dorées, les arabas caractéristiques traînés par de grands bœufs gris. — Décidément, la couleur locale s'en va du monde.

Le reste du Musée est fourni par le corps des janissaires, qui se retrouve là tout entier, comme si sultan Mahmoud ne l'avait pas fait mitrailler sur la place de l'Et-Meïdan. Il y a des échantillons de chaque variété. Mais peut-être, avant de décrire les costumes des janissaires, ne serait-il pas hors de propos de donner une idée de leur organisation.

Les yenitcheri (nouvelle troupe) furent institués par Amurat IV, dans le but de s'entourer d'un corps d'élite, d'une garde spéciale, sur le dévouement de laquelle il pût compter ; le premier noyau fut fait de ses esclaves, et, plus tard, se grossit de prisonniers de guerre et de recrues. — De ce nom de yenitcheri, les Européens, peu familiers avec les intonations des langues orientales, ont fait janissaires, qui a le défaut d'impliquer une autre racine et semble vouloir dire gardiens de la porte.

L'orta (corps) des yenitcheri était divisée en odas (chambrées), et les différents officiers prenaient des titres culinaires risibles au premier abord, mais cependant explicables. Le faiseur de soupe (tchorbadji), le cuisinier (achasi), le marmiton (karacoulloukdji), le porteur d'eau (sakka), semblent de singuliers grades militaires. Pour concorder avec cette hiérarchie culinaire, chaque oda, outre son étendard, avait pour enseigne une marmite chiffrée au numéro du régiment. Dans les jours de révolte, on renversait ces marmites, et le sultan pâlissait au fond de son sérail ; car les yenitcheri ne se contentaient pas toujours de quelques têtes, et la révolte se tournait parfois en révolution. Jouissant d'une haute paye, mieux nourris, forts des priviléges concédés et extorqués, les janissaires avaient fini par former une nation au sein de la nation même, et leur aga était un des personnages les plus importants de l'empire.

L'aga, exposé comme spécimen à l'Elbicei-Atika, est superbement vêtu : les fourrures les plus précieuses garnissent sa pelisse roide d'or, une fine mousseline de l'Inde entoure son turban ; sa ceinture de cachemire soutient une panoplie d'armes de prix aux lames de Damas, aux pommeaux de pierreries, de pistolets aux crosses d'argent ou d'or incrustées de grenats, de turquoises et de rubis. D'élégantes babouches de maroquin jaune artistement piquées complètent ce noble et riche costume, égal à celui des plus hauts dignitaires.

A côté de l'aga, nous pouvons placer le santon Bektack-Emin Baba, patron du corps ; ce santon avait béni l'orta de yenitcheri à sa formation, et sa mémoire y était restée fort vénérée. — On invoquait son nom dans les combats, dans les dangers et aux moments suprêmes. — Bektack-Emin Baba, en sa qualité de saint personnage, ne brille pas, comme l'aga, par la magnificence de ses vêtements. Son costume, des plus simples, annonce le renoncement aux vanités terrestres : il consiste en une espèce de froc de laine blanche serré d'une ceinture brune, et un fez de feutre blanchâtre assez semblable au bonnet des derviches tourneurs ; ce fez n'a pas de houppe de soie, et il est bordé d'une petite bande de peluche de couleur sombre. Le caleçon, arrêté au genou, laisse voir les jambes osseuses et hâlées du saint homme. Un petit cornet à bouquin en cuivre est suspendu à sa main. — Nous ignorons le sens de cet attribut.

L'uniforme, comme nous l'entendons, n'était pas dans les habitudes militaires ottomanes ; aussi, la fantaisie règne-t-elle assez librement dans le costume des yenitcheri ; les grades se distinguent à quelque signe bizarre, mais le fond du vêtement est pareil à celui que portaient les Turcs à cette époque. Il faudrait le crayon du lithographe et le pinceau de l'enlumineur plutôt que la plume de l'écrivain, pour rendre ces variétés de coupes et de nuances, tous ces détails dont se surcharge péniblement une description qui, quelque effort qu'on fasse, n'est jamais bien claire à l'œil du lecteur ; parmi les nombreux artistes dont Constantinople reçoit la visite, je m'étonne qu'il ne s'en soit pas trouvé un curieux de réunir dans un album colorié cette précieuse collection ; on obtiendrait sans peine le firman nécessaire pour travailler dans la galerie, et la vente en serait assurée, maintenant surtout que les esprits sont tournés vers l'Orient.

En attendant que les dessins soient faits, marquons en passant quelques singularités, entre autres, un bach karakoulloudji, — chef marmiton, dont le grade correspond à celui de lieutenant d'une compagnie, — qui porte sur l'épaule, comme insigne de sa dignité, une cuiller à pot gigantesque, qu'on croirait prise au dressoir de Gargantua ou de Gamache. Cette étrange décoration se termine en fer de lance, sans doute pour associer les idées de guerre et de cuisine ; un chatir (coureur), dont un passementier semble avoir pris la tête pour y rouler une longue pièce de ruban blanc : les innombrables tours que l'étoffe fait sur elle-même forment un rebord semblable aux ailes d'un chapeau rond ; — un yenitcheri-oustaci (officier supérieur), flanqué de deux acolytes et affublé du plus bizarre costume qu'on puisse imaginer.

Cet officier est bardé d'énormes plaques de métal rondes, grandes comme des couvercles de casseroles, attachées à sa ceinture, contre lesquelles viennent battre et bruire d'autres plaques carrées, niellées, ciselées et d'un curieux travail ; de la garde du sabre pend une grosse clochette d'airain comme celle qu'on pend, en Espagne, au cou de l'âne-colonel ; sa coiffure, arrondie en calotte comme le sommet d'un casque, est divisée par une baguette de cuivre pareille à celle qu'on voit sur certains morions pour protéger le nez contre les coups de sabre, et de la nuque s'échappe un flot d'étoffe grise s'étalant par derrière ; un large pantalon rouge complète cet accoutrement aussi incommode que baroque. Les hérauts des anciens tournois ne devaient pas être plus gênés dans leurs massives armures que ce malheureux yenitcheri oustaci dans sa tenue de parade ; l'orta sakacci (chef des porteurs d'eau) n'est pas moins originalement accoutré : sa veste ronde, large, sans taille, coupée en tabar ou paletot, est imbriquée et papelonnée de plaques de cuivre ; sur ses épaules, deux espèces de jockeys saillants, également recouverts d'écailles de métal, encadrent sa tête d'une manière bizarre ; une outre en cuir se rattache à son dos par des courroies ; à sa ceinture est passé un martinet, — un *cat of nine tails*. Plus loin, deux officiers portent la marmite de l'orta passée par l'anse dans un long bâton. Sur cette marmite, des caractères en relief marquent le chiffre du régiment. La description détaillée de l'allumeur de chandelle, du porteur de sébile, des porteurs de baklava et du gracioso, avec son bonnet à poil et son tarabouk, nous mènerait trop loin ; citons quelques figures de kombaradji (bombardeurs) faisant partie du corps fondé par Ahmed-Pacha (le comte de Bonneval), renégat célèbre, dont le tombeau existe encore au Tekké des derviches tourneurs de Péra, un des soldats du nizam-djedid, institué par le sultan Selim pour contrebalancer l'influence des janissaires. — C'est de ce corps, formé des débris des milices de Saint-Jean-d'Acre, que date l'introduction de l'uniforme dans les troupes ottomanes. Le costume du nizam-djedid ressemble beaucoup à celui des zouaves et des spahis de notre armée d'Afrique ; quelques échantillons de Grecs, d'Arméniens et d'Arnautes, complètent la collection.

En parcourant l'Elbicei-Atika, devant ces armoires peuplées de fantômes du temps passé, on ne peut se défendre d'un sentiment mélancolique, et l'on se demande si ce n'est pas un mouvement de prescience involontaire qui a poussé les Turcs à faire ainsi l'herbier de leur ancienne nationalité, si vivement menacée aujourd'hui. Ce qui se passe maintenant semble donner un sens prophétique à ce soin de réunir les physionomies du vieil empire ottoman d'Europe, près d'être refoulé en Asie.

XXVII
KADI-KEUÏ

Une promenade à Kadi-Keuï est un plaisir que les habitants de Péra se refusent rarement les jours de fête, surtout ceux qui ne sont pas encore assez riches pour posséder une maison de campagne sur le Bosphore, entre les palais d'été des beys et des pachas.

Kadi-Keuï (village de juges) est un petit bourg de la rive d'Asie qui fait face au Sérail, dans l'endroit où la mer de Marmara commence à s'étrangler pour former l'embouchure du Bosphore. Sur l'emplacement de Kadi-Keuï s'élevait autrefois la ville de Chalcédon ou Chalcédoine, bâtie par Archias, sous les Mégariens, vers la vingt-troisième olympiade, six cent quatre-vingt-cinq ans avant Jésus-Christ ; voilà déjà une antiquité respectable. Cependant, quelques auteurs attribuent la fondation de Chalcédoine à un fils du devin Chalchas, au retour de la guerre de Troie ; d'autres à des colons de Chalcis, en Eubée, qui valurent à la nouvelle cité le surnom de ville des Aveugles, pour avoir choisi cette place lorsqu'ils pouvaient prendre celle où s'étala plus tard Byzance. Ce reproche ne nous semble aujourd'hui guère mérité, car de Kadi-Keuï on a la plus admirable perspective du monde, et Constantinople déploie sur l'autre rive, à travers la gaze argentée de sa légère brume, la magnificence de ses dômes, de ses coupoles, de ses minarets, de ses masses de maisons peintes, entrecoupées de touffes d'arbres. — Quand on veut jouir du panorama de Cologne, il faut aller se loger à Deutz, de l'autre côté du Rhin ; pour bien voir Stamboul, il n'y a pas de meilleur moyen que de prendre une tasse de café sur le port de Kadi-Keuï.

Deux modes de transport se présentent pour faire cette petite traversée, d'abord le caïque, ensuite le bateau à vapeur, qui fume près du pont de bois de Galata. Comme le trajet est un peu long et le courant rapide, on préfère généralement le pyroscaphe. J'ai employé l'un et l'autre. Le dernier est plus amusant pour le voyageur, en ce qu'il lui présente réunis en un étroit espace une foule de types curieux qui semblent poser devant lui. La séparation des sexes est tellement entrée dans les mœurs, que le tillac des bateaux à vapeur est réservé aux femmes et forme une espèce de harem où se parquent les Turques. Les dames arméniennes et grecques, lorsqu'elles sont seules, prennent aussi cette place. Tout le pont est couvert de tabourets bas, sur lesquels on s'asseoit, les genoux au menton ; des garçons circulent portant des verres d'eau ou de raki, des chiboucks et des tasses de café, des bonbons ou de menues pâtisseries ; car à Constantinople on grignote toujours quelque chose, et les graves fonctionnaires s'arrêtent au coin d'une rue pour manger une tranche de baklava ou de pastèque lorsque la faim les prend.

A l'arrière du bateau se tenaient cinq ou six femmes musulmanes, sous la conduite d'une vieille et d'une négresse ; leurs yachmacks de mousseline assez transparente laissaient deviner des traits réguliers et purs, et dans l'interstice brillaient sauvagement de grands yeux noirs surmontés de sourcils épais rejoints par le surmeh : le nez décrivait, sous ces linges, une courbe assez aquiline, et le menton, déprimé perpétuellement par les bandelettes, fuyait un peu en arrière : c'est le défaut des beautés turques ; lorsqu'elles sont dévoilées, l'enchâssement de leurs yeux, seule portion de leur visage exposée à l'air, est d'une teinte beaucoup plus brune que le reste de la peau, et leur fait comme un petit masque de hâle dont l'effet est de raviver singulièrement la nacre de la sclérotique.

Mais comment connaissez-vous ce détail ? va sans doute dire le lecteur, flairant quelque bonne fortune. — De la façon la moins don juanesque du monde : en errant par les cimetières, il m'est arrivé quelquefois de surprendre involontairement une femme rajustant son yachmack ou l'ayant laissé ouvert à cause de la chaleur, et se fiant à la solitude du lieu ; voilà tout.

Ces Turques, qui paraissaient appartenir à la classe aisée, avaient des feredgés de couleurs claires et fort propres, et leurs jambes, polies par les préparations du bain oriental, luisaient comme du marbre entre leurs caleçons de taffetas et leurs bottines de maroquin jaune. — Ces jambes étaient généralement fortes ; il ne faut pas chercher en Turquie la sveltesse d'extrémités de la race arabe. — Une de ces femmes allaitait un enfant et prenait plus de soin de couvrir son visage que sa gorge toute gonflée de lait et toute marbrée de veines bleues, que le nourrisson mordait de sa bouche rose avec le caprice nonchalant de l'appétit repu.

Près du groupe musulman s'étaient assises trois belles Grecques coiffées d'une façon charmante, selon la mode de leur nation ; une pointe de gaze bleue piquée de quelques étincelles de paillon leur couvrait le fond de la tête ; les cheveux, partagés en bandeaux ondés comme ceux des statues antiques, coulaient de chaque côté de leurs tempes, cerclés à leur séparation, comme par une féronière, par une énorme natte de cheveux formant diadème. — Cette natte n'est pas toujours vraie, et quelques vieilles matrones poussent l'insouciance jusqu'à la porter d'une autre couleur que celle de leurs cheveux naturels. Une bonne dame, placée non loin de ces beautés, étalait sur des bandeaux noirs mélangés de fils blancs une grosse tresse d'un blond roux qui n'avait pas la moindre prétention d'être enracinée dans son crâne.

Les anciens costumes disparaissent ; aussi les trois jeunes Grecques étaient-elles habillées à la française, mais leur coiffure et une veste de soie brodée, assez semblable aux caracos de nos élégantes, leur donnaient un air suffisamment pittoresque ; leurs traits purs et nettement découpés montraient que les types grecs, devenus classiques, n'étaient que de simples copies de la nature. L'homme ne peut rien imaginer, pas même un monstre. On retrouverait, sans beaucoup chercher, parmi les filles d'Éleusis et de Mégare, les modèles vivants de Phidias, de Praxitèle et de Lysippe. Ces trois belles filles sur le pont de ce bateau à vapeur faisaient penser à la virginale triade des Grâces.

Pendant la traversée, tout le monde fumait, et mille spirales bleuâtres allaient se rejoindre à la noire vapeur du tuyau ; le bateau, très-chargé sur le pont et nullement lesté dans la cale, tanguait horriblement, et si le voyage eût duré un quart d'heure de plus, il y aurait eu des cas de mal de mer, bien que l'eau fût unie comme une glace.

Enfin le *Bangor*, c'est le nom de cet affreux sabot, se rangea contre la jetée de pierre, déplaçant une flottille de caïques, et nous mîmes pied à terre.

Ce que l'on pourrait appeler le port de Kadi-Keuï, si ce mot n'était trop ambitieux, est bordé de cafés turcs, arméniens et grecs, toujours remplis d'un monde bigarré. Les Pérotes et les Grecs boivent de grands verres d'eau blanchie de raki, l'absinthe locale ; les musulmans avalent à petites gorgées du café trouble ; Pérotes, Grecs et Turcs, font, sans dissidence, ronfler l'eau de rose dans la carafe de cristal des narghiléhs, et le cri polyglotte « du feu ! » domine le sourd bourdonnement des conversations.

Rien n'est plus agréable que d'aspirer la vapeur du tombaki sur le divan extérieur d'un de ces cafés en voyant bleuir au loin devant soi, sur la rive d'Europe, les murailles crénelées du sérail, les maisons de Psammathia et les massives constructions du château des Sept Tours ; mais ce n'était pas pour jouir de ce spectacle que j'étais venu à Kadi-Keuï.

J'avais été invité à déjeuner par Ludovic, un Arménien chez qui j'avais acheté des pantoufles persanes, des blagues à tabac du Liban, des écharpes en soie de Brousse tramées d'or et d'argent, et quelques-unes de ces bimbeloteries orientales sans lesquelles un voyageur venant de Constantinople n'est pas bien venu à Paris. Ludovic possède une des plus belles boutiques de curiosités du bazar dont j'ai parlé tout au long en ses lieu et place, et il s'est fait à Kadi-Keuï une charmante habitation. Comme les marchands de la Cité, les marchands de Constantinople viennent passer la journée à leur magasin et s'en retournent chaque soir dans quelque villa ou cottage vivre de la vie de famille, laissant toute idée de négoce sur le seuil.

Je suivis jusqu'au bout la grande rue de Kadi-Keuï, d'après les indications qu'on m'avait données ; elle est assez pittoresque avec ses maisons peintes, ses cabinets saillants, ses étages qui surplombent, ses moucharabys à grillages serrés et ses habitations plus modernes où se font sentir des velléités de goût anglais ou italien. — Quelques façades blanches interrompent çà et là le bariolage arménien et turc et ne produisent pas un trop mauvais effet. — Sur le pas des portes ouvertes étaient assises ou groupées de belles jeunes femmes que le regard ne faisait pas fuir ; des talikas roulaient cahotés par le pavé pierreux et contenant des familles en partie de campagne ; des cavaliers turcs passaient sur leurs chevaux barbes, suivis d'un domestique à pied et la main posée sur la croupe de la monture de leur maître ; des popes, vêtus d'une robe violette semblable à celle de nos professeurs de collége et coiffés d'un mortier de juge d'où pend un long voile de gaze noire, marchaient d'un pas grave en caressant leurs barbes frisées ; l'animation régnait partout.

La grande rue franchie, les maisons s'espacent, s'entourant de jardins plus vastes. On suit de longs murs blancs ou des clôtures de planches, au-dessus desquels se projettent par masses les feuilles épaisses du figuier ou par guirlandes les folles brindilles de la vigne.

Au bout de quelques minutes de marche, j'aperçus une porte blanche à filets bleus : c'était la maison du Ludovic ; j'entrai, et je fus reçu par une charmante femme aux grands yeux noirs, à l'ovale allongé et portant sur son jeune visage les traits typiques de la race arménienne, une des plus belles du monde, et que je préférerais peut-être à la grecque, si la courbe du nez ne devenait trop aquiline avec l'âge.

Madame Ludovic ne parlait que sa langue maternelle, et la conversation entre nous s'arrêta naturellement après les premiers saluts ; je ne sais rien de plus contrariant qu'une pareille situation, bien simple pourtant. Je me trouvai le plus grand sot du monde de ne pas savoir l'arménien ; et cependant on peut, sans avoir eu une éducation négligée, ignorer cet idiome. Je me reprochai de n'avoir pas fait, comme lord Byron, des études préalables au couvent des lazaristes de Venise ; mais, en conscience, je ne pouvais prévoir que je déjeunerais un matin à Kadi-Keuï avec une jolie Arménienne ne soupçonnant ni le français, ni l'italien, ni l'espagnol, seules langues que je comprenne. Par un délicat mouvement féminin, madame Ludovic, pour couper court à notre embarras réciproque, me conduisit dans une salle basse où se jouaient sur une natte ses deux beaux enfants. — En vérité, maintenant que les relations entre les peuples les plus divers sont si faciles et si promptes, on devrait bien adopter une langue commune, universelle, *catholique*, le français ou l'anglais, par exemple, dans laquelle on pût s'entendre, car il est honteux que deux êtres humains se trouvent, vis-à-vis l'un de l'autre, réduits à l'état de sourds-muets. — L'antique malédiction de Babel doit être révoquée dans le monde de la civilisation.

L'arrivée de Ludovic, qui parle très-couramment le français, me rendit l'usage de ma langue, et, avant le déjeuner, il me fit visiter sa maison : on ne saurait imaginer rien de plus frais et de plus coquettement simple ; les parois et les plafonds des chambres, formés de panneaux, de boiseries, étaient peints de couleurs claires, lilas, bleu-de-ciel, jaune paille, chamois, rechampies de filets blancs ; de fines nattes de sparterie des Indes, remplacées en hiver par de moelleux tapis d'Ispahan et de Smyrne, recouvraient les planchers ; des divans de vieilles étoffes turques, aux dessins originaux et bizarres, relevés çà et là de fils d'or et d'argent, des carreaux en cuir de Maroc, tentaient la paresse dans tous les coins. Un râtelier de pipes aux tuyaux de cerisier et de jasmin, aux énormes bouquins d'ambre, aux lulés d'argile rose, émaillée et dorée, des pots en porcelaine de Chine pleins d'un tabac blond et soyeux, promettaient au fumeur les délices du kief ; quelques-unes de ces petites tables incrustées de nacre, basses comme des tabourets, qui servent à poser les plateaux de confitures et de sorbets, complétaient l'ameublement.

Comme il faisait très-chaud, nous déjeunâmes en plein air sous une sorte de portique faisant face au jardin, planté de vignes, de figuiers et de citrouilles. Notre repas se composait de poissons frits dans l'huile d'une espèce particulière qu'on appelle scorpions à Constantinople, de côtelettes de mouton, de concombres farcis de viande hachée, de petits gâteaux au miel, de raisins et de fruits, le tout arrosé de deux sortes de vins grecs, l'un doux avec un léger goût muscat, l'autre rendu amer par une infusion de pommes de pin, — souvenir de l'antiquité, — et ressemblant assez au vermout de Turin.

Les plats étaient apportés par une petite servante de treize à quatorze ans, qui, dans son empressement, faisait claquer, sur la mosaïque de cailloux dont la cour était pavée, les semelles de bois passées à ses pieds nus. Elle les allait prendre sur le fourneau où les cuisinait un gros Arménien ventru à face rubiconde, à nez de perroquet, qui avait, en son genre, un grand talent ; car je n'ai rien mangé de meilleur que les concombres farcis apprêtés par ce Carême asiatique, à qui j'exprime ici la satisfaction d'un estomac reconnaissant. Comme les jouissances culinaires sont rares en Turquie, il est bon de les noter.

Le repas fini, nous allâmes prendre le café et fumer une pipe sous les grands arbres qui bordent pittoresquement la côte escarpée de la baie ; des musiciens miaulaient je ne sais quelle complainte avec ces intonations gutturales, ces cadences bizarres, ces nasillements mélancoliques dont on a d'abord envie de rire, et qui finissent par vous mettre sous le charme lorsque vous les écoutez longtemps ; l'orchestre se composait d'un rebeb, d'une flûte de derviche et d'un tarabouk. — Le joueur de rebeb, gros Turc à cou de taureau, dodelinait de la tête avec un air de satisfaction inexprimable, comme enivré de sa propre musique ; entre ses deux acolytes maigres, il avait l'air d'un poussah entre deux magots.

Quand nous eûmes suffisamment entendu la chanson des janissaires et la légende de Scanderbeg, la fantaisie nous prit d'assister à la représentation que les bouffons arméniens et turcs donnaient à Moda-Bournou, tout près de Kadi-Keuï.

— J'ai, à mon retour d'Orient, donné, dans un feuilleton de théâtre, l'analyse de la farce du *Franc et du Hammal*, dont je n'espère pas que les lecteurs de la *Presse* aient gardé souvenir. — Cette fois, il s'agissait d'une beauté mystérieuse, d'une princesse Boudroulboudour quelconque, dont les charmes voilés, mais trahis par l'indiscrétion des suivantes, faisaient de grands ravages parmi les populations. — Le théâtre primitif se passe aisément de décors, l'imagination naïve des spectateurs y supplée. Thespis jouait sur une charrette, avec de la lie pour fard ; les grands drames historiques de Shakespeare n'exigeaient d'autre mise en scène qu'un poteau portant tour à tour cette inscription : Château, — Forêt, — Salon, — Champ de bataille, selon le site. A Moda-Bournou, le théâtre était une espèce d'aire de terre battue, ombragée par des arbres, et circonscrite par les tapis des spectateurs assis à l'orientale, et le hangar à claire-voie où se tenaient les femmes. Ni coulisses, ni toile de fond, ni rampe dans cette représentation *sub Jove crudo*.

Une barraque en toile, assez semblable à celle où Guignol fait se débattre Polichinelle avec le chat et le commissaire, figurait le harem pour les esprits complaisants. Un jeune drôle, embéguiné du yachmack, et tout entortillé de voiles comme une femme turque, vint s'y enfermer en affectant des poses languissantes, des dandinements lascifs et cette démarche d'oie qu'ont les musulmanes obèses, empêtrées dans leurs larges bottes jaunes, ou chancelant sur leurs patins. Cette entrée fit beaucoup rire, et avec justice, car l'imitation était comiquement parfaite.

Quand la belle eut pris place dans son réduit, les soupirants arrivèrent en foule gratter de la guzla sous la fenêtre par laquelle sa tête se penchait quelquefois, laissant voir deux grands sourcils fortement charbonnés et deux plaques violentes de rouge sous les yeux : les esclaves de la maison, armés de gourdins, faisaient de fréquentes sorties, et rossaient les amoureux à la grande jubilation de l'assemblée.

Ce n'était pas la femme qui répondait aux amants, mais un petit vieux tout momifié, tout ridé, tout cassé, la figure encadrée par une courte barbe blanche que je ne saurais mieux comparer qu'à ces bonshommes de terre cuite coloriée, représentant des yoghis ou des fakirs, qu'on voit souvent aux vitrines des marchands de curiosités sur le quai Voltaire. Ce grotesque sexagénaire, tapi derrière la baraque, chantait en fausset, à des hauteurs impossibles, des airs chevrotants destinés à contrefaire la voix de femme.

A ces glapissements aigus, les amoureux se pâmaient d'aise et croyaient entendre la musique du paradis ; ils faisaient, par l'intermédiaire de la jeune femme, qui riait sous son voile, les déclarations les plus passionnées et les offres les plus extravagantes à cet atroce barbon ; le public, dans la confidence de l'erreur, se tordait de rire au contraste des paroles et de la personne à qui elles s'adressaient. Le turc, au dire de ceux qui le savent, prête plus qu'aucune autre langue aux calembours et aux équivoques ; une légère différence d'intuition suffit pour changer le sens d'un mot et le détourner au bouffon et à l'obscène, et c'est une ressource dont les comédiens ne se font pas faute, non plus que les montreurs de Karagheuz.

Deux ou trois des amoureux rebutés perdent le peu qu'ils avaient de cervelle et restent frappés chacun d'un tic particulier : l'un avance et retire perpétuellement la tête comme ces oiseaux de bois que fait mouvoir une boule pendue au bout d'un fil ; l'autre, à toutes les questions qu'on lui pose, répond par une cabriole et un imperturbable *bim boum, bim boum, paf* ; un troisième porte une lanterne accrochée au bout d'une baguette de fer rivée à son turban et fait intervenir son fallot dans toutes les situations où l'on n'en a que faire, ce qui amène des gourmades, des volées de coups de bâton, des décoiffements et des chutes les quatre fers en l'air dont les Funambules seraient jaloux.

Enfin paraît le tchelebi, l'Almaviva, le ténor, le vainqueur, celui qui n'a qu'à se montrer pour triompher de toutes les belles ; il donne aux prétendants une raclée générale ; Koutchouk-Hanem, Nourmahal ou Miri-Mah (j'ignore le nom de la beauté enfermée dans la tour), rougit, se trouble, entr'ouvre un peu son voile et répond, cette fois elle-même, avec une bonne grosse voix de garçon enrouée par la mue de la puberté ; les instruments font rage ; de jeunes Grecs costumés en femme s'avancent et contrefont les mouvements lascifs des ghawasies et des bayadères, pour représenter les réjouissances nuptiales. — C'est du moins ce que j'ai cru comprendre, d'après les gestes des acteurs et la structure extérieure de l'action. Peut-être me suis-je aussi complètement trompé que l'amateur entendant une symphonie pastorale qu'il prenait pour l'oratorio de la Passion, et qui plaçait le soupir de Jésus mourant à l'endroit où le compositeur avait voulu rendre le chant de caille dans les blés.

XXVIII
LE MONT BOUGOURLOU. — LES ILES DES PRINCES

La farce jouée, je louai un talika pour aller visiter le mont Bougourlou, qui s'élève à quelque distance de Kadi-Keuï, un peu en arrière de Scutari, et du haut duquel on jouit d'une admirable vue panoramique sur le Bosphore et sur la mer de Marmara.

Les Turcs, bien qu'ils n'aient pas d'art proprement dit, puisque le Koran prohibe comme une idolâtrie la représentation des êtres animés, ont cependant, à un haut degré, le sentiment du pittoresque. Toutes les fois qu'il y a dans un endroit une belle échappée, une perspective riante, on est sûr d'y trouver un kiosque, une fontaine et quelques osmanlis faisant le kief sur leur tapis déployé ; ils restent là des heures entières dans une immobilité parfaite, fixant sur le lointain leurs yeux rêveurs, et chassant de temps à autre, par la commissure de leur lèvre, un flocon de fumée bleuâtre. Le mont Bougourlou est fréquenté principalement par les femmes, qui y passent des journées sous les arbres, par petites compagnies ou harems, regardant jouer leurs enfants, causant entre elles, buvant du sherbet ou écoutant les musiques bizarres des chanteurs ambulants.

Mon talika, traîné par un bon cheval que son conducteur à pied tenait en bride, suivit d'abord le rivage de la mer, dont l'eau venait souvent effleurer ses roues, longea les maisons de Kadi-Keuï, disséminées sur la côte, coupa le grand champ de manœuvres d'Hyder-Pacha, d'où partent, chaque année, les pèlerins de la Mecque, traversa l'immense bois de cyprès du Champ-des-Morts, derrière Scutari, et commença à gravir les pentes assez rudes du mont Bougourlou par un chemin sillonné d'ornières, hérissé de fragments de roche, barré souvent par des racines d'arbre, étranglé par les saillies des maisons sur la voie publique ; car, il faut l'avouer, les Turcs sont, en matière de viabilité, de la plus profonde insouciance. Deux cents voitures font, dans une journée, le tour d'une pierre placée au milieu du chemin ou s'y fracassent, sans que l'idée vienne à l'un des conducteurs de déranger l'obstacle ; malgré les cahots et la lenteur forcée de la marche, la route était extrêmement agréable et très-animée.

Les voitures se suivaient et se croisaient : les arabas, au pas mesuré de leurs bœufs, traînaient des sociétés de six ou huit femmes ; les talikas en contenaient quatre assises en face l'une de l'autre, les jambes croisées sur des carreaux, toutes extrêmement parées, la tête étoilée de diamants et de joyaux, qu'on voyait luire à travers la mousseline de leur voile ; quelquefois filait, dans un brougham moderne, la favorite d'un pacha. Quoique cela s'explique parfaitement, il est toujours drôle de voir, à la vitre d'un coupé bas, au lieu du visage connu d'une fille de marbre passant sa revue des Champs-Élysées, une femme du harem, enveloppée de ses draperies orientales ; le contraste est si brusque, qu'il choque comme une dissonance. Il y avait aussi beaucoup de cavaliers et de piétons qui grimpaient plus ou moins allégrement les déclivités abruptes de la montagne, en décrivant de nombreux zigzags.

Sur une espèce de plateau à mi-côte, au delà duquel les chevaux ne pouvaient plus monter, stationnait un nombre considérable de voitures attendant leurs maîtres, échantillons de la carrosserie turque à toutes les époques, assez réjouissants, et formant un pêle-mêle très-pittoresque où un artiste eût pu trouver un joli sujet de tableau. Je fis ranger mon talika en un lieu où je pusse le retrouver, et continuai à gravir. De distance en distance, sur des espèces de remblais formant terrasse, se tenait, à l'ombre d'un bouquet d'arbres, une famille arménienne ou turque, reconnaissable aux bottines noires ou jaunes et aux visages plus ou moins voilés ; quand je dis famille, il est bien entendu que je parle des femmes seulement. Les hommes font bande à part et ne les accompagnent jamais.

Sur le sommet de la montagne étaient installés des cawadjis avec leurs fourneaux portatifs ; des vendeurs d'eau et de sherbet, des marchands de sucreries et de pâtisserie, accompagnement obligé de toute réjouissance turque. Rien n'était plus gai à l'œil que ces femmes vêtues de rose, de vert, de bleu, de lilas, émaillant l'herbe comme de fleurs et respirant le frais à l'ombre des platanes et des sycomores ; car, bien qu'il fît très-chaud, la hauteur du lieu et la brise de la mer y faisaient régner une température délicieuse.

De jeunes Grecques, couronnées de leurs diadèmes de cheveux, s'étaient prises par la main et tournaient sur un air doux et vague comme la *Ronde des astres* de Félicien David. Elles ressemblaient, sur le fond clair du ciel, au *Cortége des Heures* de la fresque du Guide, au palais Rospigliosi.

Les Turcs les regardaient assez dédaigneusement, ne concevant pas que l'on se donne du mouvement pour s'amuser, ni surtout que l'on danse soi-même.

Je continuai à grimper jusqu'à une touffe de sept arbres qui couronne la montagne comme un panache ; de là, on domine tout le parcours du Bosphore : on découvre la mer de Marmara, tachetée par les îles des Princes, un radieux et merveilleux spectacle. Vu de cette hauteur, le Bosphore, reluisant par places entre ses rives brunes, présente l'aspect d'une succession de lacs ; les courbures des berges et les promontoires qui s'avancent dans les eaux semblent l'étrangler et le fermer de distance en distance ; les ondulations des collines dont est bordé ce fleuve marin sont d'une suavité incomparable ; la ligne serpentine qui se déploie sur le torse d'une belle femme couchée, et faisant ressortir sa hanche, n'a pas une grâce plus voluptueuse et plus molle.

Une lumière argentée, tendre et claire comme un plafond de Paul Véronèse, baigne de ses vagues transparentes cet immense paysage. Au couchant, Constantinople avec sa dentelle de minarets sur la rive de l'Europe ; à l'orient, une vaste plaine rayée par un chemin conduisant aux profondeurs mystérieuses de l'Asie ; au nord, l'embouchure de la mer Noire et les régions cimmériennes ; au sud, le mont Olympe, la Bithynie, la Troade, et, dans le lointain de la pensée qui perce l'horizon, la Grèce et ses archipels. Mais, ce qui attirait le plus mes regards, c'était cette grande campagne déserte et nue, où mon imagination s'élançait à la suite des caravanes, rêvant de bizarres aventures et d'émouvantes rencontres.

Je redescendis après une demi-heure de muette contemplation jusqu'au plateau occupé par les groupes de fumeurs, de femmes et d'enfants. — Un grand cercle s'était formé autour d'une bande de Tsiganes qui jouaient du violon et chantaient des ballades en idiome *caló* ; leur visage couleur de revers de botte, leurs longs cheveux noir bleuâtre, leur air exotique et fou, leurs grimaces sauvagement désordonnées et leurs haillons d'une pittoresque extravagance me firent penser à la poésie de Lenau : « les Bohémiens dans la bruyère, » quatre strophes à vous donner la nostalgie de l'inconnu et le plus féroce désir de vie errante. — D'où vient cette race indélébile dont on retrouve des échantillons identiques dans tous les coins du monde, parmi les populations différentes qu'elle traverse sans s'y mêler ? De l'Inde, sans doute, et c'est quelque tribu paria qui n'aura pu accepter l'abjection héréditaire et fatale. — J'ai rarement vu un camp de bohémiens sans avoir l'envie de me joindre à eux et de partager leur existence vagabonde ; l'homme sauvage vit toujours dans la peau du civilisé, et il ne faut qu'une légère circonstance pour éveiller ce désir secret de se soustraire aux lois et aux conventions sociales ; il est vrai qu'après une semaine passée à coucher à la belle étoile à côté d'un chariot et d'une cuisine en plein vent, on regretterait ses pantoufles, son fauteuil capitonné, son lit à rideaux de damas, et surtout les filets châteaubriand arrosés de grand bordeaux retour de l'Inde, ou même tout simplement l'édition du soir de la *Presse* ; mais le sentiment que j'exprime n'en est pas moins réel.

Les civilisations extrêmes pèsent sur l'individualisme et vous ôtent en quelque sorte la possession de vous-même en retour des avantages généraux qu'elles vous procurent ; aussi ai-je entendu dire à beaucoup de voyageurs qu'il n'y avait pas de sensation plus délicieuse que de galoper tout seul dans le désert, au soleil levant, avec des pistolets dans les fontes et une carabine à l'arçon de la selle ; personne ne veille sur vous, mais aussi personne ne vous entrave ; la liberté règne dans le silence et la solitude, et il n'y a que Dieu au-dessus de vous. J'ai éprouvé moi-même quelque chose d'analogue en traversant certaines parties désertes de l'Espagne et de l'Algérie.

Je retrouvai mon talika et son conducteur où je les avais laissés, et la descente commença, opération assez désagréable, vu la roideur de la pente et l'état du chemin, que je ne saurais mieux comparer qu'à un escalier en ruines et démoli par places. Le saïs tenait la tête de son cheval, qui, à chaque instant, s'écrasait sur ses jarrets, et dont la caisse de la voiture talonnait la croupe ; ma situation dans cette boîte ressemblait assez à celle d'une souris qu'on cogne aux parois d'une ratière pour l'étourdir ; des cahots à décrocher le cœur le plus solidement chevillé me jetaient le nez en avant au moment où je m'y attendais le moins ; aussi, quoique je fusse assez las, je pris le parti de descendre et de suivre ma voiture à pied.

Des arabas et des talikas pleins de femmes et d'enfants opéraient aussi leur dégringolade du Bougourlou : c'étaient des éclats de rire et de voix à chaque cascade nouvelle, à chaque soubresaut inattendu ; tout un rang de femmes tombait sur le rang opposé, et des rivales s'embrassaient ainsi bien involontairement ; les bœufs, avec leurs genoux déjetés, s'arc-boutaient de leur mieux contre les aspérités du terrain, et les chevaux descendaient avec cette prudence des animaux habitués aux mauvais chemins ; les cavaliers galopaient franchement comme s'ils étaient en plaine, sûrs de leurs montures curdes ou barbes : c'était un pêle-mêle charmant, très-joyeux à l'œil et d'un aspect véritablement turc ; quoiqu'un espace de quelques minutes seulement sépare la rive d'Asie de la rive d'Europe, la couleur locale s'y est beaucoup mieux conservée, et l'on y rencontre beaucoup moins de Francs.

La route étant redevenue à peu près possible, je regrimpai dans ma voiture, regardant par la portière les maisons peintes, les cyprès et les turbés qui bordaient le chemin et formaient quelquefois un îlot au milieu de la rue, comme Sainte-Marie-du-Strand. Mon conducteur me fit traverser Scutari, que nous avions contourné en allant, le champ de manœuvre d'Hyder-Pacha, puis reprit le bord de la mer jusqu'à l'embarcadère de Kadi-Keuï, où le *Bangor* s'apprêtait à appareiller, et crachait quelques flocons de fumée noire dans le bleu du ciel.

L'embarcation des passagères ne s'effectuait pas sans tumulte et sans éclats de rire ; une planche presque perpendiculaire servait de trait d'union entre la jetée et le bateau. L'ascension en était fort scabreuse, et il fallait de plus enjamber le plat-bord, ce qui produisait une foule de petites simagrées pudiques et vertueuses assez drôles ; dans ce passage périlleux, plus d'une jarretière européenne livra son secret ; plus d'un mollet asiatique trahit son incognito, malgré la jalousie turque. — Je ne parle de ce petit incident à la Paul de Kock que comme trait de mœurs ; en poussant la planche trois ou quatre pieds plus loin, on eût évité cette inquiétude à la pudicité féminine ; mais personne n'eut l'idée de la changer de la place.

La nuit tombait lorsque le *Bangor* débarqua sa cargaison humaine à l'escale de Galata, après l'avoir balancée comme une escarpolette.

Comme les curiosités de Constantinople commençaient à s'épuiser pour moi, je résolus d'aller passer quelques jours aux îles des Princes, archipel mignon semé sur la mer de Marmara, à l'entrée du Bosphore, et qui passe pour un séjour très-sain et très-délicieux. Ces îles sont au nombre de sept : Proti, Antigona, Kalki, Prinkipo, Nikandro, Oxeia, Plata, plus deux ou trois îlots qu'on ne compte pas. — Prinkipo est la plus grande et la plus fréquentée de ces fleurs marines qu'éclaire le gai soleil d'Anatolie et qu'éventent les fraîches brises du matin et du soir. On s'y rend par un service de bateaux à vapeur anglais et turcs en une heure et demie à peu près. — Le bateau turc que j'avais choisi avait un singulier mécanisme dont je n'ai vu le pareil nulle part : le piston, en saillie sur le pont, se levait et s'abaissait comme une scie manœuvrée par deux scieurs de long. — Malgré cette bizarrerie, le bateau anglais nous distança, et justifia bien le nom de *Swan* inscrit sur sa poupe en lettre d'or. Sa coque blanche filait dans l'eau comme un véritable cygne.

La côte de Prinkipo se présente, lorsqu'on vient de Constantinople, sous la forme d'une haute berge aux escarpements rougeâtres, surmontée d'une ligne de maisons ; des rampes de bois ou des sentiers rapides, traçant des angles aigus, descendent de la falaise à la mer, bordée de cabinets de planches pour les bains. Une détonation de boîte annonce que le bateau à vapeur est en vue, et aussitôt une flotte de caïques et de canots se détachent de terre pour aller au-devant des passagers, car le peu de profondeur de l'eau ne permet pas aux embarcations ayant quelques pieds de quille d'approcher.

Un logement m'avait été retenu d'avance dans l'unique auberge de l'île : maison de bois fraîche et propre, ombragée de grands arbres, et des fenêtres de laquelle la vue s'étendait sur la mer jusqu'aux profondeurs infinies de l'horizon.

En face, j'apercevais l'île de Kalki, avec son village turc se mirant dans la mer, et sa montagne surmontée d'un couvent grec. L'eau battait l'escarpement au pied duquel était juchée l'hôtellerie, et l'on pouvait y descendre en pantoufles et en robe de chambre pour y prendre un bain délicieux sur un fond de sable s'étendant assez loin.

A la table d'hôte, qui était fort bien servie, venait s'asseoir majestueusement une dame derrière laquelle se tenait un superbe domestique grec en costume de Pallikare, tout brodé d'or et d'argent, qui servait sa maîtresse avec un sérieux digne d'un domestique anglais. Ce gaillard caractéristique, plus propre à charger des tromblons et des carabines derrière un rocher qu'à changer des assiettes, produisait un assez bizarre effet, et je ne crois pas qu'on ait jamais versé du vin dans un verre d'une façon si grandiose. Les méchantes langues prétendaient même que là ne se bornaient pas ses fonctions, mais il ne faut jamais croire que la moitié de ce qu'on dit.

Le soir, les femmes arméniennes et grecques faisaient assaut de toilette pour se promener dans l'espace étroit resserré entre les maisons et la berge : les robes de soie les plus lourdes et les plus épaisses s'y déployaient à larges plis ; les diamants brillaient aux rayons de la lune, et les bras nus étaient chargés de ces énormes bracelets d'or aux chaînes multiples, ornement particulier à Constantinople, et que nos bijoutiers feraient bien d'imiter, car ils donnent de la sveltesse au poignet et avantagent la main.

Les familles arméniennes sont fécondes comme les familles anglaises, et ce n'est point chose rare que de voir une ample matrone précédée de quatre ou cinq filles, toutes plus jolies les unes que les autres, et d'autant de garçons très-vivaces ; les coiffures en cheveux, les corsages décolletés, donnent à cette promenade l'aspect d'un bal en plein air ; quelques chapeaux parisiens s'y montrent, comme au Prado de Madrid, mais en petite quantité.

Dans les cafés, qui ont tous des terrasses sur la mer, l'on prend des glaces faites avec la neige de l'Olympe de Bithynie, on hume de petites tasses de café accompagnées de verres d'eau, et l'on brûle le tabac de toutes les manières imaginables : chibouck, narghilé, cigare, cigarette, rien n'y manque ; la silhouette coloriée de Karagheuz se démène derrière son transparent et débite ses lazzi au bruit du tambour de basque.

De temps en temps, un reflet bleu comme celui de la lumière électrique vient éclairer bizarrement une façade de maison, un bouquet d'arbres, un groupe de promeneurs ; l'on se retourne et l'on sourit : c'est un amoureux qui brûle un feu de Bengale en l'honneur de sa maîtresse ou de sa fiancée. — Il doit y avoir beaucoup d'amoureux à Prinkipo, car une lumière ne s'était pas plutôt éteinte qu'une autre se rallumait. Par maîtresse, il faut entendre, dans le sens de la vieille galanterie, femme à qui l'on rend des soins pour s'en faire aimer avec intention de mariage, et pas autre chose, car les mœurs sont ici fort rigides.

Peu à peu chacun rentre chez soi, et vers minuit toute l'île dort d'un sommeil paisible et vertueux ; cette promenade et les bains de mer composent les plaisirs de Prinkipo ; — pour les varier, j'exécutai, avec un aimable jeune homme dont j'avais fait connaissance à la table d'hôte, une grande excursion à ânes dans l'intérieur de l'île ; nous traversâmes d'abord le village, dont le marché était fort réjouissant à l'œil avec ses étalages de concombres aux formes étranges, de pastèques, de melons de Smyrne, de tomates, de piment, de raisins et de denrées bizarres ; puis nous suivîmes la mer tantôt de près, tantôt de loin, à travers des plantations d'arbres et des champs cultivés, jusqu'à la maison d'un pope, très-bon vivant, qui nous fit servir, par une belle fille, du raki et des verres d'eau glacée ; ensuite, contournant l'île, nous arrivâmes à un ancien monastère grec, assez délabré, servant maintenant d'hôpital de fous.

Trois ou quatre malheureux en haillons, le teint hâve, l'air morose, s'y traînaient le long des murs avec un bruissement de ferrailles, dans une cour inondée de soleil. On nous fit voir au fond de la chapelle, moyennant un bacchich de quelques piastres, de mauvaises images à fond d'or et à figures brunes, comme on en fabrique au mont Athos, sur des patrons byzantins, à l'usage du culte grec ; la Panagia y montrait, suivant l'usage, sa tête et ses mains bistrées, à travers les découpures d'une plaque d'argent ou de vermeil, et l'enfant Jésus apparaissait en négrillon dans son nimbe trilobé. Saint Georges, patron du lieu, écrasait le dragon dans l'attitude consacrée.

La situation de ce couvent est admirable : il occupe la plate-forme d'un soubassement de rochers, et du haut de ses terrasses, la rêverie peut plonger dans deux azurs sans limites, celui du ciel et celui de la mer. A côté du couvent, des excavations voûtées, à demi effondrées, montrent qu'il couvrait jadis un emplacement plus vaste et d'une architecture antérieure.

Nous revînmes par une autre route plus sauvage, parmi des touffes de myrtes, des bouquets de térébinthes et de pins qui poussent naturellement, et que les habitants coupent pour faire du bois de chauffage, et nous arrivâmes à l'auberge, à la grande satisfaction de nos ânes, qui avaient besoin d'être talonnés et bâtonnés vigoureusement pour ne pas s'endormir en route, car nous avions commis cette faute de ne pas emmener l'ânier, personnage indispensable dans une caravane de ce genre, les ânes orientaux méprisant beaucoup les bourgeois et ne s'émouvant nullement de leurs gourmades.

Au bout de quatre ou cinq jours, suffisamment édifié sur les délices de Prinkipo, je partis pour faire une excursion sur le Bosphore, depuis la pointe de Seraï jusqu'à l'entrée de la mer Noire.

XXIX
LE BOSPHORE

Le Bosphore, de Seraï-Bournou à l'entrée de la mer Noire, est sillonné d'un va-et-vient perpétuel de bateaux à vapeur comparable au mouvement des watermen sur la Tamise ; les caïdjis, qui naguère régnaient en despotes sur ses eaux vertes et rapides, voient passer les pyroscaphes du même œil que les postillons, les locomotives des chemins de fer, et ils regardent l'invention de Fulton comme tout à fait diabolique. Il y a cependant encore des Turcs obstinés et des giaours poltrons qui prennent des caïques pour remonter le Bosphore, de même qu'il y a chez nous des gens qui, malgré les railways de la rive gauche et de la rive droite, vont à Versailles en gondoles et à Saint-Cloud en coucou ; mais ils sont tous les jours plus rares, et les musulmans s'accommodent très-bien des bateaux à vapeur. Le bateau à vapeur les préoccupe même beaucoup, et il n'est pas un café ou une boutique de barbier dont les murailles ne soient ornées de plusieurs dessins où l'artiste naïf a figuré de son mieux le panache de fumée s'échappant du tuyau et les palettes des roues battant l'eau bouillonnante.

Je m'embarquai au pont de Galata, dans la Corne-d'Or, point de départ des bateaux qui stationnent là en grand nombre, crachant leur vapeur blanche et noir condensée en nuage permanent dans l'azur léger du ciel. Le pont de Londres ou Heresford-suspension-bridge ne présente pas un mouvement plus animé, un encombrement plus tumultueux que cette échelle dont les abords sont fort incommodes, car, pour parvenir aux embarcations, il faut franchir les garde-fous de ponts de bateaux, enjamber des madriers, et passer sur des poutrelles pourries ou rompues.

Ce n'est pas une besogne aisée que de démarrer de là ; pourtant l'on y parvient, non sans se heurter quelque peu aux barques voisines, et l'on se met en route ; en quelques coups de piston l'on a gagné le large, et alors vous filez librement entre une double ligne de palais, de kiosques, de villages, de jardins, de collines, sur une eau vive, mélange d'émeraude et de saphir, où votre sillage fait éclore des millions de perles, sous un ciel le plus beau du monde, par un gai soleil qui jette des iris dans la bruine argentée des roues.

Il n'est rien de comparable, que je sache, à cette promenade faite en deux heures sur cette raie d'azur tirée comme limite entre deux parties du monde, l'Europe et l'Asie, qu'on aperçoit en même temps.

La tour de la Fille émerge bientôt avec sa silhouette blanche d'un si charmant effet sur le fond bleu des eaux : Scutari et Top'Hané se montrent à leur tour. Au dessus de Top'Hané la tour de Galata dresse son toit conique vert-de-grisé, et sur le revers de la colline s'étagent les maisons de pierre des

Européens, les baraques de bois coloriées des Turcs. Çà et là quelque minaret blanc élève sa flèche semblable à un mât de vaisseau ; quelques touffes d'un vert sombre s'arrondissent ; les constructions massives des légations étalent leurs façades, et le grand Champ-des-Morts déploie son rideau de cyprès, sur lequel se détachent en clair la caserne d'artillerie et le collége militaire. Scutari, la ville d'or (Chrysopolis), présente un spectacle à peu près semblable ; les arbres noirs d'un cimetière servent aussi de fond à ses maisons roses et à ses mosquées passées au lait de chaux ; des deux côtés la vie a la mort derrière elle, et chaque ville se cercle d'un faubourg de tombes ; mais ces idées, qui attristeraient ailleurs, ne troublent en rien la sérénité fataliste de l'Orient.

Sur la rive d'Europe, on aperçoit bientôt Schiragan, — un palais bâti par Mahmoud dans les idées européennes, avec un fronton classique comme celui de la Chambre des députés, au milieu duquel s'enlace le chiffre du sultan en lettres d'or, et deux ailes supportées par des colonnes doriques en marbre grec. J'avoue que je préfère en Orient l'architecture arabe ou turque ; pourtant cette construction grandiose, dont le large escalier blanc descend jusqu'à la mer, produit un assez bel effet. Devant ce palais, un splendide caïque au tendelet de pourpre tout doré et peint, portant à la poupe un oiseau d'argent, attendait Sa Hautesse.

En face, au delà de Scutari, se prolonge une ligne de palais d'été, coloriés en vert-pomme, ombragés de platanes, d'arbousiers, de frênes, d'un aspect riant, et, malgré leurs fenêtres en treillage, rappelant plutôt la volière que la prison. Ces palais, rangés sur la rive de manière à tremper leurs pieds dans l'eau, ont assez l'aspect des bains Vigier ou de l'École de natation de Deligny. Les villas turques sur le Bosphore éveillent souvent cette comparaison.

Entre Dolma-Baktché et Beschick-Tash s'élève la façade vénitienne du nouveau palais bâti par le sultan Abdul-Medjid, dont j'ai fait une description particulière. S'il n'est pas d'un goût bien pur, il est au moins d'un caprice bizarre et riche, et sa blanche silhouette, sculptée, fouillée, ciselée, chargée d'ornements infinis, se découpe élégamment sur la rive ; c'est bien un palais de calife ennuyé de l'architecture arabe et persane, et qui, ne voulant pas des cinq ordres, se loge dans un immense bijou de marbre travaillé en filigrane. — Dolma-Baktché s'appelait autrefois Jasonion. C'est là que Jason aborda avec ses Argonautes, dans son expédition à la recherche de la toison d'or.

Le bateau à vapeur serre de près la côte d'Europe, où les stations sont plus fréquentes ; nous pouvons, en passant, voir au café de Beschick-Tash les fumeurs accroupis dans leurs cabinets de treillages suspendus au-dessus de l'eau.

On laisse bientôt en arrière Orta-Kieuï, Kourou-Tchesmé, qui bordent la mer, et derrière lesquels se lèvent, par inflexions onduleuses, des collines parsemées d'arbres, de jardins, de maisons et de villages de l'aspect le plus riant.

D'un village à l'autre règne comme un quai non interrompu de palais et de résidences d'été. La sultane Validé, les sœurs du sultan, les vizirs, les ministres, les pachas, les grands personnages, se sont tous construit là des habitations charmantes, avec une entente parfaite du confortable oriental, qui ne ressemble pas au confortable anglais, mais qui le vaut bien.

Ces palais sont de bois et de planches, à l'exception des colonnes taillées ordinairement dans un seul bloc de marbre de Marmara ou prises à des débris d'anciennes constructions. Mais ils n'en sont pas moins élégants dans leur grâce passagère, avec leurs étages en surplomb, leurs saillies et leurs retraites, leurs kiosques à toits chinois, leurs pavillons à treilles, leurs terrasses ornées de vases et leurs frais coloriages renouvelés sans cesse. — Au milieu des grillages en baguettes de bois de cèdre, qui se croisent sur les fenêtres des appartements réservés aux femmes, s'ouvrent des trous ronds pareils à ceux pratiqués dans les rideaux de théâtre, et par lesquels les acteurs inspectent la salle et les spectateurs ; c'est par là qu'assises sur des carreaux, les belles nonchalantes regardent passer, sans être vues, les vaisseaux, les bateaux à vapeur et les caïques, tout en mâchant du mastic de Chio pour entretenir la blancheur de leurs dents.

Un étroit quai de granit, formant chemin de halage, sépare ces jolies habitations de la mer. En les côtoyant, le voyageur se sent pris, malgré lui, d'un vague désir de faire comme Hassan, le héros d'Alfred de Musset, et de jeter son bonnet par-dessus les moulins pour prendre le fez.

Près d'Arnaout-Keuï, l'eau du Bosphore bouillonne comme sur une marmite à cause d'un rapide courant appelé *mega reuma* (le grand courant) : l'eau bleue file comme la flèche le long des pierres du quai ; là, si robustes que soient leurs bras hâlés au soleil, les caïdjis sentent la rame ployer dans leur main comme une lame d'éventail, et s'ils essayaient de lutter contre ce flot impérieux, elle se romprait comme verre. Le Bosphore est plein de ces courants, dont les directions varient et qui lui donnent plutôt l'apparence d'un fleuve que d'un bras de mer.

Quand on arrive là, on jette de la barque un bout de cordeau à terre ; trois ou quatre hommes s'y attellent comme des chevaux de halage, et, courbant leurs fortes épaules, tirent l'embarcation, dont la proue fait jaillir un ruban d'écume blanche.

Le rapide franchi, on reprend l'aviron et l'on fend sans peine une eau morte. Au pied des maisons on voit souvent des groupes de trois ou quatre femmes turques, accroupies à côté de leurs enfants qui jouent ; sur le quai, des demoiselles grecques se promènent en se tenant par la main et lancent un coup d'œil curieux à un voyageur européen ; des hommes passent à cheval, des matelots remisent un caïque particulier dans sa cale voûtée ; les figures manquent rarement au paysage.

Les lecteurs de ce livre sont assez familiarisés maintenant avec l'architecture locale pour qu'il ne soit pas nécessaire de leur faire une description des maisons d'Arnaout-Keuï. Je noterai cependant comme particulières de vieilles habitations arméniennes peintes en noir, ce qui était autrefois la couleur obligée, les teintes claires appartenant de droit aux Turcs, et le rouge sang de bœuf ou rouge antique aux Grecs ; aujourd'hui chacun peut peindre sa maison comme il veut, excepté en vert, la couleur de l'Islam, des hadjis et des descendants du prophète.

Sur la côte d'Asie, plus boisée et plus ombreuse que celle d'Europe, les villages, les palais et les kiosques se succèdent, un peu moins serrés peut-être, mais à des distances très-rapprochées encore. C'est Kous-Goundjouk, Stavros, Beylerbey, où Mahmoud se fit bâtir une résidence d'été, Tchengel-Keuï, Vani-Keuï, et en face de Babec les Eaux-Douces d'Asie (Guyuck-Sou).

Une charmante fontaine en marbre blanc, toute brodée d'arabesques, toute historiée d'inscriptions en lettres d'or, coiffée d'un grand toit à forte projection et de petits dômes surmontés de croissants, qui s'aperçoit de la mer et se détache sur un fond d'opulente verdure, désigne au voyageur cette promenade favorite des osmanlis. — Une vaste pelouse, veloutée d'un frais gazon, encadrée de frênes, de platanes et de sycomores, s'encombre, le vendredi, d'arabas et de talikas, et voit s'étendre sur des tapis de Smyrne les beautés paresseuses du harem.

Les nègres eunuques, fouettant leurs pantalons blancs du bout de leur houssine, se promènent entre les groupes accroupis, guettant quelque œillade furtive, quelque signe d'intelligence, surtout s'il se trouve là quelque giaour tâchant de pénétrer de loin les mystères du yachmack ou du feredgé ; quelquefois les femmes attachent des châles à des branches d'arbres et bercent leurs enfants dans ce hamac improvisé ; d'autres mangent des confitures de rose ou boivent de l'eau à la neige ; quelques-unes fument le narghiléh ou la cigarette ; toutes babillent ou médisent des dames franques, qui sont si effrontées, se montrent à visage découvert et marchent dans les rues avec des hommes.

Plus loin, les paysans bulgares au sayon antique, au bonnet entouré d'une énorme couronne de fourrure, exécutent leurs danses nationales dans l'espoir d'un bacchich. Les cawadjis préparent leur café en plein air ; l'israélite, à la robe fendue sur les côtés, au turban moucheté de noir comme un linge où l'on essuie des plumes, offre quelques menues marchandises aux promeneurs avec cet air servile et bas des juifs d'Orient, toujours pliés en deux sous la crainte de l'avanie, et des caïdjis assis au rebord du quai fument, les jambes pendantes, surveillant leurs barques du coin de l'œil.

Il serait trop long de décrire l'un après l'autre tous ces villages qui se suivent et se ressemblent avec d'imperceptibles différences. C'est toujours une ligne de maisons en bois coloriées, comme les villages des boîtes de joujous de Nuremberg, se développant le long du quai ou trempant immédiatement leurs pieds dans l'eau quand il n'y a pas de chemin de halage, et se détachent sur un rideau de riche verdure d'où s'élance le minaret crayeux d'un marabout ou d'une petite mosquée ; au delà, les collines aux pentes douces et ménagées s'élèvent harmonieusement azurées par la lumière du ciel ; parfois on souhaiterait un escarpement plus abrupte, une falaise aride, un ossement de rocher perçant l'épiderme de la terre ; tout cela est vraiment trop gracieux, trop riant, trop coquet, trop peigné ; il faudrait çà et là quelques touches accentuées et violentes pour servir de repoussoir.

A certains endroits du courant sont juchés, sur un échafaudage de perches, des espèces de cages à poules d'une construction bizarre et pittoresque, dans lesquelles les pêcheurs se tiennent pour guetter le passage des bancs de poissons et avertir du moment propice à jeter ou relever le filet ; quelquefois il leur arrive de s'endormir et de tomber la tête en avant de leur perchoir aérien à l'eau, où ils se noient sans se réveiller. Ces guérites, semblables à des nids d'oiseaux aquatiques, semblent construites exprès pour fournir des premiers plans aux peintres.

Ici les deux rives se rapprochent considérablement.

— C'est la place où Darius fit passer son armée dans son expédition contre les Scythes, sur un pont jeté par Mandroclès de Samos. Sept cent mille hommes y défilèrent, gigantesques amas des hordes de l'Asie, aux types exotiques, aux armes bizarres, aux accoutrements fabuleux, à la cavalerie mêlée d'éléphants et de chameaux. Sur deux colonnes de pierre élevées à la tête du pont furent gravées les listes de tous les noms de peuples marchant à la suite de Darius. Ces colonnes s'élevaient à l'endroit même qu'occupe le château de Guzeldjé-Hissar, construit par Bayezid-Ilderim, Bajazet le foudre de guerre. Mandroclès, à ce que raconte Hérodote, dessina ce passage sur un tableau qu'il appendit au temple de Junon, à Samos, sa patrie, avec cette inscription : « Mandroclès, ayant construit un pont sur le Bosphore poissonneux, en dédia le dessin à Junon ; en exécutant ce projet du roi Darius, Mandroclès procura de la gloire aux Samiens et obtint une couronne. » — Le Bosphore, à cette place, est large de quatre cents toises, et c'est par là que passèrent les Perses, les Goths, les Latins et les Turcs : les invasions, qu'elles vinssent de l'Asie ou de l'Europe, suivirent la même route, tous ces grands débordements de peuples coulèrent par le même lit et marchèrent dans l'ornière de Darius.

Le château d'Europe, — Rouméli-Hissar, — nommé aussi Boghas-Keçen (coupe-gorge), fait fort bonne figure sur le revers de la colline avec ses tours blanches d'inégale hauteur et ses murailles crénelées. Les trois grosses tours et la petite qui est près du bord de la mer dessinent à rebours, selon l'Écriture turque, quatre lettres, M. H. M. D., qui forment le nom du fondateur, Mohamed II. Ce rébus architectural, qu'on ne devinerait pas, rappelle le plan de l'Escurial, représentant le gril de saint Laurent, en l'honneur duquel fut élevé le monastère. On ne s'aperçoit de cette bizarrerie que si l'on est prévenu. Le château d'Europe fait face au château d'Asie (Anadoli-Hissar), que j'ai mentionné tout à l'heure.

Près de Rouméli-Hissar s'étend un cimetière dont les hauts cyprès noirs et les cippes blancs se mirent gaiement dans l'azur de la mer, et qui donnerait envie de s'y faire enterrer, tant il est riant, fleuri et parfumé. Les morts couchés dans ce frais jardin égayé de soleil, animé de chants d'oiseaux, ne doivent pas s'ennuyer.

Le bateau à vapeur, après avoir dépassé Balta-Liman, Steneh, Yeni-Keuï, Kalender, s'arrête à Thérapia, un bourg dont le nom signifie *guérison* en grec, et qui justifie par la salubrité de son air cette appellation médicale ; — c'est là que l'ambassade de France a son palais d'été. Dans le gracieux petit golfe qui l'avoisine, — coupe d'or remplie de saphirs, — Médée, revenant de Colchide avec Jason, descendit à terre et déballa la boîte renfermant ses philtres et ses drogues magiques, — d'où le nom de *pharmaceus* que portait autrefois Thérapia.

Thérapia est un séjour délicieux ; son quai est bordé de cafés décorés avec un certain luxe, chose rare en Turquie, d'auberges, de maisons de plaisance et de jardins. — Dans un passage qui conduit au débarcadère, je remarquai parmi les pierres de la muraille deux torses de marbre, l'un d'homme vêtu d'une cuirasse antique, l'autre de femme, voilé de draperies assez frustes que les constructeurs barbares avaient encastrées au milieu des moellons comme de vulgaires matériaux.

Dans la rade était mouillé le *Chaptal*, commandé par M. Poultier, à qui j'allai rendre visite, et qui me reçut avec cette bonhommie affectueuse qui lui est propre, et cette exquise politesse commune à tous les officiers de marine.

Le palais de l'ambassade de France, que M. Renaud doit reconstruire avec plus de solidité, de richesse et de goût, est un grand bâtiment à la turque, tout en bois et en pisé, sans aucun mérite architectural, mais vaste, aéré, commode, d'une fraîcheur à l'abri des plus violentes ardeurs de l'été et dans la plus admirable situation du monde.

Derrière le palais se développent des jardins en terrasse, plantés d'arbres centenaires d'une hauteur prodigieuse, incessamment agités par les brises de la mer Noire. Arrivé au remblai supérieur, on jouit d'une perspective merveilleuse. La rive d'Asie étale devant vous les frais ombrages des Eaux de la Sultane, plus loin bleuit le mont du Géant, où la tradition place le lit d'Hercule. Sur la rive d'Europe, Buyuk-Déré arrondit sa courbe gracieuse, et le Bosphore, au-delà de Rouméli-Kavak et d'Anadoli-Kavak, s'évase jusqu'aux îles Cyanées, et se perd dans la mer Noire. — Des voiles blanches vont et viennent comme des oiseaux marins, et la pensée s'égare dans un rêve infini.

XXX
BUYUK-DÉRÉ

Buyuk-Déré, qu'on aperçoit de la terrasse de Thérapia, est un des plus charmants villages de plaisance qui existent au monde. Le rivage se creuse à cet endroit et décrit un arc où les flots viennent mourir par molles ondulations. Des habitations élégantes, parmi lesquelles on remarque le palais d'été de l'ambassade de Russie, s'élèvent sur le bord de la mer, au pied des dernières croupes de collines qui forment le lit du Bosphore, sur un fond de jardins verdoyants ; les riches négociants de Constantinople possèdent là des maisons de campagne où, chaque soir, le bateau à vapeur les amène, leurs affaires finies, et d'où ils repartent le matin.

Sur la plage de Buyuk-Déré, se promènent, après le coucher du soleil, de belles dames, arméniennes et grecques, en grande toilette. Les lumières des cafés et des maisons se mêlent dans l'eau à la traînée d'argent de la lune et aux reflets des étoiles ; une brise saturée de parfums et de fraîcheur souffle doucement et fait de l'air comme un éventail manié par la main invisible de la nuit ; des orchestres de musiciens hongrois jettent aux échos les valses de Strauss, et le bulbul chante le poëme de ses amours avec la rose, caché sous des touffes de myrtes. Après une chaude journée d'été, le corps, ranimé par cette atmosphère balsamique, sent un bien-être délicieux, et ce n'est qu'à regret qu'on gagne son lit.

L'hôtel nouvellement fondé à Buyuk-Déré, et rendu nécessaire par l'affluence des voyageurs qui ne savaient où passer la nuit ou ne voulaient pas abuser de l'hospitalité de leurs amis de Constantinople, est fort bien tenu ; il a un grand jardin où s'épanouit un superbe platane dans les branches duquel on a établi un cabinet où je déjeunais abrité par un parasol de feuilles dentelées et soyeuses. — Comme je m'extasiais sur la grosseur de cet arbre, on me dit que dans une prairie, au bout de la grande rue de Buyuk-Déré, il en existait un bien plus énorme, connu sous le nom de platane de Godefroy de Bouillon.

J'allai le visiter, et, au premier abord, je crus voir une forêt plutôt qu'un arbre : le tronc, composé d'une agglomération de sept ou huit fûts soudés ensemble, ressemblait à une tour effondrée par places ; d'énormes racines, pareilles à des serpents boas à moitié rentrés dans leurs repaires, l'accrochaient au sol ; les rameaux qui s'y implantaient avaient plutôt l'air d'arbres horizontaux que de simples branches ; dans ses flancs bayaient de noires cavernes, formées par la putréfaction du bois tombé en poudre sous l'écorce. Les pâtres s'y abritent comme dans une grotte et y font du feu sans que le géant végétal y prenne garde plus qu'aux fourmis qui circulent sur sa peau rugueuse et soulevée par lames. Rien n'est plus majestueusement pittoresque que cette monstrueuse masse de feuillages sur laquelle les siècles ont glissé comme des gouttes de pluie, et qui a vu se dresser à son ombre les tentes des héros chantés par le Tasse dans la *Jérusalem délivrée*. Mais ne nous abandonnons pas à la poésie ; voici l'histoire qui vient, comme d'habitude, contredire la tradition ; les savants prétendent que Godefroy de Bouillon n'a jamais campé sous ce platane, et ils apportent pour preuve un passage d'Anne Comnène, une contemporaine des faits, qui dément la légende. « Alors le comte Godefroy de Bouillon, ayant fait la traversée avec d'autres comtes et une armée composée de dix mille hommes de cavalerie et de soixante-dix mille d'infanterie, arriva à la grande ville et rangea ses troupes aux environs de la Propontide, depuis le pont Cosmidion jusqu'à Saint-Phocas. » Voilà qui est clair et décisif ; mais, comme la légende, malgré les textes des érudits, ne saurait avoir tort, le comte Raoul établit son champ à Buyuk-Déré avec les autres croisés latins, en attendant qu'il pût passer en Asie ; et, la mémoire précise de l'événement s'étant perdue, le platane séculaire a été baptisé du nom plus connu de Godefroy de Bouillon, qui, pour le peuple, résume plus particulièrement l'idée des croisades.

Quoi qu'il en soit, l'arbre millénaire est là toujours debout, plein de nids et de rayons de soleil, voyant les années tomber à ses pieds comme des feuilles, de siècle en siècle plus colossal et plus robuste. Le vent du désert a depuis longtemps dispersé dans les sables de la Palestine les ossements réduits en poudre des croisés.

Lorsque je visitai le platane de Godefroy ou de Raoul, un araba dételé était arrêté sous ses branches. Les bœufs, délivrés du joug, s'étaient agenouillés dans l'herbe, et ruminaient gravement avec un air de béatitude sereine, secouant de temps à autre les filaments de bave argentée de leur mufle noir.

Leurs conducteurs cuisinaient leur frugale pitance dans une des fissures de l'arbre, espèce de cheminée naturelle au foyer fait de deux pierres : c'était un tableau charmant, tout groupé et tout composé. J'avais envie d'aller chercher Théodore Frère à son atelier de Buyuk-Déré pour en faire une pochade peinte ; mais l'araba se serait remis en route, ou le rayon qui éclairait si pittoresquement la scène se serait éteint avant que l'artiste fût arrivé. D'ailleurs, Frère a dans ses cartons des milliers de scènes analogues qui se reproduisent fréquemment dans la vie orientale.

Le *Charlemagne* était mouillé à Thérapia, en face de l'ambassade de France, qui donnait une fête aux matelots. Des canots allaient sans cesse du navire à terre, débarquant l'équipage, composé d'environ douze cents hommes, dont on n'avait gardé à bord que les surveillants indispensables ; d'immenses tables étaient dressées sous les grands arbres, dans les jardins de l'ambassade ; et, sur la terrasse, les artistes du *Charlemagne* avaient élevé un théâtre avec des pavillons et des toiles à voiles, au fronton duquel un aigle très-bien peint en détrempe palpitait des ailes au-dessus d'attributs de guerre et de marine. Les marins savent tout faire : ils avaient construit le théâtre, et ils jouaient des vaudevilles comme des acteurs de profession ; Arnal n'est pas plus drôle dans *Passé minuit* que le gabier chargé de ce rôle à Thérapia. Dans l'autre vaudeville, dont le nom m'échappe, de jeunes mousses imberbes ou des matelots rasés de très-près remplissaient les rôles de femme, comme sur le théâtre antique : leurs faux tours en cheveux blonds, les appas complémentaires dont ils ne s'étaient pas fait faute, et qui auraient éveillé la galanterie de Sganarelle, les allures masculines qu'ils reprenaient sans y penser au milieu de leurs affectations de mignardise, leurs pas brusques embarrassés par les jupes, leurs alternatives de fausset et de basse-taille, et leurs figures brûlées par le soleil de tous les pays, encadrées dans de prétentieux bonnets à ruches de tulle, produisaient l'effet le plus extravagamment comique qu'on puisse imaginer. On riait à mourir. Le public se composait du personnel de l'ambassade, des attachés des autres légations, des banquiers, hauts négociants et personnages considérables de Péra ; les femmes étaient parées comme à une représentation du Théâtre-Italien, et ces belles toilettes produisaient un effet charmant à la vive lumière du soleil.

Après la comédie, le repas eut lieu, gigantesque agape, prodigieux festin de Gargantua, colossales noces de Gamache, produit combiné du chef de l'ambassade et du cock du *Charlemagne*, aidés par une armée de marmitons turcs, arméniens, grecs, juifs, italiens, marseillais. Le soir, les convives en gaieté se promenaient sur le quai de Thérapia par petites bandes de dix ou douze amis, dansant des cachuchas inédites plus cambrées que celles de la Petra-Camara, et chantant des chansons qui ne seront pas admises sans doute dans le recueil des chants populaires de la France, et n'en sont pas moins d'une poésie singulière et d'une originalité des plus imprévues.

Il faisait un temps admirable, et je résolus de retourner le soir même à Constantinople, dans un caïque à deux paires de rames, manœuvré par deux robustes Arnautes, aux tempes et aux joues rasées, n'ayant de poil qu'une longue moustache blonde ; quoiqu'il fût plus de dix heures quand je partis, on y voyait parfaitement et certes plus clair qu'à Londres en plein midi ; ce n'était pas une nuit, mais plutôt un jour bleuâtre d'une douceur et d'une transparence infinies ; je m'établis à la poupe bien en équilibre, mon paletot boutonné jusqu'au col, car la rosée tombait en fine bruine argentée, comme les pleurs nocturnes des astres, et le fond de la barque était tout mouillé. Mes Arnautes avaient jeté une veste sur leur chemise de gaze rayée, et nous commençâmes la descente.

Le caïque aidé par le courant, et poussé par quatre bras vigoureux, filait presque aussi rapidement qu'un bateau à vapeur au milieu du tremblement lumineux de l'eau piquée de millions de paillettes ; les collines et les caps de la rive projetaient de grandes ombres violettes qui tranchaient sur le vif argent des vagues, où les silhouettes des vaisseaux à l'ancre se dessinaient comme des découpures de papier noir, avec leurs vergues carguées et leurs cordages ténus. Quelques lumières brillaient de loin en loin, à bord des embarcations ou aux fenêtres des villages riverains. — On n'entendait d'autre bruit que la respiration cadencée des caïdjis, le rhythme régulier des avirons, le clapotis de l'eau et les aboiements lointains de quelques chiens en éveil.

De temps à autre une bolide traversait le ciel et s'éteignait comme une bombe de feu d'artifice. La voie lactée déroulait sa zone blanchâtre avec un éclat et une netteté inconnus dans nos brumeuses nuits du Nord ; les étoiles brillaient jusque dans l'auréole de la lune. C'était merveilleux de magnificence tranquille et de splendeur sereine. En contemplant cette voûte de lapis-lazuli veiné d'or, je me demandais : Pourquoi le ciel est-il si splendide lorsque la terre est endormie, et pourquoi les astres ne s'éveillent-ils qu'à l'heure où les yeux se ferment ? Cette féerique illumination, personne ne la voit ; elle ne s'allume que pour les prunelles nyctalopes des hibous, des chauve-souris et des chats. Le divin décorateur méprise-t-il à ce point le public, qu'il ne déploie ses plus belles toiles qu'après que les spectateurs sont couchés ? Cela serait peu flatteur pour l'orgueil humain ; mais la terre n'est qu'un point imperceptible, un grain de senevé perdu dans l'immensité, et, comme le dit Victor Hugo, — l'état normal du ciel, c'est la nuit.

Une heure sonnait quand ma barque aborda à Top'Hané. — J'allumai ma lanterne ; et, gravissant par les rues désertes en ayant soin de ne pas marcher sur les tribus de chiens assoupis qui poussaient de faibles gémissements à mon passage, je regagnai mon logis dans le Champ-des-Morts de Péra, éreinté, mais ravi.

Le lendemain, continuant mes promenades, je me rendis aux eaux douces d'Europe, au fond de la Corne-d'Or. Franchissant les trois ponts de bateaux, dont le dernier, achevé tout récemment, a été construit aux frais d'un riche Arménien, je longeai les cales de l'arsenal maritime, où sous des hangars s'ébauchent les carcasses de navires, semblables à des squelettes de cachalots et de baleines, je passai entre Eyoub et Pim-Pacha, et j'entrai bientôt dans l'archipel de petites îles basses et plates qui divisent l'embouchure du Cydaris et du Barbysès, réunis un peu avant de se jeter à la mer. Les noms turcs substitués à ces harmonieuses appellations sont Sou-Kiat-Hana et Ali-Bey-Keuï.

Des hérons et des cigognes, le bec posé sur leur jabot, une patte repliée sous le ventre, vous regardent passer d'un air amical ; les goëlands vous effleurent de l'aile, et le milan décrit des cercles au-dessus de votre tête. A mesure qu'on avance, la rumeur de Constantinople s'éteint, la solitude se fait, la campagne succède à la ville par transitions insensibles. Personne ne passe sur les élégants ponts chinois qui enjambent le Barbysès, qu'on prendrait pour une de ces rivières factices des jardins anglais.

Les eaux douces d'Europe sont plus spécialement fréquentées l'hiver. — Le sultan y possède un kiosque avec des eaux et des cascades artificielles côtoyées de pavillons d'un charmant goût turc. — Cette résidence a été bâtie par Mahmoud ; mais, comme elle n'est presque jamais habitée et qu'on ne la répare pas, l'abandon la dégrade, et elle tombe déjà presqu'en ruines. — Le canal s'envase, les pierres disjointes laissent échapper l'eau, et les plantes parasites se mêlent aux arabesques sculptées. On dit que Mahmoud, qui avait arrangé ce nid charmant pour une odalisque adorée, n'y voulut plus revenir quand une mort prématurée eut enlevé la jeune femme. — Depuis ce temps, un voile de mélancolie semble flotter sur ce palais désert enfoui dans des masses d'ormes, de frênes, de noyers, de sycomores et de platanes, qui paraissaient vouloir le dérober aux yeux du voyageur, comme la forêt épaissie autour du château de la Belle au bois dormant, et les grands saules pleureurs secouent tristement dans l'eau leurs larmes de feuillage.

Ce jour-là, il n'y avait personne, et la promenade n'en était pas moins agréable pour cela ; et, après avoir erré quelque temps sous les ombrages solitaires, je m'arrêtai à un petit café pour prendre du yaourth (lait caillé) avec un morceau de pain, frugal repas dont avait grand besoin mon appétit, aiguisé par l'air vif de la mer.

Au lieu de m'en retourner en caïque, je pris un de ces chevaux de louage qui stationnent à tous les coins de place, et je remontai par Pim-Pacha, Haas-Keuï et Cassim-Pacha, jusqu'à San-Dimitri, le village grec, près du grand Champ-des-Morts de Péra, et, suivant de vastes terrains nus, j'arrivai à l'Ock-Meidani, qu'on prendrait de loin pour un cimetière, à voir la multitude de petites colonnes de marbre dont il est hérissé.

C'est l'endroit où jadis les sultans s'exerçaient au jeu du djerid, et ces petits monuments sont destinés à perpétuer la mémoire des coups extraordinaires et à en mesurer la portée. Ils sont d'ailleurs fort simples et n'ont pour ornement qu'une inscription en lettres turques, et quelquefois au sommet une étoile en cuivre doré. — Le djerid est tombé en désuétude et les plus modernes de ces colonnes remontent déjà à une certaine date. Les vieilles coutumes disparaissent et ne seront bientôt plus que des souvenirs.

Il y avait déjà soixante-douze jours que je me promenais dans Constantinople, et j'en connaissais tous les coins et recoins. Sans doute c'est peu pour étudier le caractère et les mœurs d'un peuple, mais c'est assez pour saisir la physionomie pittoresque d'une ville, et tel était le but unique de mon voyage. — La vie est murée en Orient, les préjugés religieux et les habitudes s'opposent à ce qu'on y pénètre. Le langage reste impraticable, à moins d'une étude de sept ou huit années ; on est donc forcé de se contenter du panorama extérieur. — Un séjour prolongé de quelques semaines ne m'en eût pas appris davantage, et d'ailleurs je commençais à avoir soif de tableaux, de statues et d'œuvres d'art. L'éternel bal masqué des rues finissait par m'impatienter. J'avais assez de voiles, je voulais voir des visages.

Ce mystère, qui d'abord occupe l'imagination, devient fatigant à la longue, lorsqu'on a reconnu qu'il n'y a pas d'espoir de le deviner. — L'on y renonce bientôt, l'on ne jette plus qu'un regard distrait sur les fantômes qui défilent près de vous, et, l'ennui vous gagne d'autant plus vite, que la société franque de Péra, composée de négociants très-respectables sans doute, n'est pas amusante pour un poëte. Aussi allai-je retenir ma cabine à bord du vaisseau autrichien l'*Imperatore*, pour aller à Athènes, par la correspondance de Syra, visiter Corinthe, le golfe de Lépante, Patras, Corfou, les monts de la Chimère et gagner Trieste, en longeant les côtes de l'Adriatique.

Je voyais déjà briller en rêve sur le roc de l'Acropole la blanche colonnade du Parthénon avec ses interstices d'azur, et les minarets de Sainte-Sophie ne me faisaient plus aucun plaisir. Mon esprit, tourné vers un autre but, n'était pas impressionné par les objets environnants. Je partis, et, quoique heureux de ce départ, je regardai une dernière fois Constantinople s'effaçant à l'horizon, avec cette indéfinissable mélancolie qui vous serre le cœur lorsqu'on quitte une ville qu'on ne doit probablement plus revoir.

FIN

www.ingramcontent.com/pod-product-compliance
Ingram Content Group UK Ltd.
Pitfield, Milton Keynes, MK11 3LW, UK
UKHW040935170325
5022UKWH00034B/614